El rey recibe

Biografía

Eduardo Mendoza nació en Barcelona en 1943. Ha publicado las novelas *La verdad sobre el caso Savolta* (1975; *Los soldados de Cataluña*, 2015), Premio de la Crítica; *El misterio de la cripta embrujada* (1979); *El laberinto de las aceitunas* (1982); *La ciudad de los prodigios* (1986), Premio Ciutat de Barcelona; *La isla inaudita* (1989); *Sin noticias de Gurb* (1991, 2011 y 2014); *El año del diluvio* (1992); *Una comedia ligera* (1996), Premio al Mejor Libro Extranjero en Francia, referido además a todo el conjunto de su obra; *La aventura del tocador de señoras* (2001), Premio al Libro del Año del Gremio de Libreros de Madrid; *El último trayecto de Horacio Dos* (2002); *Mauricio o las elecciones primarias* (2006), Premio de Novela Fundación José Manuel Lara; *El asombroso viaje de Pomponio Flato* (2008), Premio Terenci Moix y Pluma de Plata de la Feria del Libro de Bilbao; *El enredo de la bolsa y la vida* (2012); *El secreto de la modelo extraviada* (2015), *El rey recibe* (2018), *El negociado del yin y el yang* (2019); el libro de relatos *Tres vidas de santos* (2009), *Teatro reunido* (2017), *Qué está pasando en Cataluña* (2017), siempre en Seix Barral, *Riña de gatos. Madrid 1936*, novela ganadora del Premio Planeta y del Premio del Libro Europeo, y *Las barbas del profeta* (2017). Ha recibido el Premio Cervantes 2016, el Premio Liber, el Premio Nacional de Cultura de la Generalitat de Catalunya y el Premio Franz Kafka.

Eduardo Mendoza

El rey recibe

Seix Barral

Seix Barral, un sello editorial de Editorial Planeta, S. A.
Avda. Diagonal, 662-664, 08034 Barcelona (España)
www.seix-barral.es
www.planetadelibros.com

Adaptación de la cubierta: Booket / Área Editorial Grupo Planeta
Imagen de la cubierta: © Robert Crumb
Primera edición en Colección Booket: marzo de 2020

Depósito legal: B. 1.466-2020
ISBN: 978-84-322-3644-0
Impresión y encuadernación: CPI (Barcelona)
Printed in Spain - Impreso en España

PRIMERA PARTE

I had this story from one who had no business to tell it to me, or to any other.

Pollensa, 14 de julio (crónica telefónica de nuestro enviado especial Rufo Batalla). — *Bajo un cielo resplandeciente y junto a una playa paradisiaca bañada por el mar, se ha celebrado la suntuosa boda del heredero de una de las más antiguas realezas de Europa con una bella señorita perteneciente a una noble y adinerada familia de la aristocracia inglesa. Antes de entrar en detalles acerca de los contrayentes, cabe destacar el hecho de que hayan sido ellos mismos quienes eligieron para contraer matrimonio el marco incomparable de Mallorca, y más concretamente del hotel Formentor, pues, aunque ambos residen en el extranjero, les unen a nuestra patria y en particular a este lugar de ensueño profundos vínculos afectivos. Por expreso deseo de Su Alteza Real, persona de gustos sencillos, el número de invitados a este magno acontecimiento se ha reducido a un grupo pequeño pero muy selecto de personalidades del mundo de la política, los negocios y la cultura, por no hablar de un verdadero plantel de caras conocidas del séptimo arte.*

¿Cómo son en la intimidad el príncipe y su ilustre esposa?

*

Sí, estas frases repelentes las escribí yo hace ya mucho, y las habría echado al olvido, como haría cualquier persona sensata, si no fuera porque en cierto modo cambiaron mi vida.

Acababa de cumplir veintidós años, hacía dos que me había licenciado en Lenguas Germánicas en la Facultad de Filosofía y Letras de Barcelona y tres meses que había vuelto de Londres, donde había vivido algo más de un año gracias a una mísera bolsa de estudios, conseguida a base de contactos familiares, y de trabajos modestos, como lavar platos y servir mesas en restaurantes de ínfima categoría. Durante aquel periodo pasé hambre y frío y vagué solitario y marginado entre un lujo y una excentricidad que me estaban vedados por forastero y por pobre. A pesar de lo cual, regresé con un conocimiento fiable del inglés y una anglofilia tan infundada como irreversible.

De regreso en Barcelona, y a falta de algo mejor, había entrado de meritorio en un diario vespertino. Hoy en día sería inimaginable que en estas condiciones me enviaran a cubrir un acontecimiento como el que he descrito, pero en aquella época la prensa del corazón tenía tan poca importancia como el público al que iba destinada, es decir, las mujeres. Los periódicos nacionales, a pesar de su mediocridad en todos los aspectos, menospreciaban este tipo de información, que incluían bajo el título genérico de «notas de sociedad», junto a la crónica de sucesos y otros datos de interés secundario dentro de la labor informativa. Salvo excepciones muy sonadas, como la boda de Grace Kelly con el príncipe Rainiero de Mónaco, en la primavera de 1956, las notas de sociedad se limitaban a reproducir despachos de agencia, acortando o alargando el texto sin reparos en función del espacio disponible. En terminología periodística, esto se llamaba «un suelto». En aquella ocasión, sin embargo, el periódico se había visto obligado a dar una cobertura inusual al acontecimiento, y seguramente la elección del corresponsal recayó en mí porque la boda se celebró en pleno verano, cuando la mayoría de los redactores estaban de vacaciones, las noticias escaseaban, la publicidad y los anuncios por palabras se reducían a un mínimo y la vida intelectual y cultural del país se sumía en un letargo más profundo de lo habitual. Estos factores y el hecho de que yo fuera el único integrante de la plantilla que hablaba idiomas decidieron al director a confiarme un cometido que por lo demás se había visto obligado a aceptar de mala gana.

—Necesito un mínimo de cinco folios. Lleva un traje oscuro y aguanta hasta el final de la ceremonia. Luego habrá recepción y banquete. Por supuesto, tú no estás invitado, pero te quedas rondando por donde te dejen y averiguas lo que puedas de los invitados, el menú y estas cosas. Los vestidos de las mujeres son importantes. Con eso y unas fotos de agencia cubrimos el expediente. Al príncipe ni te acerques. El muy capullo se niega a conceder entrevistas a la prensa española. Prueba con alguien del séquito, pero no te metas en líos. Y sobre todo no te emborraches.

En su voz había un deje exagerado de repugnancia. Quería dejar bien claro delante de sus subordinados que desaprobaba el interés por la boda y que sólo lo hacía debido a presiones «de arriba».

El director del periódico se llamaba Jaime Bassols y era un viejo republicano de derechas, depurado y restablecido en su cargo tras varios años de ostracismo y privaciones. En aquella nueva etapa de su vida se esforzaba por hacer del periódico un órgano de información y difusión más que de manipulación y propaganda, objetivo que sólo conseguía en una parte mínima pero suficiente para justificarse ante el prójimo y ante su propia conciencia. No le faltaban los conflictos, las amenazas, las humillaciones y los berrinches; en ocasiones se consideraba un héroe, en otras, un cobarde, y siempre, un fracasado. La suma de estas valoraciones le había agriado el carácter.

Yo había entrado a trabajar en el periódico gracias a la recomendación de un pariente, pese a no tener ni siquiera el título de periodista, lo que no era insólito en aquellos tiempos. Mis padres habían costeado mis estudios con grandes esfuerzos y estaban haciendo lo mismo con mis hermanos, por lo que tan pronto obtuve el título universitario y regresé de mi estancia en Londres, aunque acariciaba otros sueños, no tuve más opción que ponerme a trabajar para aportar algo a la economía doméstica. Mi función en el periódico consistía básicamente en hacer de chico de los recados, redactar ocasionalmente alguna gacetilla y ser amable con todo el mundo. Como no daba muestras de aspirar a nada ni de querer arrebatarle el puesto a nadie, pronto me fue perdonado el doble pecado original: haber entrado por enchufe y estar mejor preparado que el resto del personal.

Por mi parte, debo contar lo que se cuenta, pero de ninguna manera debo creérmelo todo, y esta advertencia mía valga para toda mi narración.

La tarea que me habían asignado, aun siendo insustancial, constituía una prueba de confianza y debería haberme producido orgullo o al menos satisfacción, pero no era así. Por una cuestión de principios, el acontecimiento sobre el que debía escribir no me podía resultar menos atractivo. Una boda real me parecía una estupidez y un insulto.

Como tantos jóvenes de mi generación, en mis años de estudiante no sólo había sido un activo opositor al régimen dictatorial, sino un ferviente partidario de la revolución a ultranza. Había hecho una lectura superficial de Marx y Engels y, a renglón seguido, de Antonio Gramsci, Georg Lukács, Frantz Fanon, Régis Debray y algunos más, sin enterarme de gran cosa. Pero unas cuantas frases extraídas de abstrusas teorías económicas habían bastado para encender mi imaginación y enardecer mi ánimo. Perdido en aquella galaxia teórica, había acabado decantándome por algunas figuras marginales, como Trotski, que unía al espíritu revolucionario una cierta heterodoxia y una aparente amplitud de miras, o la figura mítica del Che Guevara. Y no me parecía contradictorio identificarme también con los anarquistas, desesperados merodeadores nocturnos y conspiradores de pistolón y bomba.

Como era previsible, mis padres recibieron la noticia de mi misión con alegría y una sombra de preocupación ante la posibilidad de que su hijo no supiera estar a la altura de las circunstancias. Para ellos yo seguía siendo un niño y aquella actitud a veces me hacía pensar que el resto de las personas tenían el mismo concepto de mí. Dos años de servicio militar, una parodia de virilidad hecha de brutalidad y jactancia, no habían hecho más que confirmar la sensación íntima de desamparo y la nostalgia del hogar, y el nuevo trabajo, conseguido por influencia ajena y no por méritos propios, no había aumentado mi autoestima.

Para mayor desespero, mi madre no supo darme ninguna información sobre los protagonistas de la boda que debía cubrir. Ni siquiera sabía de qué boda le estaba hablando. Mientras me planchaba y almidonaba una camisa blanca y se disponía a planchar el pantalón del traje con un trapo húmedo, me contó la boda de Grace Kelly, que yo recordaba vagamente, y, muchos años antes, la del sultán de Marruecos. La dejé hablar porque la veía desgranar recuerdos lejanos, historias teñidas de un vaho dorado al que ya no se consideraba digna de acceder ni siquiera de un modo vicario.

Con este espíritu emprendí el viaje al día siguiente.

Traveling is a fool's paradise.

A finales de la década de los sesenta Mallorca ya estaba invadida por el turismo masivo, pero el aeropuerto de Palma era pequeño y destartalado, los transportes públicos, deficientes, y las carreteras, estrechas y bacheadas, corrían entre campos áridos salpicados de molinos de viento y pueblos adormecidos. En un autocar de línea desvencijado y apestoso, que paraba cada cinco minutos, llegué a Pollensa a la caída de la tarde, cansado, asfixiado y medio mareado. Con el billete de avión me habían facilitado un bono de estancia en un hotel que encontré preguntando a los viandantes. El hotel era una antigua casa de familia rehabilitada, que no ofrecía un encanto ni un lujo que yo tampoco esperaba. Me registré, subí a la habitación, colgué el traje para ver si se desarrugaba, me di una ducha, me puse ropa limpia y salí a la calle en busca de un restaurante barato donde cenar lo que tolerase mi alterado estómago.

De camino por una calle estrecha y mal iluminada hacia donde suponía que estaría la animación, se me acercó una chica bastante mona y me preguntó si hablaba inglés. Llevaba pantalón largo, camiseta de tirantes, sandalias de cuero y una bolsita de lona en bandolera; era delgada, con el cabello castaño, ni largo ni corto, y una sonrisa simpática. Le respondí que hablaba inglés y ella, con evidentes muestras de nerviosismo, me contó que se le había averiado la motocicleta y buscaba desesperadamente un taller de reparaciones. Le di a entender que a aquella hora todos los talleres estarían cerrados y le aconsejé esperar al día siguiente. Imposible, repuso, su alojamiento, al que había de regresar sin falta, estaba lejos de la población. Le dije que yo no disponía de vehículo propio para acompañarla y que lo único que podía hacer por ella era echar un vistazo a la motocicleta. Mis conocimientos de mecánica eran rudimentarios pero aquellos aparatos eran aún más rudimentarios.

Anduvimos sin hablar hasta donde estaba la motocicleta. Al tratar inútilmente de ponerla en marcha, supuse que había hecho la perla. Los motores de dos tiempos funcionaban con una mezcla de gasolina y aceite y si el aceite no era de buena calidad, el líquido se apelmazaba y formaba una bolita iridiscente, llamada la perla, que obstruía el carburador. Mientras le daba estas explicaciones, desmonté la bujía, la limpié con el pañuelo y la volví a instalar. El motor arrancó al primer intento. Lo apagué de nuevo y recomendé a la chica que llevara la motocicleta al taller en cuanto pudiera o que hiciera una reclamación si la había alquilado.

—No sé cómo agradecértelo.

—No tiene importancia.

—Para mí, mucha. Además, te has puesto perdido de grasa por mi culpa.

Era verdad: la camisa presentaba varios tiznones. Por fortuna mi madre, en previsión del calor, había puesto varias mudas en la maleta. Me encogí de hombros con una actitud entre mundana y estúpida.

—No es grave. Mi hotel está a la vuelta de la esquina y tengo ropa limpia. Si puedes esperar a que me cambie, te dejo que me invites a una copa. O te invito yo, da lo mismo.

Ella miró el reloj, accedió a la propuesta y juntos deshicimos el camino hasta el hotel. El recepcionista se debía de haber ido a dormir y la recepción, vacía e iluminada por un fluorescente, daba grima. En la esquina de la calle había un hombre apoyado en la pared. La oscuridad sólo permitía ver su silueta, alta y corpulenta, tocada con un sombrero de playa. Nada inquietante, en principio, pero tampoco grato.

—¿Te importa si subo contigo?

—No tardo nada, pero si quieres subir, sube.

La habitación, con una bombilla de bajo voltaje suspendida del techo, no era mucho más alegre. Ella se quedó mirando la calle por el ventanuco mientras yo me lavaba y me cambiaba en el cuarto de baño. Cuando salí ella había apagado la luz. Con la claridad proveniente de fuera apenas si podía distinguir sus rasgos.

—Así está mejor. ¿Cómo te llamas?

—Rufo, ¿y tú?

—Monica. Monica Coover.

Se sentó en la cama y yo me senté a su lado. Monica Coover se apoyó en mí y susurró que tomara las debidas precauciones. De sus palabras deduje que no era cuestión de perder tiempo en simulacros de seducción. Al cabo de una hora ella se puso la ropa y se marchó. Aún debía de haber algún sitio abierto para tomar un bocado, pero decidí quedarme en la cama y me dormí en seguida.

Les grands seigneurs ont des plaisirs, le peuple a de la joie.

Me desperté a las diez de la mañana, con el sol ya muy alto.

Como la boda era a las doce, calculé que tenía

tiempo de sobra. Me duché, me afeité y salí a desayunar en una cafetería cercana al hotel. Luego regresé a la habitación, me puse una camisa blanca, el traje oscuro, la corbata y los zapatos que mi madre había lustrado a conciencia. En el espejo me encontré ridículo. Volví a bajar y pregunté al recepcionista dónde estaba el hotel Formentor y cuánto tardaría en llegar. El recepcionista preguntó a su vez cómo tenía pensado ir y al decirle que pensaba ir a pie respondió que unas tres horas. Sin embargo, añadió, con aquel calor no me recomendaba emprender la excursión hasta el atardecer. Eran las once.

—¿Tan lejos está?

—A unos diez kilómetros, en la punta del cabo. Para llegar hay que andar un buen rato y después subir y bajar una montaña. Lo mejor es ir por mar, pero el barco no sale del puerto de Pollensa hasta las dos. Y de aquí al puerto hay un buen trecho.

—¿Y en taxi?

—Le costará una pasta.

—Es que he de llegar a la boda.

—¿Quién se casa? ¿Usted?

El peculiar acento mallorquín me impidió discernir si el recepcionista hablaba en serio o en broma.

Me eché a la calle, anduve hasta la plaza y subí a un taxi cuyo conductor se avino de mala gana a llevarme al hotel Formentor previo pago por adelantado de una suma equivalente a todo el dinero de que disponía. La carretera, sinuosa, estrecha y sin asfaltar, contorneaba peñascos y bordeaba acantilados altísimos. El brillo del mar era cegador. En una revuelta de la carretera nos detuvo una pareja de la Guardia Civil, me preguntó quién era y cuál era el motivo de mi presencia allí y me pidió la documentación. Deduje que estábamos llegando al hotel y que la vigilancia era debida a la presencia de personalidades ilustres. Mostré el carnet de identidad y la acreditación que me habían facilitado en el periódico y dije que iba a la boda del hotel Formentor. Con esta explicación nos dejaron seguir. A la entrada del sendero que conducía finalmente al hotel nos volvieron a parar dos individuos de paisano y se repitió el trámite. Recorrimos cien metros más y llegamos a una explanada frente a un edificio grande, alargado y no muy alto, de techo plano y fachada lisa, de color claro. En la fachada se abrían las ventanas de las habitaciones menos favorecidas, las que daban al campo y no al mar. Me apeé y el taxi dio media vuelta y emprendió el regreso.

Antes de entrar en el edificio miré a mi alrededor y vi un estacionamiento oculto por un seto y repleto de coches. Además de los coches había dos camionetas con distintivos de cadenas de televisión extranjeras.

En la penumbra del hall un recepcionista solitario, con *blazer* azul, camisa blanca y corbata, levantó los ojos de unos papeles mecanografiados, me examinó de arriba abajo y prosiguió la lectura. Reinaba una quietud insólita: el hotel estaba cerrado al público ajeno a la boda y los asistentes estaban todavía en la capilla. A la derecha de la recepción un pasillo conducía a una puerta de cristal de dos hojas y tras ella había unas mesas puestas, con mucha cristalería y un centro floral en cada una de ellas. Pregunté al recepcionista dónde estaba la capilla. El recepcionista señaló hacia abajo con el dedo y luego una escalera a mi izquierda. Bajé al piso inferior, que estaba al nivel del jardín. No me costó dar con un salón abarrotado de gente. Las puertas estaban abiertas y los asistentes desbordaban la capacidad del salón y se desparramaban por el corredor. No había forma de entrar ni de ver lo que sucedía dentro, porque los fotógrafos se habían subido a las sillas de las últimas filas. Atisbando entre las piernas de éstos y las cabezas de los otros distinguí al fondo algo parecido a un baldaquino de damasco azul, y aguzando el oído distinguí una voz grave que entonaba una salmodia. De cuando en cuando centelleaban los flashes. Allí no había nada que hacer, salvo esperar a que concluyera la ceremonia religiosa y la real pareja y sus invitados abandonaran el salón y se dirigieran al lugar del ágape. Volví sobre mis pasos y salí al jardín con la remota esperanza de ocupar un lugar desde donde ver a los invitados en mejores condiciones cuando salieran a tomar el aire, como suponía que harían antes de encerrarse en el comedor.

El jardín era mucho más extenso de lo que había imaginado: varias terrazas escalonadas descendían hasta una pequeña playa y en todas ellas había espacios delimitados por setos frondosos. Entre los árboles crecían azaleas y lentiscos y otras plantas propias de terrenos pedregosos y secos. Pinos, palmas y olivos daban sombra. Todo estaba dispuesto y cuidado con esmero.

Después de rodear el edificio sin encontrar nada de interés para el reportaje, llegué a una piscina de agua clara, fresca y tentadora. El sol caía a plomo. Retrocedí hasta la entrada y me cobijé en una pérgola. Por los intersticios de una espesa parra los rayos del sol dibujaban círculos en el empedrado. A sabiendas de no estar cumpliendo mi misión con la debida diligencia, me quité la americana, la colgué del respaldo de un silloncito de mimbre, me aflojé la corbata y me desabroché el botón superior de la camisa, que me asfixiaba, me senté en el silloncito y sin darme cuenta me quedé dormido.

Me despertó una voz bronca.

—¡Eh, tú!

La voz provenía de un individuo de unos cuarenta años, bajo, rollizo, calvo y sudoroso, con un bigote negro y espeso, vestido con un traje de gabardina gris y una corbata grasienta. Le acompañaba otro hombre, alto, rubio y colorado de piel; con ropa veraniega y sandalias con calcetines habría podido pasar por un turista, salvo por la mirada, inexpresiva y oblicua.

De no haber sido arrancado bruscamente de un sueño culpable, tal vez habría respondido a la interpelación con energía y aplomo, pero me sentía confuso y sólo acerté a murmurar humildemente que ya me iba. El hombre del traje de gabardina gris me detuvo con un ademán.

—¡Eso te crees tú! ¡Las manos donde yo pueda verlas!

Era una frase de serie de televisión, pero la dijo con una sinceridad poco tranquilizadora. Con un gesto automático levanté los brazos; al cabo de unos segundos los bajé y puse las manos abiertas sobre el velador.

—Soy periodista.

—¿Ah, sí? ¿Y por qué no estás dentro? ¿Te pagan por dormir la siesta?

El otro se había desplazado hasta colocarse a mi espalda.

—Oiga, señor, yo no sé nada de nada. ¿Ha ocurrido algo?

El hombre del traje de gabardina se limitó a ladear la cabeza y resoplar.

—Ven con nosotros, listillo.

No se me pasó por la cabeza preguntarles si eran policías y menos pedir que me mostraran una identificación. En aquella época no se hacían estas cosas, en parte por miedo y en parte por lógica: nadie se habría atrevido a suplantar a la policía. Sea como fuere, lo mejor era obedecer y no preguntar. Insistir en que se trataba de un error no habría servido de nada: la policía no cometía errores y si cometía alguno se guardaba mucho de reconocerlo. De modo que me levanté sin dejar de mostrar en todo momento las manos y seguí sin chistar al hombre del traje de gabardina, que había dado media vuelta y se encaminaba al hotel. El otro me tendió la americana que había dejado en el respaldo del silloncito. Le di las gracias con un movimiento de cabeza y los tres recorrimos el corto sendero empedrado hasta el hotel. En el vestíbulo nos detuvimos ante la puerta del ascensor y el hombre del traje de gabardina pulsó el botón de llamada. Mientras esperábamos el ascensor se oyó un murmullo creciente y se vio un centelleo de flashes. La ceremonia nupcial había concluido y los asistentes abandonaban el salón para dirigirse al comedor o al jardín. Si no podía echar siquiera un vistazo a esa breve maniobra, no me quedaría nada que contar, salvo el cúmulo de estupideces que se habían conjurado para arruinar el reportaje y de paso mi carrera periodística. Esta contingencia no me mortificaba tanto como el bochorno de ser despedido por incompetente a las primeras de cambio. Por el momento, sin embargo, un asunto más grave acaparaba mi atención.

Se abrieron las puertas del ascensor y entramos los tres. El hombre del traje de gabardina pulsó el botón del tercer piso, las puertas se cerraron y dejó de oírse el jolgorio del grupo, que ahora se desahogaba después de haber permanecido sentado y en silencio durante la ceremonia.

Al llegar al tercer piso tomamos el pasillo a la derecha, anduvimos unos metros y nos detuvimos ante una puerta. El hombre del traje de gabardina sacó del bolsillo una llave, abrió y accedimos a una habitación amplia y luminosa, con una cama de matrimonio y muebles elegantes, de buena calidad. La lámpara de pie y las lámparas de las mesillas de noche eran de latón, con pantallas de pergamino. A través de un ventanal apaisado se veía el jardín, el mar y las colinas que formaban la bahía.

Allí me hicieron dejar sobre una mesa de madera clara con ribetes dorados todo lo que llevaba en los bolsillos. El hombre inexpresivo me cacheó para cerciorarse de que no ocultaba nada entre la ropa. Por la forma en que lo hizo, sin dejar un rincón por explorar, pensé que hacía con frecuencia la misma operación. Mientras tanto, el hombre del traje de gabardina sacó de un bolsillo de su americana una bolsa de tela y metió en ella todas las cosas depositadas en la mesa.

—Ahora espérate aquí y no hagas tonterías.

—¿Puedo preguntar el motivo?

—Lo sabrás cuando sea el momento.

El hombre del traje de gabardina llevaba la bolsa en la mano, como si fuera Judas. Abrió la puerta, salieron los dos y cerraron. Desde dentro oí el chasquido de la llave en la cerradura.

No me molesté en comprobar si me habían encerrado. El ventanal se podía abrir, pero la distancia hasta el suelo del jardín era considerable y la pared no ofrecía asideros. En la mesilla de noche había un teléfono. Descolgué el auricular y al ver que había línea llamé a la centralita sin obtener respuesta. Como sólo se podía llamar al exterior a través de la centralita, el teléfono no servía para nada. El armario estaba vacío: hasta las perchas se habían llevado. La cama estaba hecha. Las sábanas parecían de hilo, con bordados. En el cuarto de baño había toallas y jabón. En la habitación hacía calor y, sin nada mejor que hacer salvo esperar, me di una ducha, que me refrescó durante unos minutos, pero no me serenó el ánimo.

Cançons tranquil·les aniran per la ventada.

Maté el tiempo mirando el paisaje: la bahía formaba una circunferencia perfecta: desde la ventana de la habitación no se veía la salida al mar abierto. No soplaba viento y el agua estaba inmóvil, de un azul tornasolado. Conté catorce yates fondeados frente al hotel. Tenían banderas de distintos países y pensé que debían de pertenecer a algunos invitados a la boda. Una lancha con el distintivo de la Guardia Civil hacía la ronda con parsimonia. En las laderas de la cala, fuera de los límites del jardín, ocultas entre espesos matorrales, se podían entrever algunas casas, aisladas entre sí, blancas, de una sola planta y muy esquemáticas de línea, como solían ser las casas de los ricos en aquellos años. Al cabo de un rato, aburrido de la contemplación, me tumbé en la cama y me quedé dormido.

Me desperté sudoroso, inquieto y hambriento.

El sol seguía alto. Del jardín llegaba, atenuado por la distancia, el sonido de una orquesta que tocaba valses, pasodobles y otros bailables antiguos. Escuchando aquella música, recordé lo que me había contado mi madre, a saber, que Grace Kelly había recalado en aquel mismo hotel durante su luna de miel.

De la boda de Grace Kelly se había hablado mucho en la prensa española, el NO-DO había mostrado numerosas imágenes e incluso se había proyectado en los cines una película de medio o largo metraje en la que se daba cuenta pormenorizada de un enlace seguramente vistoso pero que ni los más acérrimos acababan de considerar romántico. En aquella época Grace Kelly había conquistado el corazón del mundo y Rainiero de Mónaco el de nadie. Era un príncipe y eso bastaba para acallar las opiniones disidentes, pero en su fuero interno la mayoría se preguntaba por qué una mujer tan maravillosa se casaba con semejante mentecato. Al fin y al cabo, Grace Kelly, aunque fuera en la ficción, había estado en los brazos de Clark Gable, de Cary Grant, de Gary Cooper, de James Stewart y de William Holden, y Rainiero, príncipe o no príncipe, era un retaco cabezón, orejudo, con cara de atontado y aspecto presuntuoso, incapaz de mostrar en público cariño, admiración o pasión por su adorable esposa. La boda había convertido a una actriz en princesa, pero eso, en los tiempos modernos, no tenía importancia, sobre todo si el principado era un pueblo sin más atractivo que un casino y la presencia ocasional de millonarios. Las mujeres se esforzaban por dejar de lado estas consideraciones, se aferraban a fantasías trasnochadas y al ver a Grace Kelly vestida de novia exclamaban: ¡es una auténtica princesa! Lo cual era una verdad a medias, porque a los ojos del mundo, Grace Kelly era más que una princesa: era un mito. En fin de cuentas, la boda de Grace Kelly con Rainiero de Mónaco quedó en la memoria colectiva como un suceso más bien triste, y nada de lo que difundieron posteriormente los medios de información consiguió disipar ese sentimiento. Del reportaje de la boda yo recordaba un castillo de fuegos artificiales orquestado por celebrados pirotécnicos valencianos, a lo que la radio española dio gran importancia.

A las seis paró la música, quizá para servir una merienda.

Tuve el presentimiento de que nadie se ocuparía de mí hasta que la fiesta hubiera concluido, los invitados se hubieran ido y no hubiera testigos de lo que fuera a pasar. Con la culpabilidad de quien no sabe de qué se le acusa, empecé a pensar que la detención no se debía a un error ni estaba relacionada con la seguridad de los asistentes a la boda, como había supuesto hasta entonces, sino que se trataba de una medida contra mi persona y, como allí no había hecho nada, ni bueno ni malo, el motivo de la detención por fuerza había de guardar relación con mis ideas y mis actividades políticas.

En Europa, por aquellos años, los disturbios, los enfrentamientos y las acciones violentas todavía no habían alcanzado la frecuencia y la intensidad que tendrían más tarde en algunos países, si bien había huelgas y manifestaciones y se habían cometido asaltos, secuestros y agresiones derivados de la inestabilidad social. Naturalmente, en España las cosas eran distintas, puesto que la represión sofocaba cualquier atisbo de movimiento popular, pero aun así, no había faltado alguna tímida huelga y actividades aisladas de una red de personas bastante bien organizada, que fuera y dentro del país trabajaba para debilitar y desacreditar una dictadura a la que ya nadie confiaba en derribar. Yo no militaba en ningún partido ni pertenecía a ninguna asociación política o de cualquier otra índole. Mientras estuve en la universidad, hice acto de presencia en algunas manifestaciones y poca cosa más.

Sólo una vez un amigo y yo, por iniciativa propia, introdujimos unas caricaturas de Franco hechas por nosotros mismos entre los programas de mano de la *Pasión según San Mateo*, en el Palau de la Música. Mi amigo y yo frecuentábamos el Palau de la Música debido a nuestra afición por la música clásica, pero considerábamos que, salvo nosotros dos, el público habitual representaba lo más reaccionario y vil de la sociedad catalana. El día de autos, con mucho disimulo y mucho miedo, intercalamos ocho caricaturas de Franco en la pila de programas y nos quedamos observando el efecto del sabotaje, que, a decir verdad, no fue extraordinario: los que daban con la caricatura la miraban confusos y la volvían a dejar en la misma pila; algunos doblaban la hoja y se la guardaban en el bolsillo, y uno la estrujó y la arrojó al suelo con expresión de disgusto. Pero nadie denunció el hecho y la velada transcurrió sin contratiempos. Ahora, sin embargo, pensaba que tal vez el delito había sido detectado y descubierta la identidad de sus autores, uno de los cuales acababa de ser aprehendido en el hotel Formentor. *Erbarme dich, mein Gott*, pensé, por más que se me antojaba poco verosímil que la policía hubiera elegido precisamente aquel lugar y aquella ocasión para proceder a la detención de alguien cuyo paradero habitual no era un misterio para nadie.

Para tranquilizarme, me volví a duchar. A las ocho se reanudó el baile. En vez de la orquesta atronó el aire un conjunto de rock con una megafonía estridente. La actuación vino acompañada de cierto movimiento en la bahía. De cuando en cuando una lancha o un bote de remos conducía a una o varias personas a los yates.

A las nueve se puso el sol detrás de unos cerros rocosos parcialmente cubiertos de pinos y jaras. Se encendieron las lámparas exteriores. Metidas entre el follaje, apenas daban luz. El cielo se tiñó de granate. Seguramente a aquella hora los periodistas acreditados ya habrían enviado sus crónicas por teletipo y regresado a sus casas en el último avión.

Transcurrida una hora más, oí girar de nuevo la llave en la cerradura. Se abrió la puerta y entraron tres hombres en la habitación. Los dos primeros eran mis viejos conocidos, el hombre del traje de gabardina y su adlátere. Al tercero no lo había visto nunca, pero no tuve dificultad en adivinar quién era. Sólo entonces empecé a entender el lío en el que me había metido.

A quoy faire la cognoissance des choses, si nous en perdons le repos et la tranquillité, où nous serions sans cela?

—Disculpe que no me dirija a usted en español. Mis conocimientos son muy elementales. Por fortuna usted entiende y habla inglés a la perfección. Si no me expreso con la suficiente claridad, no tenga reparo en interrumpirme: mi pronunciación es deficiente. Estudié en Inglaterra, pero el acento materno nunca se pierde... Ahora se imponen las presentaciones. El señor de la puerta, pulcramente ataviado con un traje de gabardina gris, se llama Pirelli, o algo que se aproxima a Pirelli. Los días laborables, incluidos los sábados por la mañana, trabaja para una misteriosa organización apodada Sa Nostra. Los días festivos incrementa su peculio ayudando a llevar la contabilidad de este magnífico hotel. Y, llevado de su innata amabilidad, no desdeña prestar algún servicio adicional. Habla castellano, una cosa que denominan mallorquín y, debido a su contacto con los turistas, una mezcla de lenguas que podríamos calificar de situacional. El otro caballero es Constantin Alois Brzeg, en el almanaque de Gotha, el conde Salza, mi primo y mi brazo derecho. Por desgracia, el conde Salza sólo habla y entiende idiomas bárbaros. Los dos, el señor Pirelli y el conde Salza, han tenido la gentileza, a ruegos míos, de representar esta, ¿cómo llamarla?, pequeña farsa, por la que le pido mil disculpas. Confío en que comprenda mis motivos. Era del todo esencial impedir que pudiera enviar al periódico una nota sin haber hablado antes conmigo, y el único método seguro era tenerle aislado por completo. La confusión era igualmente necesaria para que usted aceptara la reclusión sin resistencia ni, ¿cómo diríamos?, alharaca. Ahora debo presentarme a mí mismo, puesto que nadie lo hará por mí: soy el príncipe Tadeusz Maria Clementij Tukuulo. Bobby para los amigos. En el día de hoy me he casado con la que por derecho matrimonial se ha convertido en reina, o, quizá sería mejor decir, en futura reina: Queen Isabella. A Queen Isabella le habría encantado saludarle, pero se ha retirado a descansar. Ha tenido un día agotador, como bien puede suponer. Y anoche, por circunstancias que no hacen al caso, durmió menos de lo aconsejable. Igual que usted, según tengo entendido.

Se acercó a la ventana. El cielo seguía despejado y la luna, que acababa de aparecer, iluminaba un mar silencioso y pacífico.

—Hechas las presentaciones, vayamos al asunto que nos ocupa. Usted había venido para escribir una crónica de la boda y se le ha impedido hacerlo, por una causa justa, que, sin embargo, no le servirá de excusa ante sus jefes. En vista de lo cual, asumo la responsabilidad del perjuicio y estoy dispuesto a compensarle. A esta hora el periódico todavía no ha cerrado la edición. Llamaremos por teléfono y usted le dictará su crónica. Como se ha perdido la ceremonia, le ofrezco una entrevista conmigo. No he concedido ninguna entrevista a una publicación española. Ni a *¡Hola!* ni a *Garbo* ni a *Lecturas*... A nadie. Usted tendrá la exclusiva. Gratis. ¿Está de acuerdo? No hace falta decir que la entrevista es todo lo que publicará sobre lo ocurrido en la hermosa isla de Mallorca desde su llegada. Ni una palabra más, ni mañana ni en el futuro, ni por escrito ni verbalmente.

Se dirigió al hombre del traje de gabardina gris, que permanecía inmóvil, en algo parecido a la posición de firmes.

—Monsieur Pirelli, permítame abusar un poco más de su infinita paciencia y rogarle que llame a la recepción y pida comunicación inmediata con el periódico para el que trabaja este caballero. Hable con quien esté de guardia y, si es necesario, con el director. Si el director se ha ido, pueden llamarle a su casa o a donde se encuentre. En el periódico sabrán cómo localizarle. Y diga que nos pasen la llamada a esta habitación, amigo Pirelli. Mientras tanto prepararemos la entrevista. En esto tengo mucha práctica. Vaya tomando nota. No se olvide de preguntar por el vestido de la novia.

Al cabo de unos segundos el sedicente señor Pirelli indicó con un tímido carraspeo que ya tenía línea directa con la redacción. Luego, se volvió hacia mí, con la más servil de las muecas.

—Perelló, para servirle. Espero que usted..., su discreción, de sobra demostrada en esta ocasión... se hará extensiva a un servidor..., quiero decir a mi intervención de esta tarde... Compréndalo, no me podía negar... y en todo momento actué con el máximo respeto hacia su persona de usted...

No pude menos que admirar el cambio experimentado en sus modales. O era un consumado actor, o había desarrollado una admirable capacidad de adaptación. Me habría gustado sugerirle que en el futuro se abstuviera de participar en aquel tipo de bromas y recordarle que la legislación vigente calificaba de delito grave suplantar a un agente de la autoridad. Pero me limité a tranquilizarle con un ademán vago. Seguramente era un pobre hombre, timorato y animado por la mejor de las intenciones. Soy de natural ecuánime y en aquel momento antepuse la alegría de ver disiparse mis temores a la indignación por haber sido víctima de un cruel simulacro.

En el periódico había un redactor a la espera de cerrar la edición. Al oír mi voz dio un grito.

—¡Hijo de la gran puta!, ¿dónde te habías metido? El dire se subía por las paredes. Hasta tenía pensado llamar a la policía. Si de ésta no te despiden es que tienes un enchufe en el Pardo, cabronazo.

—Tú coge papel y lápiz y escribe.

Le informé de que iba a dictarle una entrevista en exclusiva con el mismísimo príncipe Tukuulo. El redactor dio un respingo.

—Oye, chaval, ¿y yo cómo sé que no te lo has inventado?

A falta de pruebas, me volví al príncipe y le transmití el recelo del periodista. El príncipe cogió el teléfono.

—Oiga, buen hombre, soy el príncipe Tukuulo. Entrevista es verdadera. Yo estoy en cuarto de hotel. Escriba y publique o corto cuello de usted.

Me pasó el teléfono y me miró con una sonrisa de satisfacción.

—Creí que no hablaba español.

—Lo justo.

Dicté la entrevista. El príncipe me iba sugiriendo las preguntas y las respuestas y mientras yo se las transmitía al asombrado redactor, él hablaba con el señor Perelló.

—Monsieur Pirelli, ocúpese de que envíen fotos de la boda al periódico para ilustrar la entrevista. Han de llegar esta misma noche. ¿Cuántas? No sé. Con cuatro bastará. Que se nos vea a los dos. La novia ha de salir guapa. Oh, ahora caigo: este caballero no ha comido nada desde el frugal desayuno en Pollensa y debe de estar desfallecido. En cuanto cuelgue, llame al bar y pida algo de cenar, monsieur

Pirelli. Pero no aquí. Hace una noche maravillosa y esta habitación huele a encierro. Que lo sirvan en el jardín. Una tortilla, un sándwich, jamón, queso, lo que tengan. Y vino. Francés. El vino español, sin ánimo de ofender, es un matarratas. Pida también una botella de whisky con hielo y soda, para mí. Yo también me merezco un descanso. Todas las bodas son una tortura, pero la propia es realmente insoportable. En el fondo, ha tenido usted suerte librándose de la facundia altisonante de un acto oficial sin sentido. Pero no le quiero interrumpir. Siga, siga. No perdamos tiempo.

Periodismo es todo lo que será menos interesante mañana que hoy.

ENTREVISTA AL PRÍNCIPE TUKUULO
EN EL DÍA DE SU BODA

(De nuestro enviado especial Rufo Batalla, en exclusiva para este periódico)

PREGUNTA. — *Empecemos por el principio. ¿Qué tratamiento debo darle? ¿Alteza? ¿Majestad?*

RESPUESTA. — *En rigor, Majestad, porque desde que murió mi augusto y querido padre, el rey Pedro (o Piotr) IV, en 1957, soy Tadeusz I, rey legítimo de Livonia.*

P.— *Sin embargo, en todas partes aparece como príncipe.*

R.— *Sí, por dos razones. En primer lugar, porque soy un hombre sencillo; en segundo lugar, porque en el momento mismo de adquirir el título decidí reservar el nombre y los atributos regios para cuando consiga recuperar el trono de mi país, actualmente bajo dominación soviética. No me consideraré rey hasta no ser coronado por el patriarca en la catedral de Kokenhusen ante una multitud enfervorecida.*

P.— *Mientras tanto, la condición de príncipe le confiere un aura romántica. Si a esto sumamos su elevada estatura, su apostura, su elegancia natural, su educación exquisita y su arrolladora simpatía, no es de extrañar que todas las puertas se abran a su paso.*

R.— *Todas, menos las de mi propio palacio.*

P.— *Háblenos de su país, Alteza.*

R.— *Livonia ocupa un pequeño territorio a orillas del mar Báltico. Antiguamente estaba formado por diversas regiones autónomas: ducados, condados, arzobispados y algunas zonas bajo la protección y administración de la Orden de los Caballeros Teutónicos. El rey era elegido por un colegio de compromisarios. A partir del siglo* XVI, *tras un periodo convulso, invasiones y guerras de liberación, el país se unifica y la monarquía deviene hereditaria. Yo soy el último vástago de esa gloriosa dinastía.*

P.— *En la actualidad, sin embargo, Livonia es una república socialista.*

R.— *¡Bah! Una parodia de república con un Parlamento y un Gobierno títeres designados a dedo desde Moscú. Lacayos del Kremlin.*

P.— *¿Qué relación mantiene Vuestra Alteza con su país?*

R.— *A nivel oficial, ninguna. Como es lógico, los actuales usurpadores fingen ignorar mi existencia. Mi pueblo, sin embargo, no me olvida y espera anhelante mi regreso. No tanto por mi persona, sino por lo que represento: la libertad y la identidad perdidas.*

P.— *Si en algún momento su país lograra segregarse de la URSS, ¿volvería la monarquía?, ¿acaso no preferiría un sistema más moderno y democrático?*

R.— Monarquía, modernidad *y* democracia *no son términos antitéticos. Bien al contrario. Mire, mi país es muy diverso: con una población de poco más de ocho millones de almas, un tercio aproximadamente es de etnia y lengua finlandesas, otro tercio, de etnia eslava y lengua rusa, y el resto lo compone una minoría exigua pero muy conflictiva de origen tártaro, que habla un dialecto de las estepas. Con la religión ocurre lo mismo. La monarquía aglutina este mosaico y le da sentido.*

P.— *No obstante, V. A. nunca ha puesto los pies en su país.*

R.— *Parece una aberración, pero así es. Nací en París hace veinticuatro años; allí pasé mi infancia y cursé la enseñanza primaria. Luego estudié en Harrow y en el Christ Church College, Oxford. Pasé un tiempo en los Estados Unidos de América y en la actualidad resido en Suiza en calidad de refugiado político.*

P.— *Así pues, podríamos decir sin faltar a la verdad que bajo la piel de un príncipe que se diría salido de un cuento de hadas se oculta una triste historia de rabiosa actualidad política, cual es la opresión de los pueblos que luchan por sacudirse las cadenas.*

R.— *En efecto. Y no hay prisión más dura que el exilio.*

P.— *Confiemos en que el matrimonio sirva en parte de bálsamo a tan dolorosas heridas, Alteza. Y, dicho esto, pasemos ahora al tema que más interesa a nuestros lectores. ¿Cuándo y cómo conoció a su esposa, la ahora reina Isabella?*

R.— *Un amigo común nos presentó hace menos de un año en su palco de Ascot, donde ambos habíamos sido invitados. Queen Isabella pertenece a una ilustre familia de la nobleza anglo-francesa, emparentada con los príncipes de Bénévent. A Elizabeth de Montcrecy, pues tal era el nombre de soltera de mi augusta esposa, le encanta la equitación tanto como a mí. Los dos somos consumados jinetes.*

P.— *¿Podemos decir que fue la hípica lo que les unió?*

R.— *Sólo de un modo circunstancial. Porque apenas mis ojos se posaron en ella, me sentí cautivado por su belleza, su inteligencia y su encanto y comprendí que acababa de conocer a la que sería mi esposa y la reina de mi pueblo.*

P.— *¿Cómo transcurrió el noviazgo?*

R.— *Como un sueño alterado y a la par maravilloso. Mis compromisos me obligan a estar viajan-*

do continuamente. Por este motivo nuestros encuentros eran imprevisibles, esporádicos y breves. Cuando nos reencontrábamos y cuando nos separábamos no podíamos contener el llanto, ora de felicidad, ora de pena.

P.— *Sin duda a una joven adornada de tantas dotes como la esposa de V. A. no debían de faltarle pretendientes entre la aristocracia inglesa, así como la europea. ¿Aceptó sin reparos la familia de la novia que uniera su destino al de una persona de sangre azul, sí, mas condenada a llevar una existencia errabunda?*

R.— *Los Montcrecy me recibieron con la bondad y nobleza propias de su clase y desde el principio me abrieron de par en par las puertas de su castillo de West Yorkshire. Pero de no haber dado su consentimiento, estoy convencido de que el resultado habría sido el mismo. Mi esposa es una mujer delicada de aspecto, pero de carácter firme y fuerte personalidad, dispuesta a sacrificar sus privilegios en aras de sus convicciones y de sus sentimientos.*

P.— *¿Por qué eligieron este lugar para contraer matrimonio?*

R.— *Bueno, tanta belleza no necesita justificación. Además, la mayoría de nuestros invitados veranea en el Mediterráneo, bien en espléndidas mansiones en la playa, bien circunnavegándolo en sus barcos. En estas fechas Mallorca no los obligaba a desplazarse mucho ni a alterar su bien merecido descanso. Por otra parte, Livonia está a horcajadas del círculo polar ártico;*

si algún día regresamos a nuestro país, habremos hecho acopio de sol y calor. (Risas.)

P.— *¿Por qué un hotel y no una iglesia?*

R.— *Pertenezco a una rama de la Iglesia ortodoxa y debía casarme con arreglo a ese rito. El señor obispo de Palma no puso ninguna traba a que la ceremonia se celebrase en su diócesis, pero no podía ofrecerme un recinto católico. Hasta en eso soy un exiliado. Cuando volvamos a nuestro país, y no dudo de que será pronto, ratificaremos los votos sacramentales en la catedral de Kokenhusen el mismo día y en el mismo acto de la coronación.*

P.— *Esperamos ansiosos poder ser testigos de esta doble y fastuosa consagración, Alteza. ¿Qué puede decirnos del vestido que hoy lucía la novia?*

R.— *No sé gran cosa. Estos asuntos interesan más a las mujeres. Por lo que me han dicho, el famoso modisto Cristóbal Balenciaga lo ha diseñado expresamente para la ocasión...*

Unos nacían en signo propicio y tenían buena fortuna si por negligencia no la perdían. Otros en signo malo y tenían mala fortuna si con diligencia no la remediaban.

A las once y cuarto de la noche, me encontraba en el mismo lugar donde horas antes había sido detenido. Ahora el mismo hombre del traje de gabardina gris se despedía entre obsequiosas reverencias y prolijas disculpas, tras haber supervisado la cena depositada por un camarero del hotel sobre el velador de mármol: una taza de gazpacho, una tabla de embutidos, pan con tomate, vino y agua. El conde Salza permanecía de pie, oculto en la zona oscura de la frondosa glorieta. Yo había perdido todo el respeto al señor Perelló, pero recelaba del conde y no podía dejar de mirarle de soslayo entre bocado y bocado.

El príncipe se había sentado frente a mí, con un vaso de whisky en una mano y un cigarrillo en la otra. Advirtiendo mi incomodidad, justificó la presencia de su esquivo edecán: no debía ser negligente en lo tocante a su seguridad personal. Si él tomaba en serio sus aspiraciones a la corona, otros podían pensar del mismo modo. En otros tiempos, el propio Stalin no habría dudado en disponer la desaparición física de un personaje tan molesto. Por fortuna, el tirano del Kremlin siempre tuvo otros enemigos, igualmente imaginarios, pero más cercanos, sobre quienes descargar su paranoia y su crueldad. Ahora Stalin había muerto y sus sucesores se tomaban las cosas con más calma. Aun así, la antigua NKVD, actualmente rebautizada KGB, se mantenía en activo y sus métodos no habían variado: era preciso mantener los ojos abiertos y no descartar la posibilidad de un atentado.

Calló el príncipe y durante un rato sólo rompió el silencio el canto de los grillos y el ladrido de un perro en la distancia. Yo no sabía si el príncipe hablaba en serio o en broma. Todo lo decía con una sorna que unas veces parecía desmentir sus afirmaciones y otras, por contraste, reforzarlas. Ni en su actitud ni en sus palabras se advertía el menor síntoma de demencia. Por el contrario, hablaba de un modo claro, natural, sin sombra de retórica, falsedad o altanería. Escuchándole me sentía como un niño tonto ante alguien que, sin aventajarle en edad, le avasalla con una superioridad derivada de su impresionante aspecto físico, la elegancia de sus maneras y su espontánea cordialidad, y también por lo exótico de su historia y lo extravagante de sus proyectos.

Sin poderlo evitar, me sentía partícipe de un relato fantástico, comparado con el cual mi existencia, mi trabajo y, en suma, todo cuanto se refería a mí, era de una espantosa vulgaridad. El príncipe pareció leer mis pensamientos.

—Cuando hablo de reivindicar mis derechos al trono no bromeo. Empleo un tono displicente para no ser tomado por un chiflado o un charlatán. No soy ninguna de ambas cosas. En sus años mozos mi padre capitaneó un escuadrón de la Guardia Blanca reclutado entre sus propios súbditos. Combatió codo con codo con el barón Von Ungern-Sternberg hasta que, en 1920, incapaz de resistir el avance del Ejército Rojo, licenció a la tropa y se refugió en Polonia. Durante aquel agitado e incierto periodo, ni él ni ningún otro miembro de la casa real había tenido la precaución de poner una parte de su fortuna a buen recaudo, en previsión de una derrota por otra parte inevitable. Una vez en el exilio, como no podía desempeñar un trabajo asalariado si quería mantener intacta una dignidad que avalara sus legítimas reclamaciones, sobrevivió gracias a la munificencia de algunos exiliados más previsores, siempre con grandes estrecheces, cambiando a menudo de domicilio primero y luego de país, y dejando a su paso un reguero de deudas. No sé si es disculpable pero sí comprensible que al cabo de unos años de penurias y humillaciones sucumbiera al canto de sirenas de una potencia en cuyo triunfo veía la solución de sus problemas personales y el logro de sus ambiciones políticas. Fue uno de los primeros en manifestar de un modo explícito y al parecer vociferante sus simpatías por el nazismo. Siempre afirmó luego, ante el tribunal que lo juzgó y ante quien quiso escucharle, que Von Ribbentrop en persona le había prometido restaurarlo en el trono al término de la guerra. Entró en París con la Wehrmacht y mientras duró la ocupación vivió allí los únicos momentos felices de su vida. Se casó con una exiliada bella, noble, culta, algo mayor que él e igualmente arruinada, y en la euforia de aquellos años tuvieron un hijo, que soy yo. Jünger, Cocteau, Picasso y Arletty me hicieron carantoñas en la cuna. Acabada la contienda, mi padre se negó a retractarse de sus pronunciamientos y a cambiar de chaqueta como veía hacer a tantos otros. Por su obstinación perdió las simpatías que al principio había inspirado en las cancillerías y en la opinión pública internacional. A la pobreza de antes se sumó el ostracismo. Tras una vida desdichada de peregrinaje y privaciones, murió abandonado y triste en un hospital público de Londres en 1957. Mi madre le siguió a la tumba un año más tarde. El poco dinero que había pasado por sus manos lo habían invertido en mi educación o, como decía mi padre, en preparar la sucesión.

La escasa luz me impedía percibir sus facciones, pero advertí que a medida que hablaba de sus padres, la voz del príncipe se impregnaba de melancolía. Él mismo debió de darse cuenta; guardó un instante de silencio y luego prosiguió en un tono más animoso, casi festivo.

—Yo siempre me he abstenido de hacer declaraciones políticas, ni en un sentido ni en otro. Ni siquiera para desautorizar a mi padre y librarme de la presunción de adhesión familiar a una mala causa. No obstante, este silencio no obedece a respeto filial ni a una estrategia determinada, sino a mi propia convicción. La política carece de validez y de futuro, como las ideas y creencias que la sustentan. El patriotismo es un engaño, la democracia es una estafa. Cuando la amenaza nuclear deje de justificar cualquier situación y cualquier conducta, el mundo se vendrá abajo. Entonces, como dice el Apocalipsis, surgirán falsos profetas. Yo seré uno de ellos. No estoy loco ni soy un iluminado. La expresión *falso profeta* es una redundancia, pero eso no le importa a nadie. La función de un profeta es profetizar, no acertar. El profeta predica lo que la gente quiere oír. Un futuro bueno o malo, pero sin incertidumbre. El Apocalipsis es tranquilizador porque anuncia catástrofes que no caben en la imaginación común: bestias horribles, transformaciones, triunfos. De este modo el temor a lo incierto se convierte en un cómic. Yo no vaticino nada: me limito a estar en mi lugar para cuando me necesiten. Y me necesitarán. Un rey se necesita siempre. Todo esto a usted le parecerá estrambótico, quizá inmoral, quizá las dos cosas. Hemos hecho averiguaciones acerca de usted y conozco sus inclinaciones políticas. Quedaría bien diciendo que respeto sus ideas, pero no es cierto. Le respeto a usted y respeto su derecho a pensar lo que le plazca, pero no siento el menor respeto por el marxismo. No pretendo ser imparcial. En mis circunstancias personales la aversión es lógica. Pero se puede ser parcial sin dejar de ser objetivo y, en términos objetivos, el marxismo es una basura. Como filosofía es un refrito, como sistema económico es un desastre y como proyecto social y humano es un crimen. Allí donde se ha impuesto, siempre por medio de la conspiración o la fuerza, la prosperidad ha desaparecido, la libertad y el derecho han sido aplastados y la condición de la clase obrera no ha mejorado en nada. Sin embargo, no quiero discutir y mucho menos imponerle mis opiniones. Sean cuales sean las razones de nuestro encuentro, es usted mi huésped y en estos momentos mi conducta es execrable. Le pido mil disculpas. No suelo faltar de este modo a las reglas de la cortesía. Quizá es el cansancio. El día de hoy ha sido largo y tedioso. No me interprete mal. No estoy fatigado ni quiero retirarme. Al contrario: necesito hablar y desahogarme y presiento que usted y yo, además de la edad y algún secreto inofensivo, tenemos muchas cosas en común.

Yo no sabía cómo debía reaccionar. Mis convicciones me obligaban a contradecir a mi interlocutor, pero estaba sobrepasado por los acontecimientos: el lugar y las circunstancias me embotaban los sentidos y no podía evitar que me embargara una mezcla de simpatía y admiración por aquel excéntrico personaje cuya personalidad me atraía de un modo irresistible. Por este motivo me esforzaba por no tomar al pie de la letra los argumentos del príncipe y por considerar sus palabras como eslabones de una conversación entre amigos, en el curso de la cual se habla con seriedad de cosas triviales y con trivialidad de cosas serias, sin otro objetivo que mantener vivo el fuego de la cordialidad y prolongar el tiempo de la compañía. Y mientras me hacía estas consideraciones, el conde Salza emergió de la sombra con sigilo, se colocó junto al príncipe y le murmuró algo al oído. El príncipe hizo un ademán de asentimiento y se volvió hacia mí.

—Me informan de que es preciso levantar el campamento. No importa, tú ya has terminado la comida y también la botella de vino. Si no quieres retirarte todavía, podemos continuar la conversación en otra parte. No te alarmes, lo que ocurre no reviste riesgo alguno. Simplemente, me busca una persona con la que ahora no tengo ganas de hablar. Por fortuna, el jardín es lo bastante grande como para eludir la persecución. Llévate un vaso, yo me llevaré el mío y la botella de whisky.

El tuteo no me había pasado inadvertido. El príncipe se levantó y echó a andar hacia el sendero y yo le seguí sin detenerme a pensar si debía aceptar la invitación o no. Antes de abandonar la pérgola volví la cabeza para ver si alguien nos seguía y vi al conde Salza recoger con celeridad los restos de la cena y desaparecer con la bandeja en dirección al hotel.

Caminé sin perder de vista al príncipe, que se había adentrado en un sendero estrecho y sombrío, paralelo al mar. El sendero desembocaba en un huerto bastante grande. Sin el abrigo de los árboles, la luna alumbraba el huerto y unos metros más abajo, el mar. Por una escalera de piedra bajamos hasta una playa diminuta. Las olas rompían con perezosa suavidad. A escasa distancia de la orilla sobresalía del agua una roca plana que servía de peana a la escultura de una diosa. La blancura del mármol le daba un aire fantasmal. El príncipe se sentó en un grueso tronco caído o colocado ex profeso para comodidad de los clientes del hotel, y sujetó la botella de whisky en una grieta de la madera. Yo me senté a su lado. Estaba nervioso y miraba a todas partes, temeroso de ser descubierto en aquel lugar en compañía del príncipe. Al advertir mi inquietud, el príncipe sonrió.

—La persona de la que huimos no es quien tú sospechas. Queen Isabella duerme apaciblemente. En cuanto a mi perseguidor, pronto lo conocerás, porque con su perseverancia habitual, no tardará en encontrarnos. En realidad, se trata de mi director espiritual. Un staretz, un monje de gran ascendiente moral en mi país. Hombre de ideas simples y carácter fogoso. Un fanático inofensivo. Va conmigo a todas partes, me da consejos y me reprende. Yo finjo escucharle y luego no le hago caso. Él se ofende, pero no me abandona ni nunca me abandonará por fidelidad a la corona. Por el mismo motivo yo soporto su enojosa presencia, sus sermones y sus filípicas. Los dos nos necesitamos mutuamente. Él no recuperará su feligresía si yo no recupero el trono. Y yo no estoy en condiciones de prescindir de su autoridad. Viajo con lo puesto y de mi reino llevo conmigo lo esencial: el servicio de inteligencia y el clero. Un Estado de bolsillo. A estos dos elementos acabo de añadir un tercero: mi augusta y bella esposa, Queen Isabella. Por supuesto, se trata de una pantomima de cara a la galería y de un pacto equitativo entre ella y yo. El resto es mentira: ni hubo encuentro en Ascot ni hubo amor a primera vista ni existe la acaudalada familia de los Montcrecy. Ni siquiera el vestido de la novia era de Balenciaga. No hay peligro: la casa Balenciaga renuncia a interponer una acción legal a cambio de salir citada en la prensa. El banquete se ha sufragado de un modo similar. De este modo el público y la prensa tienen lo que quieren y todos salimos ganando. A partir de ahí, ya se verá. Yo no me meto en la vida privada de mi esposa, como tú mismo has podido comprobar, y ella deberá respetar la mía y cooperar en mis planes. A cambio recibe manutención del erario inexistente de un país inexistente, y si las cosas salen bien, puede llegar a ser reina consorte. Y, de algún modo, perpetuar la dinastía.

Calló de repente y se quedó mudo e inmóvil. Luego se encogió de hombros.

—Oigo pasos. Ya nos ha descubierto. Hemos de terminar nuestra conversación. No hace falta decir que todo lo que te he contado es estrictamente confidencial. Naturalmente, no dispongo de ningún medio para coaccionarte, ni lo emplearía aunque lo tuviera. Sólo tengo plena confianza en tu discreción y casi me atrevería a decir que también en tu amistad.

Nos habíamos puesto de pie y a modo de despedida hizo un amago de abrazo. La precipitada aparición de un personaje interrumpió su acción. El recién llegado parecía una figura escapada de un antiguo retablo conventual. Era un hombre de edad indefinida, alto, delgado, con ojos saltones y enfebrecidos, frente ancha, pómulos prominentes y barba espesa y negra. Vestía una sotana de color pardo oscuro cuya suciedad disimulaba la pía luz de la luna. Abandonó el sendero dando traspiés y tropezando con las raíces que sobresalían de la tierra. El príncipe hincó una rodilla en la arena murmurando algo en su idioma. El recién llegado se quedó quieto, levantó los ojos al cielo y luego los bajó y clavó en el príncipe una mirada en la que se mezclaban el rigor y la complacencia. Entre ambos hubo un breve intercambio de frases. Luego el príncipe se irguió y me dirigió un guiño de complicidad.

—El staretz opina que no debo aplazar por más tiempo mi entrada en la cámara nupcial.

Dicho esto, se agachó, recogió la botella de whisky y la lanzó con fuerza al mar. El staretz y yo seguimos la trayectoria de la botella. Al volver la vista el príncipe había desaparecido. Como no sabíamos qué hacer, emprendimos juntos el regreso al hotel.

Una idea atravesó bruscamente el espíritu de Sonia: «¿No estará loco? —se preguntó, pero de inmediato abandonó la idea—: No, no se trata de eso». Decididamente, no entendía nada.

Durante un rato caminamos en silencio. Al salir de la playa, el staretz se detuvo y contempló un rato la bóveda celeste. Percibí en su aparente arrobamiento un deseo de comunicarse conmigo y esperé sin demostrar impaciencia. Finalmente, el staretz reanudó su desgarbado andar mientras su voz de bajo y su pastoso acento se esforzaban por hacerse entender.

—*Parlez-vous français?*

—*Oui, monsieur.*

—*Ah, moi aussi, moi aussi!* Soy un pobre hombre sin instrucción alguna. De muy humilde origen, no fui a la escuela de niño y más tarde, cuando pude tener acceso a la educación, lo rechacé. Con la razón que Dios, en su Misericordia infinita, tuvo a bien concederme, y la Divina Gracia, no necesito más. Aprender es rebelarse contra los designios del Altísimo: si Él hubiera querido infundirnos la sabiduría, lo habría hecho, como infundió a las arañas el arte de tejer o a las aves el volar o el trinar armónico. Si nos creó ignorantes, ¿no es orgullo infernal llevarle la contraria? Ahora, los idiomas, es otra cosa. Sirven para comunicarnos los hombres y Dios, en su Infinita Omnisciencia, nos hizo sociables para que pudiera existir el pueblo de Israel. Por este motivo aprendí francés. El inglés es más útil, lo reconozco, pero el francés es la lengua en la que se expresaba lo más noble de la sociedad en mi país antes de la revolución; el francés era la lengua de los linajes preclaros, de los salones y de la diplomacia. Lo aprendí por mi cuenta; por eso no consigo hacer bien *la liaison*. Empecé con el método Assimil y después con las canciones en boga. No quise acudir a las grandes obras literarias: a ésas sólo las personas de noble cuna han de tener acceso. No era para mí el Parnaso: Claudel,

Bernanos, Mauriac, *oh là là!* Orgullo infernal habría sido en mí haber bebido de fuentes tan exquisitas. Me conformé con *la chanson*: Gilbert Bécaud, Charles Trenet, Cloclo, Aznavour: *Que c'est triste Venise, etceterá, etceterá.* Ahí me detuve: no quería alcanzar un nivel más refinado. *Salonnier*, si me permite el cultismo. Al fin y al cabo, el habla contiene el espíritu del hombre, y el mío ha de ser humilde, como corresponde a mi condición social. Me refiero, por supuesto, a mi persona. Muy distinto es lo que represento. Usted acaba de ver a Su Alteza postrarse ante mí. No se llame a engaño. Se postraba ante el Espíritu Santo, cuya Divina Presencia tiene a bien adoptar formas modestas para comunicarse con los mortales: así, una paloma, animal rastrero, justamente vilipendiado por rociar sus excrementos allí donde se le antoja; o yo, a quien bien puede aplicarse el mismo denominador: animal rastrero, y, no obstante, atravesado por el Verbo Divino: por mi boca, entre dientes endebles y mal aliento, se manifiesta el Espíritu, *et le bon Dieu dit boum*, ¡aleluya! Cuando yo soy yo, yo no soy nada. Una persona de alcurnia, y con mayor razón si es de sangre real, puede abofetearme o moler a puntapiés mis escuálidas nalgas. A menudo Su Alteza procede de este modo, bien para descargar su cólera, bien para divertir a la concurrencia. En tales casos, lejos de quejarme, me apresuro a expresar mi gratitud besando la bota que me golpea.

—¿Y eso le parece normal?

—Normal, normal, por desgracia, no lo es en estos tiempos. El servilismo es una virtud en declive. Y sin la humillación de los de abajo, ¿cómo van a exaltarse los de arriba?

—¿Lo considera necesario?

—Es la ley natural: el mundo tal y como Dios lo hizo. Mire a su alrededor: las abejas pican, pero polinizan. Más ejemplos ya no se me ocurren. Pues con la nobleza pasa lo mismo. ¿De dónde viene la belleza, la moral, el arte y la cultura, si no de las capas altas de la sociedad? ¿De dónde el derecho y la filosofía? Por eso es necesario que los de arriba no sólo gocen de grandes privilegios, sino que tengan plena conciencia de su superioridad, porque a mayor conciencia, mayor responsabilidad ante Dios y ante la Historia. Gracias a esta actitud Europa fue en un tiempo como este huerto ameno y fecundo: aquí crecían coles, allí zanahorias, más allá habichuelas. En aquel rincón, nabos. Podría pasar horas enumerando hortalizas suculentas. Ahora, sin embargo, todo eso se acabó. *C'est fini, comme Capri*. Maldita sea mil veces la Revolución francesa y maldito sea Napoleón Bonaparte, que propagó el virus de la igualdad. ¿Es usted de sangre azul?

—No.

—¿Universitario?

—Licenciado en Filosofía y Letras.

—Peor para usted. La educación es el caballo de Troya de la civilización cristiana. Antes la mayoría sabía leer y escribir lo justo, contar lo justo. El resto se lo enseñaba la tradición, la experiencia y la palabra de Dios por boca del clero. Los conocimientos se ajustaban a la condición de cada ciudadano, a su oficio, a su vida y a su medio. Ahora pululan por todas partes miles de graduados universitarios sin trabajo, sin dinero y sin futuro, pero convencidos de saberlo todo. Henchidos de su valía personal, se les puede embaucar con halagos y comprar con golosinas. Esto traerá la decadencia y el caos. Por raro que parezca, los países comunistas saldrán mejor librados de este fraude, porque su sistema es tan estúpido que lo que se gana por un lado se pierde por el otro. En los países satélites es distinto: la población se rebela. En la URSS no. Si el padrecito Stalin era una acémila, nadie tenía derecho a ser mejor. Mire a Jruschov: él marcó el camino hacia el futuro. Una vez liberado de su alienación, el hombre nuevo parecerá una patata. ¿Usted bebe?

—De cuando en cuando.

—Yo repruebo la bebida. La bebida y el tabaco. El vodka no cuenta. Es nuestra seña de identidad. En el colegio cantábamos un himno que decía: La madre patria flota en vodka. Las mujeres, en cambio, cuanto más lejos, mejor. Al menos para quien viste ropas talares. Si ha oído hablar de las hazañas de Rasputín, no haga el menor caso. Era un bocazas. Usted será católico, supongo.

—No, señor. No soy nada.

—Tanto mejor. Para ser católico es mejor no ser nada. El papa es el Anticristo. *Plus ça devient vieux, plus ça devient bête.* Usted tal vez atribuirá mi animadversión al sectarismo; pensará: he aquí un ortodoxo... *Pas du tout.* Yo no soy ortodoxo. En el siglo XIV la Iglesia de mi país se escindió del núcleo central y se adscribió a la Iglesia maronita para no depender del patriarca de Moscú. El patriarca de Moscú es el Anticristo. Como el papa de Roma. Y Winston Churchill. Caiga sobre ellos la maldición del Todopoderoso. El problema de pertenecer a la Iglesia maronita es que la sede se encuentra en Siria, y eso queda lejos del Báltico, según me han dicho. Por este motivo, sumado a las dificultades de comunicación y a las cortapisas de las autoridades comunistas, carecemos de directrices en materias tan importantes como el dogma y la liturgia. ¿Cómo se las arreglan, se preguntará usted? Yo se lo diré: con la Gracia Divina. Hacemos las cosas como buenamente se nos ocurre y dejamos en manos del Altísimo arreglar los desperfectos. Por lo demás, poco importa: andamos dispersos, sin templos ni fieles, como pastores sin rebaño...

Una de las grandes desgracias de las personas honradas es que son cobardes. Gimen, se callan, cenan y olvidan.

Me desperté en la misma habitación en la que había estado encerrado la víspera. El cansancio me había vencido y no recordaba cómo había concluido la velada ni cómo había llegado hasta la habitación. Lo ocurrido durante la noche me parecía un sueño.

Por las rendijas de la persiana entraban láminas de luz. Hacía calor y me dolía la cabeza. Repicaba el teléfono de la mesilla de noche y comprendí que me habían despertado los timbrazos. Descolgué, articulé un gruñido y oí una voz impersonal.

—El taxi pasará a recogerle dentro de una hora. Si lo desea, pueden subirle el desayuno a la habitación.

Dije que sí, me levanté, me duché y me vestí. Al subir la persiana me hirió un sol radiante y alto, en un cielo despejado, de color azul oscuro. Miré el reloj: eran las once. Llamaron a la puerta, abrí y entró un camarero empujando un carrito. Lo dejó en la entrada y se fue. En el carrito había zumo de naranja, un huevo pasado por agua, tostadas, mantequilla, bollos, un salero, una cafetera, una jarra de leche, un azucarero, un plato, una taza, cubiertos y servilleta.

Después de desayunar me encontré mejor.

Bajé a la recepción. El mismo recepcionista del día anterior me informó de que Sus Altezas Reales, acompañadas de su séquito, habían zarpado a las nueve de la mañana sin especificar el rumbo. Lamentaban no haber podido despedirse de todo el mundo, pero habían preferido no interrumpir el descanso de algunos huéspedes menos madrugadores. Su Alteza Real en persona se había hecho cargo de mi cuenta del hotel, incluida la cena y la conferencia telefónica.

Mientras el recepcionista me contaba estas cosas llegó el taxi. Recorrida en dirección contraria la sinuosa carretera, el taxi se detuvo a la puerta del hotel de Pollensa. El taxista se quedó esperando con el motor del coche en marcha mientras yo subía a la habitación, hacía el equipaje y pasaba por la recepción. También el gasto suplementario había sido pagado y el recepcionista me entregó un billete de avión. El recepcionista de aquel hotel, menos reservado que el del hotel Formentor, no tuvo inconveniente en informarme de que el señor Perelló, bien conocido en la localidad, había realizado las gestiones pertinentes.

El taxi me llevó al aeropuerto y a media tarde estaba de nuevo en Barcelona. Mi madre me recibió con un enojo de trámite: no era la primera vez que me ausentaba sin avisar y aunque nunca dejaba de reprocharme las horas de incertidumbre y angustia que le había ocasionado mi desconsideración, ya estaba resignada a lo que consideraba un defecto propio de la edad. Lo único que realmente le dolió fue que no hubiera tenido el detalle de comprarle una ensaimada. La crónica aparecida aquel mismo día en el periódico le había pasado inadvertida. Mi hermana fue la única que me felicitó con una mezcla de cariño y sarcasmo.

—Vaya, tanto leer a Sartre y al final resultará que sólo sirves para esto.

Mi padre se mostró perplejo ante aquellos elogios, reproches y cuchufletas y hubo que darle explicaciones. De los periódicos se saltaba con displicencia las notas de sociedad, nunca hojeaba revistas femeninas y, para colmo, no se había percatado de mi ausencia. Cuando le hubieron puesto al corriente de lo sucedido y mostrado el reportaje se limitó a decirme que anduviera con cuidado.

—Tú verás dónde te metes.

Yo entendí lo que me quería decir por habérselo oído a menudo, de distintas maneras.

Para él lo más peligroso era destacar; lo más seguro, pasar inadvertido.

Durante la guerra había conseguido, no sé cómo, rehuir la movilización y se libró de los peligros y miserias del frente, pero le tocó vivir la sordidez de la retaguardia. Entre incesantes sobresaltos supo de la ejecución sumaria de personas cuyo único delito era una notoriedad real o supuesta. Una implacable justicia igualitaria. Cuando arreciaron en Barcelona los enfrentamientos entre anarquistas, trotskistas y comunistas, mi padre, que no pertenecía a ninguno de estos bandos y no quería estar en medio del tiroteo, decidió huir a Francia a campo través. El rápido avance de los nacionales le disuadió de unirse a lo que ya era una fuga masiva de los mismos a los que trataba de dejar atrás. Sospechoso por haber permanecido en territorio enemigo toda la contienda, fue depurado. Salió indemne, pero en la etapa posterior vio repetirse el amargo destino de los condenados por haber descollado en alguna actividad, tanto benévola como criminal. Desde entonces sólo aspiraba a vivir en una recatada mediocridad, a salvo de envidias y malquerencias.

En boca cerrada no entran moscas; más vale prevenir que curar; donde fueres haz lo que vieres; zapatero a tus zapatos. Estos y otros apotegmas similares conformaban el cauce de su pensamiento.

A mí su actitud, muy extendida entre sus coetáneos, me parecía blanda y derrotista. Admitía que a los hombres de su generación la guerra los había hecho como eran, pero pensaba que si no hubiera habido una guerra, muchos se habrían quedado sin hacer.

Por lo que a mí respecta, los temores de mi padre eran infundados. No me veía a mí mismo destacando en ningún campo. A ratos fantaseaba con la idea de dedicarme a la literatura, pero me inhibía el temor a no tener talento ni perseverancia.

Lo que sí tenía claro era que el periodismo no me interesaba como profesión. Había entrado en él de rebote, para ganarme la vida, como algo interino hasta tanto no surgiera algo mejor. Pero lo ejercía a desgana, sin poner esfuerzo ni interés en lo que hacía, para no desperdiciar mis energías y mi escasa capacidad intelectual. En otro trabajo esta actitud no habría menoscabado mi dignidad ni me habría provocado mala conciencia, pero me parecía inadmisible en el campo del periodismo, especialmente en las peculiares condiciones que imperaban entonces.

Unos años antes de mi entrada en el periódico, y después de varias décadas de censura estricta, se había iniciado un proceso de cambio, cuyo artífice había sido el ministro de Educación y Turismo.

Manuel Fraga Iribarne fue uno de los pocos políticos españoles de cierta envergadura en el largo periodo del franquismo. Tenía una personalidad poco atrayente: era altanero, hablaba mal y no sabía disimular su mal carácter. Esto y la imagen escasamente apolínea de su baño en Palomares eclipsaron el verdadero alcance de su actuación.

Estudiante ejemplar, número uno en cuantas oposiciones hizo, católico ferviente y activo, inició su andadura política a principio de la década de los cincuenta adscrito al movimiento cristiano y reformista de Joaquín Ruiz-Giménez. Cuando este conato de apertura se vino abajo ante los ataques de la vieja guardia falangista, Fraga Iribarne se desvinculó de Ruiz-Giménez y se hizo falangista, una maniobra que podría tacharse de villanía en términos románticos, pero no políticos.

En las filas del Movimiento, Fraga Iribarne esperó una oportunidad, que le llegó a principio de la década siguiente, cuando Franco, tras las huelgas mineras de Asturias y una imparable agitación social, decidió tantear un cambio controlado. Las circunstancias dentro y fuera del país así lo aconsejaban; el régimen no se tambaleaba de ningún modo pero entre los más fieles a Franco no faltaban quienes consideraban que, a los setenta años, el generalísimo debía empezar a pensar en el relevo. Por supuesto, nadie hizo esta reflexión abiertamente, pero bastó su existencia para despertar la suspicacia de Franco.

¿Qué hijo de mala madre andará detrás de todo esto? ¿Alonso Vega? Ca, ése está viejo de verdad. ¿Muñoz Grandes? Demasiado tonto. ¿Quizá Queipo? Oh, no, no, el pobre Queipo se murió hace un siglo. Jesús, Jesús, qué memoria la mía... Pero tanto da: un caudillo no se jubila, mecachis en la mar. Esto susurraba en sus noches de insomnio.

En la ventana del Pardo seguía encendida la proverbial lucecita mientras iba menguando la que alumbraba la retorcida mente del dictador.

Para curarse en salud, Franco decidió renovar su entorno. Dos falangistas de nuevo cuño, José Solís Ruiz y Manuel Fraga Iribarne, y varios miembros del Opus Dei formaron el núcleo de un gobierno de tecnócratas. En teoría, los tecnócratas no estaban lastrados por ninguna ideología; simplemente, poseían amplios conocimientos en materias abstractas, como la economía, la gestión o las comunicaciones, y los aplicaban a las condiciones materiales para obtener el máximo rendimiento.

En la inoperancia de aquel periodo de nuestra Historia, el recurso a unos tecnócratas de apariencia liberal y probada fidelidad al régimen parecía la forma más adecuada de adaptarse a los tiempos. El mundo occidental se había cansado de hacer el boicot a un país que ofrecía tantos alicientes como España. Sólo esperaba un gesto formal para olvidar antiguas rencillas y prescindir de rancios escrúpulos, mientras en España la vieja guardia parecía haber agotado su ciclo vital. Después de la guerra, los militares habían administrado el país como un cuartel, ahora tocaba a los civiles administrarlo como una empresa.

En rigor, Fraga Iribarne no era un tecnócrata, sino un hombre de Estado. Cuando unos años más tarde fue nombrado embajador en Londres, hizo el ridículo dejándose fotografiar con un atuendo inglés ya anacrónico: terno gris marengo, bombín y paraguas. ¿Qué tal? ¡Cojonudo, don Manuel, un milord de cabo a rabo!

El penoso intento de mimetismo no era bufo. Aunque sus inclinaciones políticas eran de cariz totalitario y la democracia le inspiraba desconfianza, a Fraga Iribarne le habría gustado ser una pieza del sólido e impecable mecanismo del Estado que habían sabido construirse los ingleses.

Los tecnócratas del Gobierno español, por el contrario, confundían el Estado con los despachos que les habían sido asignados. A Fraga Iribarne no le costó convencerlos de que salía más barato tener al pueblo contento que sometido, y con esta promesa se le permitió poner en marcha una tímida apertura.

En 1962 se había hecho cargo del Ministerio de Información y Turismo y desde allí inició su reforma. Unos años atrás, la gestión de dos actividades aparentemente inconexas como la información y el turismo había sido adjudicada a una sola cartera ministerial. Fraga Iribarne supo convertirlas en las dos caras de una misma moneda. Tal vez la idea le vino dada por las circunstancias: cuando se hizo cargo de la cartera ministerial, el turismo se había convertido en la principal fuente de riqueza del país, y el turismo, más que cualquier otra forma de presión social, exigía apertura. Varios millones de europeos en busca de sol y disipación no podían darse de bruces con una pareja de la Guardia Civil velando por la decencia en las playas o con un cura de trabuco lanzando anatemas a la puerta de las discotecas. Pero tampoco era cuestión de convertir un país tan celoso del honor en un burdel. Fraga Iribarne inventó una fórmula sencilla que lo solucionaba todo: *Spain is different*. Este eslogan, necio pero brillante, tuvo un efecto galvanizador en una España deseosa de adquirir una nueva identidad después de un largo túnel de depauperación, tristeza y vergüenza. En apariencia, la frase era un reclamo dirigido al extranjero; en realidad, fue un mensaje dirigido a todos los españoles.

Los españoles éramos diferentes en el mejor sentido de la palabra: más alegres y despreocupados, más amables y desprendidos, más simpáticos y más salerosos. También en el peor sentido: más vagos, más irresponsables, más sinvergüenzas y más catetos. Ahora la suma de estas características era la divisa fuerte de la nueva economía española.

Si al amparo de la afluencia unos cuantos se enriquecían de un modo turbio, si se incumplían abierta y sistemáticamente las leyes y las normas básicas de la sensatez y del buen gusto, ¿de qué quejarse? España era diferente y esta diferencia era el motor de su economía. Algunos refunfuñaron, alegando que el país se estaba convirtiendo en un circo perverso e indigno, pero era nuevo y era rentable y, a la hora de la verdad, incluso los más reacios estuvieron dispuestos a participar en la juerga.

Las condiciones de vida mejoraron para todos. No de un modo equitativo, claro, pero la sanidad y la educación dejaron de ser privilegio de los ricos. El contacto habitual con el mundo exterior produjo un efecto saludable y un poco de libertad era mucho en comparación con la asfixia de la etapa precedente. Por supuesto, el poder seguía en manos de los mismos y no había cedido ni una pizca de sus elementos distintivos, la arbitrariedad y la impunidad, pero al menos ahora a quienes carecían de poder se les reconocía cuando menos una fuerza colectiva de la que no se podía hacer caso omiso.

En 1966 Fraga Iribarne persuadió a Franco de la conveniencia de promulgar una nueva ley de prensa en virtud de la cual, si bien la censura seguía vigente con todas sus consecuencias, se ensanchaban un poco los márgenes de lo permitido y se agilizaban los trámites para obtener autorizaciones. Ya no era preceptivo someter los textos a los organismos de control antes de la publicación, y aunque esta concesión no se aplicaba al cine, a la radio ni a la televisión ni cambiaba la esencia del problema, aquel pequeño alivio mecánico produjo una verdadera conmoción.

De estas novedades ningún sector se benefició tanto como el periodismo.

Incluso en su estrecho margen de maniobra, de la noche a la mañana la prensa adquirió visos de ser lo que en definitiva debería haber sido: el órgano que teje y desteje una opinión pública que políticos, empresarios y financieros necesitaban tener a su favor para seguir avanzando unidos y sin tropiezos por el camino recién emprendido. Por supuesto, cada periodista seguía siendo un individuo vulnerable. En cualquier momento podía descolgar el teléfono y recibir una orden perentoria: recoja sus cosas y váyase. Pero la función seguía viva y las bajas ocasionales no afectaban al prestigio y la influencia de la prensa como institución.

La sensación de estar viviendo un momento histórico trascendental no me hacía ser más diligente ni más responsable en el trabajo, pero me tenía sumido en una mezcla de excitación y angustia.

A decir verdad, nadie me exigía mayor entrega. La mayoría de mis compañeros había adoptado una postura escéptica ante unos cambios que les llegaban demasiado tarde. Se aferraban a la rutina, extremaban la cautela y dejaban que la evolución de los acontecimientos y la natural apatía de sus temperamentos fueran marcando el rumbo de su vida y de su profesión.

¿Jura usted decir la verdad, sólo la verdad y nada más que la verdad? ¡Ni hablar! Por decir la verdad estoy aquí sentado.

Esta desidia me escandalizaba. Ciertamente yo hacía lo mismo, pero en ellos la indolencia era reflejo de su idiosincrasia y en mí, puro cinismo. En mi fuero interno me daba cuenta de que intentaba abarcar demasiadas cosas: ser osado y eficaz en el trabajo, consagrarme a la literatura y contribuir al triunfo de la revolución.

Bien es verdad que las ansias revolucionarias menguaban con rapidez.

No había renunciado a mis convicciones, pero la realidad me parecía cada vez menos simple. En la medida en que los nuevos aires de libertad permitían centrar la atención y el esfuerzo en temas próximos y concretos, las grandes abstracciones teóricas se hacían cada vez más lejanas y utópicas. Por otra parte, la prensa había adquirido una credibilidad de la que antes carecía y las noticias que se publicaban sobre la Europa del Este ya no se podían atribuir a una burda propaganda franquista y no dejaban de hacer mella en el ánimo de muchos. Después de probar el dulce fruto de la libertad, los comunistas españoles caían en la cuenta de que la libertad individual y colectiva era su principal anhelo y también de que la ideología que defendían les habría privado de la ansiada libertad en un abrir y cerrar de ojos. De hecho, el partido comunista español ya lo hacía con sus militantes y, en la medida de lo posible, con sus simpatizantes. Sus dirigentes y sus mentores no tenían el menor reparo en poner de manifiesto un autoritarismo similar al que combatían, ni en dictar unas condenas desmedidas e implacables, que sin duda habrían llevado a la práctica de haber dispuesto de los medios necesarios.

A mí el mismo romanticismo que me había hecho abrazar la causa marxista me impulsaba a rebelarme contra esta conducta sectaria. A diario se me partía el corazón y se me sublevaba el entendimiento cuando tropezaba una y otra vez con las muestras de saña con que eran perseguidos los que se habían desviado ligeramente de esa ortodoxia en el curso de una lucha plagada de sacrificios.

Esta incertidumbre no podía compartirla con mis correligionarios y apenas con mis amigos. Los que no la experimentaban no la entendían, y los que sí la experimentaban o eran unos terribles reaccionarios o preferían guardarse sus cábalas para sí. Unos creían que la firmeza de sus convicciones y la intensidad de sus sentimientos eran suficientes para cambiar el mundo y adoptaban una actitud visionaria y emotiva. Otros caían en el extremo opuesto y dedicaban todas sus energías a un trabajo mecánico, minucioso, absorbente y en extremo tedioso, encaminado a preparar acciones que nunca se llegaban a realizar, a celebrar reuniones interminables donde se debatían aspectos teóricos y a difundir una información tan prolija y aburrida que nadie conseguía leer.

Finalmente, decidí ver con mis propios ojos cómo eran las cosas en la práctica.

You see, said Jameson Jameson, we're all human beings. That's a very important point. You must admit that we're all human beings?

Sin sopesar riesgos, solo y con poco dinero, emprendí viaje a la Europa del Este.

A mi familia le conté que un amigo alemán al que había conocido en Londres me había invitado a Berlín. Era verdad que conocía a un estudiante alemán que vivía en el Berlín Occidental, pero aquella visita era el principio de la travesía.

El muro de Berlín contaba pocos años de existencia y todavía generaba una gran curiosidad y una atmósfera tensa y siniestra.

Después de pasar unos días en casa de mi amigo para visitar el Berlín Occidental y con más mímica que léxico, salvé las barreras burocráticas y conseguí un visado para cruzar el Spree. Visto desde el sector oriental, el muro, con su doble casamata de hormigón, las garitas, las alambradas y las patrullas de vopos fuertemente armados, no dejaban duda de cuál era la parte de dentro y cuál la de fuera de aquel enorme presidio político.

El antiguo centro urbano de Berlín estaba todavía en ruinas y los edificios que se tenían en pie presentaban impactos de proyectiles de todos los calibres imaginables.

Las poblaciones de la RDA que visité a continuación no ofrecían mejor aspecto, salvo algunos lugares aislados que las bombas habían respetado y que conservaban el encanto melancólico de una Alemania culta, bucólica y emperifollada, de la que apenas quedaba rastro.

Por las sucesivas ventanillas de los trenes increíblemente incómodos en que viajé, vi pasar campos de labranza en los que unas campesinas orondas, con pañuelos anudados a la cabeza, hacían labores de recolección bajo un cielo plomizo. A menudo la fatiga y el tedio me vencían y dormitaba a pesar de la dureza del asiento. Al despertar, el paisaje había cambiado y el tren corría por la ladera de una montaña enorme, cubierta de un espeso bosque de abetos, por un hondo valle o bordeando la margen izquierda de un río caudaloso, de aguas oscuras, surcadas de cuando en cuando por lentas gabarras. Yo no sabía que aquel río era el Elba ni cuál era el macizo montañoso que cruzamos por túneles y viaductos. Todo lo veía sin prestarle atención, pendiente sólo del motivo central de mi peregrinaje.

Los días eran largos, pero ya empezaba a notarse el frío y en los bosques y los campos apuntaban los colores del otoño. En los hoteles de ínfima categoría en los que me alojaba no había calefacción de ningún tipo y a veces me despertaba tiritando.

Tanto en el tren como en las poblaciones que visité la gente era amable. A mí me parecía poco comunicativa, pero mi ignorancia de su idioma tampoco permitía una mayor familiaridad. La comida era sencilla, nutritiva, grasienta y barata.

Al cruzar la frontera de Checoslovaquia, subió al tren un caballero de porte distinguido, al que una abundante melena blanca y un rostro surcado de arrugas daba a primera vista aires de anciano, pero que no debía de rebasar la cincuentena. Vestía un traje marrón, lustroso por el uso, pero limpio y planchado, y su expresión era risueña. En cuanto hubo colocado una cartera abultada sobre la redecilla del compartimento y hubo ocupado un asiento frente al mío, me preguntó en un francés no ya correcto, sino exquisito, de dónde era. La pregunta no era insólita ni impertinente: mi fisonomía y mi vestuario, por no hablar de mis aires de pardillo, certificaban mi condición de forastero, y en aquellas tierras no debían de abundar los jóvenes visitantes de la Europa Occidental. Al responderle que era español, el caballero se puso a hablarme de corrido en un español tan perfecto como su francés. A mis elogios respondió con sencillez que era traductor de profesión y, por añadidura, amante de los idiomas y de la literatura, especialmente de la poesía. Había traducido del español al checo a Juan Ramón Jiménez, a Jorge Guillén y a Pedro Salinas. En Checoslovaquia la afición a la poesía era superior, según creía, a la que existía en otros países. Aun así, añadió, las ediciones eran de corto tiraje y las ventas, muy escasas; ni de lejos habría podido vivir de las traducciones, si no hubiera percibido un sueldo adicional del Estado. Cuando alabé el interés público por el fomento de la cultura, esbozó una triste sonrisa de complicidad, como dando a entender que le humillaba ser funcionario de un Estado totalitario. Su actitud y sus modales me hicieron pensar que tal vez se trataba de un antiguo aristócrata desposeído de su título y su hacienda, reducido por la necesidad a realizar un trabajo digno, pero en definitiva marginal, y en condiciones poco menos que denigrantes. Pero como también podía tratarse de un policía encargado de sonsacarme acerca de mi persona, mis ideas y el propósito de mi viaje, cuando se interesó por mis circunstancias personales y me preguntó por España, respondí con vaguedades. Él se percató de inmediato de mi reserva y con mucha delicadeza desvió la conversación hacia otros temas.

Al apearnos en la estación central de Praga, mi compañero de viaje se disculpó por no poder atenderme durante mi estancia en la ciudad, como habría sido su deseo, porque debía proseguir viaje a otro destino más lejano, pero me entregó su tarjeta y anotó en el reverso el nombre y el teléfono de una amiga suya, profesora de Literatura Comparada en la universidad, con la que yo podía ponerme en contacto si quería tener un conocimiento más directo y personal de la ciudad y del país. No debía tener ningún reparo en llamarla, añadió, y si mencionaba su nombre podía contar con una acogida cordial. Le di las gracias y nos despedimos en el andén con una formalidad tras la que me pareció detectar un deje de compasión y de ironía por parte del aristocrático traductor. De su tarjeta sólo pude sacar en claro su nombre y unas palabras incomprensibles que seguramente indicaban su profesión. No había dirección ni teléfono.

A pesar de mis reservas, al segundo día de estancia, harto de vagar por las calles y de beber cerveza en tabernas ruidosas, decidí llamar a la profesora, cuyo nombre era Katerina.

La primera llamada, hecha desde el hotel, resultó infructuosa. A la segunda, hecha una hora más tarde desde una cabina, respondió en checo una voz femenina. Pregunté si hablaba español y respondió que no, pero sí francés. En esta lengua le dije quién era y mencioné el nombre del traductor. Al instante me invitó a visitarla en su domicilio aquella misma tarde. De la rapidez de su respuesta deduje que había sido puesta sobre aviso de mi eventual llamada. Esta idea aumentó mis recelos, por más que se me hacía extraño que los servicios de inteligencia checos hubieran organizado una trama tan complicada por un extranjero tan insignificante como yo, salvo que me confundieran con otra persona, como sucedía en algunas películas de intriga. La incógnita, lejos de disuadirme, fue un incentivo. Llevaba más de una semana de viaje y me pesaba la soledad.

A la hora de comer, siguiendo el consejo de una joven pareja de turistas americanos con la que trabé conversación en el hall del hotel, fui a un restaurante situado en la primera planta de un edificio céntrico, decorado con profusión de cortinajes, jarrones y candelabros, y donde la comida y el servicio eran excelentes. No faltaban el caviar ni los buenos vinos y sólo aceptaban el pago en dólares. Todos los comensales eran hombres, de edad avanzada, muy bien trajeados. A pesar de mi aspecto juvenil y mi indumentaria zarrapastrosa, fui recibido con muestras de deferencia, conducido a una mesa individual y servido con prontitud. El contraste entre esta manifestación de lujo y la escasez y baja calidad de los productos que se ofrecían al resto de los ciudadanos me escandalizó.

A la hora convenida, con un plano de la ciudad y la ayuda de varios transeúntes, acudí a la cita con la profesora de Literatura. Vivía en un barrio delicioso, cerca de la universidad, en un edificio antiguo y bajo, de fachada gris y ventanas con marco blanco. Subí al segundo piso, llamé al timbre y al instante, como si hubiera estado esperando mi llegada detrás de la puerta, abrió una mujer de unos cuarenta años, estatura media y complexión fuerte, rasgos menudos, dientes largos, cabello muy corto y gruesas gafas sin montura. Se identificó como Katerina, me tendió la mano, murmuró unas frases de cortesía en francés y me invitó a pasar. El piso era diminuto y bajo de techo y olía a cerrado, pero la sala parecía confortable. Las paredes estaban cubiertas de libros y en un sillón exhibía su indiferencia un gato de Angora. Una puerta entreabierta dejaba ver una cocina diminuta y desordenada. Detrás de otra puerta, cerrada, debía de estar el dormitorio. Estas tres piezas y un cuarto de baño componían la totalidad de la vivienda. Una ventana de guillotina y doble vidrio daba a la calle.

Como el sillón seguía ocupado por el gato, nos sentamos los dos en un sofá y estuvimos un rato mirándonos al sesgo y en silencio. Ella debía de ser tímida. Me preguntó si conocía algún escritor checo, aparte de Kafka. Respondí que había leído a Karel Čapek y torció el gesto. Acto seguido me dijo que el Gobierno checo boicoteaba a Kafka y ensalzaba a Čapek, lo cual había generado muchas antipatías hacia este último.

Resuelta esta ligera desavenencia, ya no se nos ocurrió nada más y volvimos a caer en un silencio embarazoso.

Mientras me devanaba los sesos buscando una manera cortés de salir de allí, llamaron a la puerta. Con visibles muestras de alivio, mi anfitriona dijo que esperaba la visita de unos colegas y se levantó para ir a abrir. Yo la imité dispuesto a no desaprovechar la ocasión de salir huyendo con la excusa de no ser inoportuno, pero ella me atajó sobresaltada.

—No, no, de ningún modo. No se vaya. Precisamente he convocado a estos profesores para que usted los conociera. Yo no soy muy interesante, fuera de las clases que imparto. Ellos, en cambio, le podrán contar muchas cosas.

No me cupo más remedio que permanecer de pie, donde estaba, viéndola trotar por el pasillo. Katerina abrió la puerta y entraron tres hombres y una mujer. Desde el otro extremo del corto pasillo, donde yo estaba, me parecieron de gran estatura. Pero sólo era una ilusión óptica debida a las reducidas proporciones del recibidor y al hecho de que los recién llegados lo habían ocupado muy deprisa, efectuando una maniobra expeditiva y subrepticia. La anfitriona cerró la puerta con la misma celeridad, hizo una pausa y luego, abriéndose paso entre sus invitados, los precedió por el pasillo para hacer las debidas presentaciones.

Los recién llegados parecían ser de la misma edad que Katerina, iban vestidos con ropa de mala calidad y peor diseño y no podían negar su condición de intelectuales. En España los individuos de su misma condición, sobre todo si ocupaban cargos docentes en la universidad, todavía utilizaban un atuendo convencional: traje, camisa blanca y corbata. Si alguno se permitía una extravagancia, era para lucir una prenda rara proveniente de Londres o de Milán. Esta observación me impidió enterarme de unos nombres que, de todos modos, no habría podido retener. Ellos me estrecharon la mano con efusión, murmurando frases amables en francés. Era evidente que habían sido escogidos, entre otras razones, por su conocimiento de esta lengua, y que mi anfitriona los había puesto en antecedentes de mi persona.

Concluida la escueta etapa protocolaria, los recién llegados sacaron de una bolsa dos botellas de vino tinto sin etiquetar, y de la faltriquera de una chaqueta, una botella de vodka. Katerina entró en la cocina y reapareció con una bandeja sobre la que había unos veinte rectángulos de pan moreno meticulosamente recortados y cubiertos de queso o de manteca con paprika. La mujer del grupo, alta, de facciones huesudas y cabello gris, fue luego a la cocina y trajo un sacacorchos y seis vasos de plástico. Los hombres se sentaron en el sofá, Katerina expulsó al gato de la butaca, que, tras largas protestas por mi parte, pasó a ser de mi propiedad. Las dos mujeres se sentaron en el suelo.

Servidas las bebidas y hecha la ronda de los canapés, los recién llegados empezaron a hablar con viveza. Lo hacían por turnos, sin interrumpirse, y todos los parlamentos se dirigían a mí. Para entonces se habían disipado por completo mis temores iniciales acerca de la intención de aquellas personas. Saltaba a la vista que los presentes no trataban de conocer mis opiniones sino de darme a conocer las suyas.

De aquella tarde me quedó un recuerdo vivo pero confuso, porque mis interlocutores me suponían un conocimiento de la situación política en Checoslovaquia que yo no tenía y saltaban de un tema a otro, como si quisieran tocar muchos en el poco tiempo de que disponíamos. No obstante, la idea general era bien clara.

El sistema económico basado en el monopolio estatal de los bienes de producción y la planificación centralizada había dejado de funcionar hacía años y en la actualidad era una máquina obsoleta, lastrada por la incompetencia burocrática y la corrupción a todos los niveles. Antes de la guerra, Checoslovaquia había sido uno de los países más prósperos de Europa; ahora estaba en la ruina absoluta. La salida de este atolladero no requería desmontar el sistema socialista, sino cambiar su funcionamiento y, sobre todo, cambiar un partido integrado por dirigentes caducos, incapaces de afrontar unos cambios que a la corta o a la larga acabarían con su permanencia en el poder y con sus privilegios.

Aquel mismo verano se había celebrado un congreso de escritores en el cual varios intelectuales de gran prestigio dentro y fuera del país, como Václav Havel, Milan Kundera o Pavel Kohout, habían hablado en términos muy críticos de las autoridades y más aún de un partido esclerótico, en cuyas manos estaban todas las decisiones políticas, económicas, sociales y culturales, y en el que sobrevivían, como fetos en formol, un puñado de senescentes *apparatchiks*. Naturalmente, estas afirmaciones habían sido negadas de un modo contundente por los medios oficiales y sus autores puestos en la lista negra, pero el mensaje había trascendido al pueblo y su efecto era imparable. Los ciudadanos checos exigían cambios inmediatos, empezando por la supresión de la censura, porque sólo la libertad de expresión permitiría poner de manifiesto el desgobierno y el inmovilismo. Sólo la transparencia informativa permitiría hacer balance de la situación y corregir el rumbo fatídico que estaba llevando al caos a Checoslovaquia y a los demás países de la zona.

Animados por el vino y el vodka, pero, sobre todo, por la posibilidad de exponer ante un forastero unos argumentos que a fuerza de repetirlos en círculos cerrados corrían el riesgo de convertirse en lugares comunes, acabaron confesando que al deseo de cambiar la sociedad en que vivían se unía el deseo de disfrutar un poco de la vida: todos ellos estaban dejando atrás la juventud sin haber conocido la alegría y el desenfreno que en su imaginación presidían la vida de sus coetáneos occidentales. Esta declaración, que en boca de personas cultas, circunspectas y comprometidas habría podido tomarse por frivolidad, me impresionó más que los datos y los razonamientos que la habían precedido. Oyéndolos hablar así me di cuenta de que, más allá de cualquier ideología o sistema, aquellas personas anhelaban la misma libertad que nosotros y que, pese a todas las diferencias, luchaban contra el mismo enemigo.

De regreso en el hotel, un poco ebrio y con el estómago revuelto por los canapés de paprika, lamenté no haber anotado los nombres de los que con tanto entusiasmo me habían puesto al corriente de un estado de cosas para mí insólito y me prometí escribir a Katerina, cuyas señas guardaba, tan pronto regresara a Barcelona. Mi intención era expresarle mi gratitud por su hospitalidad, pero también iniciar una correspondencia que me permitiera seguir el curso de los acontecimientos con noticias de primera mano.

Como era de esperar, mis buenos propósitos se quedaron en nada. En Barcelona me esperaba mi trabajo en el periódico y, con él, mis dudas y mi insatisfacción.

Ce que j'en opine, c'est aussi pour declarer la mesure de ma veuë, non la mesure des choses.

Unos cuantos amigos nos reuníamos regularmente en casa de Fabián a charlar y a jugar a las cartas. Fabián y yo éramos amigos del colegio.

El padre de Fabián era intendente mercantil y había llegado a gerente de una fábrica de jabones. Algunas tardes la madre de Fabián interrumpía nuestros conciliábulos y nos preguntaba si queríamos tomar algo. Nosotros le respondíamos tímidamente que no y le agradecíamos su gentileza. La madre de Fabián nos imponía respeto. Decían que de joven había sido muy guapa y siempre iba muy maquillada y peripuesta.

A mis amigos les hice un relato cauteloso de lo que había visto y oído en mi viaje. La crónica fue recibida con escepticismo. Aceptaban el hecho de que hubiera advertido aspectos negativos o detalles sintomáticos en la Europa del Este, pero rechazaron que se pudiera generalizar como yo lo hacía a partir de unas pocas anécdotas y una breve charla con unos tipos innominados, para luego aplicar aquellas opiniones particulares a una cosa tan vasta y compleja como la lucha mundial contra el capitalismo y la opresión.

Al contradecirme, mis amigos salían al paso de sus propias dudas.

—De acuerdo, viven con estrecheces. La planificación centralizada no siempre acierta. El socialismo no fomenta la ambición y sí la indolencia. Son fallos del sistema, pero no lo invalidan.

—Y no te olvides del boicot y de la presión del mundo occidental. No sólo en el terreno económico. Los servicios secretos destinan sumas astronómicas a desestabilizar los países socialistas. Eso por no hablar de la amenaza real. Si la Unión Soviética baja la guardia, se encuentra con los marines en Moscú en un abrir y cerrar de ojos. La economía está lastrada por el gasto militar.

—Unos profesores universitarios no nadan en

la abundancia, ¿y eso es grave? ¿No es más grave el hambre, el paro y la mendicidad?

—Comiste caviar de extranjis, ¡vaya cosa! En todas partes hay vivillos. Pero al menos no hacen ostentación, como en el Liceo.

Mi amigo Fabián tenía del Liceo una imagen decimonónica. Nunca había puesto los pies en el Liceo e imaginaba a señores orondos luciendo a sus queridas y champán corriendo a raudales.

Yo había ido al Liceo en dos ocasiones, a oír *Don Giovanni* y la *Kovantchina*. Las óperas me habían gustado mucho pero el Liceo me había parecido un teatro apolillado y decadente, con señores aburridos y señoras que aprovechaban la ocasión para ponerse sus joyas y sus estolas de astracán.

Yo pensé que, si aquélla había sido la reacción de mis amigos, nada bueno podía esperar de quienes no lo eran. Probablemente me acusarían de trabajar para la CIA. De modo que decidí no volver sobre el tema. Todos habían insistido en que, fueran o no ciertas las noticias que traía del Este, mi deber era callar para no hacer el juego al enemigo. ¿O estaba dispuesto a bendecir las atrocidades cometidas por los americanos en Vietnam?

En el fondo, yo entendía su actitud. Todos habíamos abandonado la religión después de una prolongada y opresiva educación impartida y controlada por los curas; nos avergonzaba la sumisión de los españoles a un régimen dictatorial e inconsistente; nos humillaba una cultura insulsa y sensiblera; nos exasperaba el conformismo de nuestros padres. En estas condiciones, la fe inquebrantable en una ideología que prometía revolución, justicia y libertad era nuestra única certeza.

Mis amigos no carecían de inteligencia, de cultura, de ingenio o de cualidades personales. Fabián había estudiado en el Instituto Químico de Sarriá y era un lector empedernido. Juan Padró era abogado y trabajaba en una fundación dedicada a estudios sociológicos. Quim Salazar había abandonado la carrera de Económicas, trabajaba como auxiliar administrativo en un banco y desplazado su interés hacia la percepción extrasensorial; había leído varias veces las obras de Carlos Castaneda en inglés y ahorraba para viajar a México y probar el peyote.

Yo los admiraba y con la mayoría tenía deudas de gratitud, pero su condición era distinta de la mía. No nos habíamos conocido por mediación de terceros. Nos unían afinidades personales y nuestro encuentro venía dado por circunstancias diversas y azarosas. De sus orígenes y de sus familias sabía lo poco que había oído de modo ocasional y fragmentario. Por ejemplo, que los abuelos de Juan Padró habían hecho fortuna traficando con ébano y caoba de Guinea hasta poco antes de la independencia de la colonia, o que la familia de Josemari Solá tenía una fábrica de muebles en el Guinardó. El padre de Quim Salazar tenía un Peugeot que a veces le dejaba a su hijo, y la familia de Fabián, una casa en Cadaqués, que habíamos utilizado a principios o a finales de verano. En algunas casas había cuadros de firmas conocidas o piezas de anticuario. Estos datos dispersos daban una imagen general en la que yo, por mis circunstancias familiares, no encajaba, por más que no me sintiera un extraño en ella, pero que hacía de mis amigos la representación viva de la burguesía catalana. Seguramente en su fuero interno ellos albergaban la noción de su difícil papel en una España de incierto futuro. De ahí que se obstinaran en unas posturas ideológicas que los situaban en un terreno abstracto. En cambio, yo, que provenía del sector más volátil de la clase media, sólo me representaba a mí mismo y podía tener los pies en el suelo.

*

En octubre los estudiantes se manifestaron por las calles de Praga y la policía los disolvió con brutalidad. La noticia me trajo el recuerdo de Katerina y sus amigos. Me reproché mi dejadez y decidí escribir a Katerina sin tardanza, pero no encontré su dirección ni la tarjeta de visita del traductor del tren y no se me ocurrió ninguna otra manera de establecer contacto con ella.

En enero, el vetusto aparato que regía el destino de Checoslovaquia no pudo resistir por más tiempo la presión popular y eligió secretario general del partido comunista a Alexander Dubček, un hombre de ideas reformistas y bastante joven en comparación con la media de edad de sus compañeros. El tiempo transcurrido desde mi viaje y otros asuntos que por entonces reclamaban mi atención me hicieron seguir las noticias con un interés genuino pero distante.

Unos meses más tarde los tanques rusos pusieron fin al experimento conocido como la Primavera de Praga y, de paso, a cualquier esperanza de reforma interna del sistema. Supuse que Katerina y sus colegas habrían participado activamente en el movimiento reformista y que habrían sido represaliados. Escudriñaba las escasas fotografías aparecidas en la prensa en busca de rostros conocidos sin resultado alguno.

Una noche me despertó súbitamente una idea fija: la de que entre el minúsculo grupo congregado en casa de Katerina para mi instrucción había un infiltrado. De ser así, mi nombre constaría en los archivos de la policía secreta checa, quizá también en los de la KGB. La eventualidad de estar fichado me dejó indiferente. Si mi nombre figuraba en algún archivo, estaría perdido entre millones de nombres igualmente insignificantes. Lo que me impresionó fue la sensación de haber compartido unas horas de intimidad con un traidor, y de haber intervenido como actor de reparto en una secuencia de la Historia reciente, cuando todavía existía el telón de acero.

What do you say, George?

I ask your pardon, sir, but I should wish to know what you say?

Do you mean in point of reward?

I mean in point of everything, sir.

A mi regreso de Praga, mi madre me entregó un volante de correos recibido en mi ausencia.

Fui a la estafeta y me hicieron entrega de un paquete postal enviado desde Londres. El paquete contenía un LP y una escueta nota manuscrita del príncipe Tukuulo: «Creo que te gustará. Un abrazo. Bobby, *the once and future King*». El disco había aparecido en Inglaterra a principios del verano y poco después hacía furor en todo el mundo, pero a mí me había pasado inadvertido. La música pop me era bastante ajena. En cambio, a mi hermana, más joven que yo y con nula capacidad adquisitiva, el disco le pareció un tesoro.

—¿Me lo prestas?

—Ni hablar. Si te lo dejo, no lo volveré a ver.

—Va, hombre, si a ti esta música no te gusta. ¿De dónde lo has sacado?

—Me lo ha regalado un amigo.

—Jolines, vaya amigo. Te debe de querer mucho.

Esta idea me dejó pensativo. Sin duda el disco encerraba un mensaje personal. Escuchaba una y otra vez las canciones del álbum y contemplaba embobado el *collage* de la portada, tratando de reconocer a los componentes de aquel grupo heterogéneo y de desentrañar el significado de la selección. Cuando llevaba un rato absorto, me sentía transportado a un mundo maravilloso, distinto al mío. Como Alicia, pensaba. Las sensaciones experimentadas acabaron de dinamitar mis viejas convicciones.

Me habría gustado agradecer al príncipe el detalle y con esta excusa restablecer el contacto perdido, pero el envío no llevaba remitente.

Cuando caía en mis manos una revista ilustrada, la hojeaba detenidamente para ver si salían retratados el príncipe y su consorte, Queen Isabella. Por lo general, la búsqueda era infructuosa, pero alguna vez daba con ellos en los márgenes de una fotografía de conjunto, casi siempre sin identificar. Estas apariciones episódicas y de poca monta daban testimonio de que la pareja seguía orbitando en el firmamento de los privilegiados, de un modo secundario pero con una pertinacia reveladora: el príncipe no renunciaba a sus extravagantes propósitos ni perdía la fe en su destino utópico. En apariencia, la marcha del mundo no favorecía sus planes dinásticos, pero era innegable que, tal como el propio príncipe había vaticinado, algo estaba cambiando, y para mí *Sgt. Pepper's Lonely Hearts Club Band* había sido el detonante de aquel cambio.

Los meses se sucedían marcados por sucesos dramáticos: en octubre murió en Bolivia el Che Guevara y en abril del año siguiente Martin Luther King fue asesinado en Memphis, Tennessee. En

Sudáfrica el doctor Christiaan Barnard hizo el primer trasplante de corazón y en Vietnam dio comienzo una larga y sangrienta batalla conocida como la ofensiva del Tet.

En España estos acontecimientos acrecentaban el sentimiento de lejanía. Ante la mediocridad y la rutina en que vivía inmerso el país, la prensa se volcaba en lo que pasaba fuera y los españoles seguíamos esta información como quien escucha el bullicio de un suceso importante en el que no ha sido invitado a participar. Para los jóvenes intelectuales, como yo, la sensación de aislamiento se hizo particularmente aguda durante la revuelta estudiantil de París en mayo del 68. Sobre las noticias y rumores que llegaban había opiniones enfrentadas: donde unos veían un movimiento de profunda renovación, otros veían una simple y estéril travesura de niños consentidos. Los que pensaban así pronosticaban que los ácratas del presente serían los banqueros del futuro. Todos coincidían, sin embargo, en que después de aquellas jornadas, para bien o para mal, nada volvería a ser como antes. La España oficial se defendía como podía de la influencia de aquel suceso y de otros fenómenos similares, como el movimiento hippy, cuyos ecos llegaban de los Estados Unidos en forma de música, drogas, un vago misticismo y atuendos estrafalarios, pero no podía impedir que algo fuera calando en el reseco terreno cultural y social del sistema. Una prensa menos sometida, la afluencia de turistas, la posibilidad de viajar al extranjero, la presencia cada vez más patente de una nueva generación en todos los campos de la vida social y, sobre todo, la liberación de las mujeres, minaban los cimientos de un régimen todavía férreo, pero ya claramente senil.

Un día el director del periódico me llamó a su despacho.

—Cada día estás más distraído y más abúlico. Es evidente que el trabajo te trae sin cuidado.

—Lo siento. Procuro hacer bien lo que me mandan, pero tengo otras inquietudes.

—Tú sabrás lo que haces. A mí tu vida privada me la suda. Si te he llamado es para proponerte un asunto. Los dueños quieren lanzar una revista. Un poco de moda, entrevistas a famosos, chismes, artículos de fondo sin pies ni cabeza, ya sabes. Los quioscos están a rebosar de esta basura, pero por lo visto aún cabe una más. Y no cuesta mucho de hacer si tienes la infraestructura y la publicidad asegurada los primeros meses. Pasado un tiempo, seguirán o cerrarán, según les vaya. De momento buscan a alguien que se ocupe del contenido. Me han consultado y les he hablado de ti. Un poco de cultura, idiomas, sentido común, etcétera. Y mano con las celebridades: lo de la boda en el Formentor los dejó muy impresionados. Todavía se acuerdan.

—¿Qué tendría que hacer?

—De todo. Pero eso no quiere decir mucho. Lo importante es encontrar el tono. Si te pones estupendo, la cagas; si subestimas al público, también. A la gente le chiflan las frivolidades, sobre todo a las mujeres, pero no son tontas. Si le sabes coger el tranquillo, la revista se hace sola.

—Déjemelo pensar.

—No hay nada que pensar. Lo tomas o lo dejas. Cobrarás un poco más, te librarás de mi presencia y tendrás libertad de movimientos. Dispondrás de tu tiempo y no habrás de dar cuentas de nada a nadie, salvo de los resultados. No esperan milagros. Sólo les interesa tener un pie en el mercado por si la cosa va a más. ¿Sí o no?

—Bueno, pues sí.

Sin haber pensado en el alcance de la decisión, me vi al frente de una revista en apariencia anodina. Viéndola, nadie la habría tomado por un síntoma del profundo cambio social de aquellos años. Hasta entonces las revistas gráficas sólo admitían en sus páginas a representantes legítimos de la alta sociedad: miembros de casas reales, reinantes o depuestas, aristócratas de rancio abolengo y un selecto puñado de multimillonarios vistosos, así como algunas mujeres bellas vinculadas sentimentalmente con los anteriores, como Rita Hayworth, casada con Alí Khan, Brigitte Bardot, con Gunter Sachs, o Soraya Esfandiary, con el shah de Persia. A la mayoría de estas personas se les presuponía una moral liviana, como demostraba su propensión al divorcio, pero esta faceta de su personalidad, inadmisible en el resto de los ciudadanos, quedaba subordinada al romanticismo en que vivían arropados y al hecho de que su ejemplo no podía cundir entre quienes no disponían de los medios necesarios para seguirlo. Además, ninguno de estos personajes era de nacionalidad española, salvo Fabiola de Mora y Aragón, reina de Bélgica desde 1960, cuya conducta era irreprochable. En la práctica, las revistas describían un mundo bucólico sin pretensiones de verosimilitud y sin más propósito que alimentar las ensoñaciones de la gente sencilla. Ahora, sin embargo, al aumentar el nivel de vida y de educación, un amplio sector de la sociedad española, antes silencioso, reclamaba el derecho a introducir sus propios ídolos en aquel altar donde hasta entonces sólo tenían cabida la nobleza y la riqueza. Y como este sector era numeroso y estaba dispuesto a pagar para ver satisfecha su demanda, aparecían sin cesar nuevas revistas dispuestas a anteponer la fama a la alcurnia y donde lo chocante y lo escandaloso primaban sobre el buen gusto. Sin transgredir las normas ni traspasar los límites impuestos por la censura oficial y la moral al uso, exuberantes escotes ocupaban indefectiblemente las portadas.

Don't be afraid, Sir, you will soon make a very pretty rascal.

Decidí dejar el periódico y hacerme cargo de la revista sin consultar a mis padres y cuando les conté lo que había hecho se llevaron un buen disgusto.

—En el periódico me moría de asco y no me quedaba tiempo para nada.

—Pero allí podías ir subiendo en el escalafón.

—Y conocer a gente importante. En esa revista sólo conocerás a furcias y peliculeros.

A mi madre le encantaba el cine y adoraba a las actrices que encarnaban a mujeres fuertes y, a ser posible, malas, como Bette Davis, Marlene Dietrich o Barbara Stanwyck, pero de las personas que se dedicaban al cine tenía una opinión pésima.

—Ojalá. Pero no hagamos un drama. No tengo intención de pasarme la vida dirigiendo una revista de mala muerte. Algo encontraré y, mientras tanto, esto es más interesante.

—Para un vago y para un zoquete, y tú no eres ninguna de las dos cosas, hijo.

Mis hermanos no decían nada. Yo era el mayor de los tres y mi evidente incapacidad para convertirme en un hombre de provecho echaba sobre sus hombros la responsabilidad del futuro familiar. En el fondo, sin embargo, ellos pensaban como yo, y así me lo hicieron saber luego.

Mi hermana Anamari era dos años menor que yo. De los tres, Anamari era la más inteligente. De pequeña ya sabía que le interesaba el dinero por encima de todo y sólo aspiraba a ganarlo. No era codiciosa y no aspiraba a la riqueza, sino al dinero. Conseguirlo y multiplicarlo. Mis padres se horrorizaban cuando le oían decir estas cosas. Para contrarrestar sus tendencias y apartarla del camino que ella misma se había trazado, no le dejaron estudiar Económicas ni Dirección de Empresas. Mis padres equiparaban enriquecimiento a fraude, estafa y, como final de viaje, presidio. Además, pensaban que el mundo de las finanzas no era un ambiente adecuado para una chica. Finalmente accedieron a que estudiara Derecho. Cuando me hice cargo de la revista, Anamari había acabado la carrera y trabajaba como pasante en el bufete de un abogado conocido de la familia, y, como yo, también buscaba desesperadamente una ocasión propicia para cambiar de aires.

En contra de lo que pudiera parecer, Anamari no era una persona calculadora. Era sensiblera y enamoradiza y leía con fruición *Azucena* cuando ya no tenía edad para eso. Escuchaba arrobada las canciones de Françoise Hardy y de Pino Donaggio y las cantaba horrorosamente mal. Siempre lloraba en el cine, vio varias veces *Doctor Zhivago* y en un momento de debilidad nos confesó que si pudiera se cambiaría el nombre por el de Lara. Se llamaba Anamari como la abuela materna y esto la tenía amargada.

—Con este nombre una no puede dedicarse a las finanzas.

—¿Pues cómo te gustaría llamarte?

—No sé... Úrsula...

—Mejor Urraca.

Agustín era el menor de los tres y el más raro. Con Anamari yo me llevaba bien, aunque ella me tenía por un inútil. Mi falta de sentido práctico le irritaba y mis ideas políticas le parecían absurdas. Según ella, el mercado producía desigualdades e injusticias, pero la forma de evitarlas no era cortar el problema de raíz suprimiendo la libre circulación fiduciaria. O, lo que era lo mismo, eliminando el dinero. Y eso era lo que hacía la economía dirigida. El dinero sólo tenía sentido si podía circular libremente. Si no, ya no era dinero, sino unos cupones que se podían canjear por mercancías a partir de unos precios fijados por razones políticas. Para ella el dinero era un ser vivo.

Una vez, siendo menor de edad, Anamari consiguió colarse en el casino de Le Boulou y con cuatro perras, cálculo y suerte, ganó lo que entonces era una pequeña fortuna. La guardó y, a la primera ocasión que se le presentó, volvió al casino y perdió todo lo que había ganado. La experiencia le resultó de lo más satisfactoria. Ni por un momento pensó que con aquel dinero podría haber hecho algo, como comprar ropa o darse algún capricho. Después de esta prueba ya no volvió a ningún casino ni se interesó por los juegos de puro azar, como la ruleta. Jugaba al póker y solía ganar. A veces perdía. Incluso se endeudaba por encima de sus posibilidades, sin que eso le produjera ningún malestar. Nunca nos pidió dinero. Decía que no es lo mismo ser rico que hacerse rico. Ser rico no tenía gracia. Ventajas, sí, pero no gracia. Hacerse rico no era una circunstancia aleatoria, sino una cultura. Estaba demostrado que los que ganan fortunas repentinamente, como a la lotería o por una herencia inesperada, o los que encuentran un tesoro o descubren un filón, en poco tiempo pierden lo que han ganado y un poco más.

Ordinary human unhappiness is life in its natural colour.

La revista que yo tenía a mi cargo lanzó el número cero a mediados de marzo. La empresa capitalista había nombrado un gerente y le había dado todas las atribuciones y ninguna función específica. Este gerente se llamaba Marc Riera Deulofeu, acababa de cumplir los treinta años y pasaba por ser un brillante ejecutivo. Hijo único de una buena familia catalana, había estudiado Empresariales, pero nunca había puesto a prueba sus conocimientos porque no había trabajado en nada. Era alto, atlético, de facciones agitanadas y pelo negro, acaracolado, que él trataba de domeñar con un corte artificioso «a la navaja» y diversos cosméticos aceitosos. Derrochaba simpatía, energía y optimismo, vestía a la última moda, iba a todas partes en una Bultaco de 250 cc, esquiaba en invierno y en verano participaba en regatas. Se movía con desparpajo en determinados círculos y conseguía camelar a las personas que habían ganado algo de dinero y no sabían cómo ni dónde invertirlo, porque en aquellos años la bolsa en España era inoperante, había pocas posibilidades de inversión rentable a pequeña escala y la inflación militaba en contra del ahorro.

Por indicación del señor Bassols, que me había facilitado el pase del periódico a la revista, llamé al gerente para presentarme y ponerme a su disposición y éste concertó una cita en su propia casa, un lujoso piso en las Tres Torres. Cuando llegué, Marc Riera me esperaba con un vaso de whisky en cada mano, uno para sí mismo y otro para mí. Me hizo sentar en un sillón de cuero enorme y se mostró muy cordial.

—No te voy a engañar, si me permites que te tutee. En el fondo, yo no soy un gerente. No el clásico gerente, lo que podríamos llamar un gerente típico, ya nos entendemos. Yo soy un creativo y lo que tengo *in mente* no es tanto una revista como un proyecto. Si no hay proyecto, es como si no hubiera nada. Por ejemplo, tú un día sales de casa y dices: ¿a dónde coño estoy yendo? Y si no lo sabes, pues te quedas parado. Todo depende de si tienes o no tienes un proyecto. Si estás de acuerdo conmigo, nos entenderemos de maravilla. El presente y el futuro de las comunicaciones están en la prensa ilustrada, ahí no hay discusión posible. Los periódicos son un fósil y la radio sólo la escuchan las porteras, con eso está dicho todo. ¿La televisión? Papillas. Si miras la tele por la parte de atrás, ¿ves lo que están dando? No. ¿Qué ves? El tubo catódico. Con eso está todo dicho. Mira, te diré una cosa que te sorprenderá. Mi padre es un idiota. Mi madre, una idiota. Y yo, ¿he salido idiota? ¡Todo lo contrario! Todo está en la mente. Si controlas la mente, eres el dueño de tu propio destino. Si no, ¡barrabum, bum bum!

Yo no podía dejar de admirar aquella retórica acompañada de guiños, codazos, onomatopeyas y risas. Me parecía el idioma de los ricos, idóneo para surtir efecto en lugares ruidosos, entre personas despreocupadas, acostumbradas a no escuchar ni ponderar razones, a no temer las equivocaciones y a dejarse contagiar por el entusiasmo y la camaradería.

Marc Riera tenía las ideas claras con respecto a la revista.

—Un poco de todo, sin abusar. Entrevistas cortas y reportajes gráficos. Gente de postín, si son guapos; si no, no. Los reyes son aburridos y feos sin excepción. Nada de reyes. Cantantes, sobre todo extranjeros. Con preferencia italianos. El folclore, ni tocarlo. Decoración, cocinas de acero inoxidable, casas de campo con césped y piscina. Nada de recetas: la revista la pueden leer las chachas, pero no va dirigida a ellas. De cine, caras bonitas. El análisis que lo hagan los franceses. Libros, ni uno, salvo si lo ha escrito una chica joven y ha tenido éxito. El feminismo, ni para bien ni para mal; no nos incumbe. Los políticos, proscritos, sobre todo los ministros y sus esposas y los gobernadores civiles. Militares, sólo con uniforme y medallas. Con la religión, nada de bromas: no tienen gracia y dan problemas. Mucha ropa. Cómo viven y qué hacen las famosas. Si hay chismes, en tono compasivo; ni crítico ni hiriente. Estamos a favor de las lagartonas.

Se sirvió otro whisky y prosiguió sin esperar comentarios por mi parte.

—Todo esto no tiene por qué ser verdadero. Te lo puedes inventar o copiar de una revista extranjera. Me han dicho que sabes idiomas. Traduce lo que te parezca bien. Si no te pasas, nadie se enterará. Las cosas son como son, o sea, lo que son. A veces hay que decidirse y a veces, no sé, a veces es mejor nadar y guardar la ropa. Eso si todo va bien, claro. Si no, barrabum bum, bum.

Meditó un rato y dio por bueno lo dicho.

—Ahora sólo falta encontrar el nombre de la revista. Algo llamativo. He estado pensando y he dado con uno genial. A ver qué te parece: *Bragas de azúcar*. No me digas que no es bueno.

Después de muchas probaturas la revista se acabó llamando *Gong*.

Como yo no tenía el título de periodista y la ley lo exigía, buscaron a un director nominal y la elección recayó en un individuo llamado Gustavo Alfaro, uruguayo de origen, exiliado por voluntad propia de su país natal y establecido en Barcelona tras haber vivido unos años en París. Era algo mayor que yo, suave de trato, cordial pero reservado, y se había ganado la simpatía y la confianza de Marc Riera, a pesar de que había conseguido la convalidación de su titulación universitaria por los medios más dudosos. Gustavo Alfaro era el primer sorprendido.

—No soy de fiar. Mi caso es notorio. Pero si Marc Riera lo sabe, no lo dio a entender, ni yo se lo conté, por supuesto. En la entrevista sólo habló él. Si le llego a decir cómo salí de Francia, no me contrata ni loco. Por suerte no me preguntó.

Le point de départ de la métaphysique.

Aproveché el cambio de trabajo y el aumento salarial para independizarme. Sin demasiadas dificultades encontré un piso adecuado a mis necesidades. Hablé con Marc Riera Deulofeu y convinimos en utilizarlo como vivienda y también como sede social de la revista, a cambio de costear a medias el alquiler, la luz, el agua y el teléfono.

El piso medía poco más de sesenta metros cuadrados y tenía una sala de estar rectangular, soleada, con una cristalera que daba a una terraza estrecha, dos habitaciones con ventanas a sendos patios, una cocina minúscula y un baño. Estaba situado en la calle Urgel, cerca de la Diagonal, en una zona de edificios nuevos, algo despersonalizada, a la que daban vida unas cuantas pizzerías y tratorías de reciente implantación en Barcelona, y unos grandes almacenes de la cadena americana Sears, inaugurados el año anterior. En una de las habitaciones puse una cama, una mesilla de noche y un armario y en la otra, varios muebles de oficina, incluidos unos archivadores metálicos y una mesa. En la sala pusimos una mesa redonda para celebrar reuniones y, a sugerencia de Gustavo Alfaro, un sofá cama, con el pretexto de que, en caso de emergencia, él se podía quedar toda la noche montando guardia. Acepté la sugerencia con la idea de que en aquel sofá podía acoger a algún invitado. Sin embargo pronto me di cuenta de que Gustavo Alfaro lo destinaba a otros fines.

Para los gastos iniciales y la compra del mobiliario hube de recurrir a mi padre, porque ningún banco me habría concedido un crédito. Mi padre era pusilánime por naturaleza y no aprobaba mis decisiones, pero no era cicatero y me dio el dinero sin vacilar, a pesar de la silenciosa pero muy expresiva oposición de mi madre, que veía en mi marcha el primer paso hacia la disgregación de una familia que sólo mantenía unida la convivencia diaria. Además, a mi madre, que se pasaba la vida haciendo equilibrios para procurarnos el sustento con los ingresos de mi padre, le desazonaban los imprevistos.

Cuando finalmente me fui de casa sentí más pena que alegría.

Mis padres sufrían y yo sufría al verlos sufrir, pero no había forma de establecer un diálogo que condujera a la mutua comprensión.

Entre mis padres y yo nunca hubo una relación de confianza; ni siquiera de sinceridad.

En aquella época las personas todavía se comportaban de una manera irreprochable. A menudo el comportamiento irreprochable era puro fingimiento, pero yo creo que, en términos generales, casi todo el mundo guardaba una conducta recta. Los escándalos eran pocos y sonados y su carácter excepcional confirmaba la regla. Entre los padres de mis amigos y compañeros solamente recuerdo un caso de separación oficial. Naturalmente, esta ejemplaridad no fomentaba la confianza entre los cónyuges o entre los padres y los hijos. Como cada uno conocía sus propios deseos y escuchaba la voz de su propia conciencia, cuando en una relación se enfrentaba a alguien sin tacha, por fuerza había de reconocer la superioridad moral del otro, lo que engendraba una mezcla de respeto y de rabia. A la larga, la rabia se acaba imponiendo y muchas parejas se aborrecían mutuamente.

En la década de los sesenta se produjo un cambio progresivo de las costumbres. La gente se iba comportando cada vez peor y, si bien este comportamiento causaba grandes sufrimientos, también permitía a cada uno ver cómo era el otro en realidad, cuáles eran sus impulsos, sus apetitos y sus debilidades. Comprobar que alguien próximo adolecía de los defectos que uno reconocía en sí mismo llevaba a la comprensión y, en fin de cuentas, posibilitaba un afecto genuino y capaz de evolucionar con el paso del tiempo.

Seguramente mis padres no eran tan perfectos como se presentaban ante mis ojos y sin duda eran más humanos y asequibles que como yo los percibía, pero cuando empecé a darme cuenta de ello ya era tarde para que esta reflexión diera algún fruto.

Si la misma falta de comunicación existía entre ellos, no lo sabría decir.

Mis padres formaban un matrimonio ajustado a las convenciones de su tiempo. Las funciones de cada uno estaban tan bien delimitadas que ambos podían convivir sin hacer nada en común, salvo a las horas de comer y cenar. Sus actividades y sus intereses eran distintos. Cada uno detestaba las aficiones del otro y compartía las suyas con amigos o amigas afines a sus gustos. Luego comentaban lo que cada uno había hecho con amable laconismo. Mis padres eran aficionados a la lectura, pero jamás leyeron los dos el mismo libro, salvo alguna novela de Agatha Christie, de la que ambos eran asiduos y a la que ambos tenían en muy baja estima. Como llevaban dos vidas paralelas, no tenían nada que decirse. Sólo hablaban de cuestiones prácticas, con frases cortas, a menudo fragmentarias, porque la rutina les permitía entenderse con medias palabras.

Tal vez este tipo de relación daba a las parejas algo parecido a la felicidad. Los tiempos eran duros. En su juventud, mis padres, como el resto de los españoles de todas las edades, habían pasado por una experiencia muy dolorosa y tal vez la seguridad, la estabilidad y la inercia bastaban para colmar sus anhelos.

Las parejas de este tipo no estaban unidas por un amor apasionado, pero sí tenían una gran dependencia recíproca. Cuando uno de los dos fallecía, el otro no tardaba en seguirle. Así ocurrió con mis abuelos paternos. Mi abuela murió a los sesenta y pico años, creo que de una insuficiencia coronaria. Mi abuelo no pareció quedar ni afligido ni desvalido. Durante un año vistió de luto riguroso. Al término del año consideró que ya debía finalizar el duelo. Como era verano se puso un traje de rayadillo, se miró al espejo y se murió en el acto. La familia deliberó sobre si había de ser enterrado con el traje negro o con el de rayadillo. Como no hubo acuerdo, le pusieron un sudario blanco. Así lo vi en la caja, siendo yo muy niño. De mis abuelos paternos no guardo ningún recuerdo, salvo el de aquel cadáver. Mi abuelo materno había sido magistrado de lo contencioso administrativo. En las fotos tiene un aire grave y pomposo. Tuve poco contacto con él y ningunas ganas de haber tenido más. De mi abuela materna guardo un recuerdo vago: una figura fantasmal y un olor dulzón, mezcla de agua de colonia y ungüento medicinal.

On a raison de remarquer l'indocile liberté de ce membre.

Desde su llegada a Barcelona, procedente de París, Gustavo Alfaro vivía en casa de una señora llamada Josefina Giralt, viuda de Mateu. Por una suma casi irrisoria Gustavo Alfaro disponía de una habitación amplia con un baño adjunto. La señora Giralt le daba de desayunar. Las demás comidas Gustavo las hacía fuera, habitualmente en un restaurante de menú fijo de la calle de la Virtud, próximo a su domicilio. La señora Giralt le cambiaba la ropa de la cama y las toallas y Gustavo llevaba sus camisas y sus mudas a la lavandería. En vida, el difunto marido de la señora Giralt, el señor Mateu, era transportista. Una larga enfermedad había consumido sus ahorros. Por este motivo su viuda complementaba su magra pensión con un inquilino. La señora Giralt tenía una hija casada y un nieto que siempre rondaba por la casa, porque hija y yerno trabajaban hasta tarde. A menudo Gustavo Alfaro ayudaba al nieto de la señora Giralt con los deberes escolares, le tomaba la lección y le leía libros de Guillermo Brown. Entre Gustavo y su patrona reinaba una perfecta armonía, pese a que ella era muy estricta en lo concerniente a la limpieza, el orden y la seriedad de su hogar. Gustavo tenía terminantemente prohibido recibir visitas, tanto femeninas como masculinas. Esto era un engorro para Gustavo, pero acataba las condiciones impuestas por su patrona sin rechistar, porque le tenía respeto y cariño. Era un alguacil bondadoso, decía de ella.

Gustavo Alfaro tenía mucho éxito con las chicas. Era apuesto, simpático y actuaba sin doblez. A veces me parecía el hombre más simple del mundo. Otras veces, en cambio, me parecía un loco o un embustero. Haber vivido en París le confería un aura de conocimientos mundanos que él no negaba ni exhibía. Si en el curso de una conversación decía haber visto por la calle a Camus o a Samuel Beckett, no había ninguna razón para ponerlo en duda.

Como la revista *Gong* no nos daba mucho trabajo, nos pasábamos el día charlando. Le gustaba contar historias cuya veracidad me resultaba dudosa.

—Verás tú lo que me sucedió cuando vivía en París. Ya llevaba allí casi dos años y me había habituado a mi nueva situación. Como ganaba poco dinero, vivía con grandes estrecheces, miserablemente instalado en la mansarda de una casa vieja de cinco pisos, sin ascensor ni calefacción. Cuando llovía entraba el agua por todas partes. Ahora, yo no me quejaba. Al contrario, París era el centro del mundo, con una vida intelectual y artística impresionante; tenía amigos divertidos y amigas inteligentes y desinhibidas, y en general lo pasaba bien. Hasta que empecé a tener un sueño recurrente y extraño. Era así: estaba durmiendo en mi cama y de repente me despertaba sobresaltado por la presencia de alguien más en la mansarda. Delante de mí había una mujer esbelta, cubierta por una túnica blanca de la cabeza a los pies. Irradiaba una luz verdosa que me impedía ver sus facciones. Sin embargo, yo sabía que no tenía una cara bonita ni fea, que no era joven ni vieja, más bien la cara de una estatua, de rasgos armoniosos pero inexpresivos. Cuando despertaba me sentía invadido por la desazón y la tristeza. Aunque no soy argentino y no creo en el psicoanálisis, yo pensaba si aquella aparición no sería una proyección de mi vieja, que venía a reprocharme el haberla abandonado. Si era así, no había motivo: somos cinco hermanos, yo me fui y los demás se quedaron en el Uruguay. A mi madre no le va a faltar compañía ni sostén económico. Y mi padre todavía vive. Mi madre y mi padre se llevan bien y gozan de buena salud. Ahora bien, si la cosa no iba por ahí, ¿quién era la aparición y qué buscaba con tanta insistencia en mi habitación? Pregunté por los anteriores ocupantes de la mansarda pero nadie me supo dar razón. Luego, aquella fosforescencia... Siendo yo niño, una tía abuela viajó a Europa y trajo de Fátima una figurita de la Virgen. Si la tenías un rato junto a una lámpara, luego brillaba en la oscuridad. A mí me daba miedo. Y, mira por dónde, la mujer que se me aparecía en sueños reproducía el mismo truco, como si quisiera hacerse pasar por la Virgen de Fátima o algo por el estilo. Yo no sabía qué pensar. Al final decidí buscar ayuda profesional. Algo serio, no un charlatán. Un especialista en interpretación de los sueños. Preguntando a unos y a otros acabé visitando a una psicóloga llamada Muriel, de padre francés y madre también francesa, pero criolla de la Martinica. Como puedes suponer, a la tercera sesión ya nos habíamos liado. Le propuse que viniera a dormir conmigo, a ver si así resolvíamos el misterio. Ah, no, ni hablar, me dijo, ella no mezclaba su vida personal con el trabajo. Porfié, cedió y pasamos tres noches seguidas en la mansarda. La aparición, ni asomarse. Cuando Muriel dejó de venir, ahí estaba otra vez la aparición, más triste que antes, como si ahora, además, me reprochara la interposición de otra mujer en nuestra relación. Se lo conté a Muriel y se puso hecha una fiera. Las dos se tenían unos celos terribles y la tomaban conmigo. Las mujeres son así, chico, hasta las que no existen.

—Y entre las dos consiguieron que la policía te pusiera en la frontera.

—Eh, si te burlas de mí no te cuento nada más.

Me quedé sin saber cómo había acabado aquella extraña aventura. En realidad, yo no quería interrumpir la narración de Gustavo, sino desviarla del giro que estaba tomando. No me gustaba hablar de mujeres en general y menos de un caso particular, porque igual que en el terreno ideológico, también en éste andaba yo confuso.

En aquellos años la revolución sexual había llegado a España. Los criterios morales imperantes en las décadas anteriores habían cambiado y, al menos en teoría, había una tolerancia casi absoluta respecto de la nueva conducta, aunque las mujeres que la adoptaban abiertamente asumían no pocos riesgos y renuncias. Por este motivo eran conscientes de estar protagonizando un hecho de gran trascendencia para el país. Por supuesto, los hombres de mi edad nos beneficiábamos del cambio, pero sólo hasta cierto punto. Una adolescencia de represión nos había forzado a una alternativa drástica: unos acallaban sus ardores recurriendo a la prostitución y otros los sublimaban. Los primeros tenían un concepto muy bajo de las mujeres; los segundos las idealizaban en exceso. Al cambiar la relación, todos nos armábamos un lío. Para paliar el desconcierto se recurría a una psiquiatría de tres al cuarto. Como había ocurrido antes con Marx, ahora todo el mundo invocaba a Freud sin haberlo leído.

A Gustavo Alfaro el problema no parecía afectarle: actuaba de un modo espontáneo y el resultado era una gran aceptación por parte de las chicas. Era atractivo y desenvuelto y al venir de otro país carecía de las relaciones personales y sociales que lastraban a los naturales de Barcelona. Parecía un individuo sin pasado y sin futuro.

Por estas razones me había propuesto colocar un sofá cama en la sede de la revista *Gong*, sin pararse a pensar que también era mi vivienda.

Cuando quería estar a solas con una chica me avisaba. Las primeras veces me lo tomé con buen humor. Luego, cuando se convirtió en una costumbre, me faltó coraje para no dejarle usar mi piso, porque sabía que a casa de la señora Giralt no podía ir con nadie. Él, por su parte, se daba cuenta de la situación y siempre me pedía perdón y me daba las gracias efusivamente.

En tales ocasiones, si no tenía nada que hacer, solía refugiarme en un bar situado justo enfrente, desde el que se podían observar cómodamente las entradas y salidas de nuestro edificio. El local se llamaba El Vesubio, por el influjo de las pizzerías y tratorías del vecindario, aunque en rigor era una simple cafetería, con una barra y un par de mesitas de formica, mal decorada, mal iluminada y mal ventilada. Me llevaba una revista o un libro y me sentaba en una de las mesas, pedía un café con leche y a veces un donut, de reciente introducción en España. Al cabo de un rato, cuando veía salir a una mujer del edificio de enfrente con aspecto de haber usado el sofá cama, consideraba que ya tenía vía libre. Por si acaso, llamaba al interfono en lugar de subir y entrar utilizando mi propia llave, pero nunca me equivoqué, aunque la tipología de las mujeres que veía salir era muy variada: unas eran guapas y otras feas, unas jóvenes y otras maduras, unas tenían aspecto de mujeres experimentadas y otras tenían aire de mosquita muerta. Nunca vi dos veces a la misma mujer, lo que me parecía una medida muy sabia por parte de Gustavo Alfaro. Como el espionaje me venía dado por las circunstancias y no había malicia por mi parte, nunca me sentí culpable al obtener aquella información, digna de un chantajista profesional. No sé qué habría pasado si entre las mujeres que veía cruzar aquel umbral hubiera reconocido a alguna, pero nunca sucedió tal cosa. También tranquilizaba mi conciencia comprobar que ninguna de aquellas mujeres parecía preocupada por la posibilidad de ser sorprendida. Ninguna tomaba la precaución de mirar a un lado y otro de la calle o de subirse las solapas del abrigo o de ponerse gafas de sol para no ser reconocida. Tampoco advertí en su expresión muestras de arrepentimiento. Después de un largo periodo de pudor a ultranza, en el que las mujeres estiraban la falda al sentarse para ocultar la rodilla y expresaban con vehemencia su repugnancia ante el posible contacto con un hombre, ahora las chicas llevaban minifaldas, suéteres ceñidos y bikinis sucintos y se iban a la cama con el primero que les salía al paso. Este modo de actuar les parecía muy fundado y meritorio y no veían contradicción alguna con la actitud precedente.

Yo admiraba a las mujeres, pero no las entendía. Me habría gustado triunfar en aquel terreno como Gustavo Alfaro, pero fuera cual fuera el método que éste usaba, no iba con mi carácter. En el trato con las chicas me dominaba una inseguridad que no tenía para las demás actividades.

Al cabo de unos meses de vivir por mi cuenta, empecé a salir con una chica a la que había conocido en la boda de un compañero de universidad, un tal Capdevila, el cual, después de haber perdido el contacto durante años, me envió una participación de boda y una invitación que no supe cómo eludir. En el banquete me sentaron a una mesa con desconocidos. Al principio por educación y luego con gusto, hablé y bailé con Claudia Centellas, y al finalizar la fiesta la acompañé a su casa. Delante del portal le pregunté si podía subir y ella respondió que no, porque vivía con sus padres. De esta explicación innecesaria inferí que, de haber vivido sola, la proposición habría sido aceptada, de modo que me animé a invitarla a salir. Después de ir dos veces al cine en días consecutivos, conseguí llevarla a mi casa y ser yo el que enviara a Gustavo Alfaro al Vesubio.

Claudia Centellas no era tímida y, tras un breve intercambio de prudentes intentonas y remilgados rechazos, me dejó hacer. Resultó ser virgen, pero no hizo un drama al respecto y yo, para aliviar su angustia, me mostré especialmente cariñoso, para lo cual no tuve que fingir demasiado. Más tarde, cuando la acompañé de vuelta a su casa, me pidió que no le contara a nadie lo sucedido, no porque a ella le importara su propia reputación, sino porque si su padre se enteraba, seguramente me mataría. A continuación, aclaró que la amenaza no era teórica, sino muy real. El padre de Claudia era un falangista de la vieja guardia y siempre andaba con una pistola en el bolsillo.

La posibilidad de que un fascista de pacotilla pudiera matarme a tiros por razones de honor me pareció no sólo anacrónica y estúpida, sino improcedente. Por entonces estaba sumergido en la lectura de Proust y las amenazas reales o ficticias me parecían menos reales que el paisaje de Balbec o de Méséglise.

Que Claudia pudiera parecerse a aquel energúmeno no me pasaba por la cabeza. En aquellos años teníamos en poco los componentes científicos de la personalidad. Antes estábamos dispuestos a creer que nuestro carácter venía más marcado por una conjunción astral que por la herencia genética, y ninguna prueba empírica nos habría convencido de que entre nuestros padres y nosotros no mediaba una diferencia abismal. Estábamos convencidos de que nuestra rebeldía nos había hecho justamente lo contrario de lo que eran las personas que nos habían engendrado.

Claudia Centellas era licenciada en Farmacia y trabajaba en un centro de específicos situado en la calle Gerona, cerca del mercado de la Concepción. Era guapa, simpática, inteligente y no carecía de cultura general, si bien los temas de actualidad, como la revuelta estudiantil, la contracultura o el feminismo, le traían sin cuidado. Decía que no le veía sentido a cavilar y acalorarse por cosas sobre las que de ningún modo podíamos influir, ni ella ni yo ni ninguna de las personas que formaban nuestro entorno, y que prefería aplicar la inteligencia y la voluntad a los asuntos inmediatos.

Con Claudia lo pasaba bien y me ahorraba tener que buscar aventuras pasajeras, pero tenía la sensación de que la relación se mantenía en un estado de suspensión estable solamente porque nada propiciaba la ruptura o el afianzamiento. Sin aquella relación me habría resultado difícil soportar el trabajo en la revista *Gong* y el entorno provinciano de mi círculo social, de la ciudad y del país, y esta constatación unas veces me hacía sentir gratitud hacia Claudia y otras, rencor, como si el bienestar y la ternura que ella me proporcionaba fueran estupefacientes destinados a mantenerme sumiso y callado. Cuando pensaba en estas cosas, acababa preguntándome: ¿Qué demonios estoy haciendo aquí?, tanto en relación con el trabajo como en relación con Claudia. Ella, por su parte, no se quejaba ni aludía al tema, pero era evidente que deseaba que la relación evolucionase hacia algo más sólido.

La verdad es que con la revista me divertía bastante. Al principio nos dio mucho trabajo sacarla adelante. Barcelona era una ciudad de paso, ningún famoso la frecuentaba y la alta sociedad catalana no daba para mucho. Los que ganaban dinero sólo se dedicaban a ganar más y eso los hacía muy poco interesantes para la crónica social. Tampoco eran muy fotogénicos. Por fortuna algunos programas de televisión realizados en los estudios de Miramar atraían a cantantes internacionales. Era casi imposible entrevistarlos, y, de haberlo conseguido, no habría sabido qué preguntarles, pero nada me impedía inventarme unas declaraciones triviales. Pocos lectores leían el texto que acompañaba a los reportajes fotográficos, y las fotos las comprábamos a una agencia. Con el tiempo me fui animando y no sólo me inventaba las entrevistas, sino también a los entrevistados: una bailarina india, un alpinista que había subido al Everest, un futbolista nigeriano. Sólo debía procurar que los personajes inventados no fueran fáciles de rastrear. La trampa nunca fue descubierta. Algunos textos se los encargaba a Gustavo Alfaro, pero la mayoría los escribía yo y los publicaba bajo media docena de seudónimos masculinos y femeninos, nacionales y extranjeros, todos ellos de mi propia cosecha. Andrea Moretti, Jean-Luc de la Fauve Magnon, Lolita Piedras, Oger Franken, etcétera.

Oh! là là! que d'amours splendides j'ai rêvées!

Una mañana de mediados de octubre sonó el teléfono y al descolgar oí una voz femenina que preguntaba por mí en inglés.

—¿Rufo Batalla?

—Al habla.

—Ah, Rufo, soy Monica. Monica Coover, la de Mallorca. ¿Te acuerdas de mí?

—¡Monica! ¿Cómo no me voy a acordar? ¿Desde dónde me llamas? ¿Ocurre algo?

—No. No ocurre nada especial. He venido a pasar unos días en España y me gustaría verte, si no tienes inconveniente.

—Al contrario. ¿Dónde estás?

—En Madrid, en el Ritz. Pero aquí no puedes venir. Todo el mundo vigila a todo el mundo. Tendríamos que quedar mañana por la tarde. Toma nota: hotel Rímini, en la esquina de la Gran Vía con la calle San Bernardo. Es céntrico y discreto. Puedes coger un avión y estar allí sobre las tres y media. Sube directamente a la habitación 208, en el segundo piso. Te estaré esperando. Y no hables con nadie de nuestro encuentro. ¿Vendrás?

—Me parece todo muy misterioso, pero no faltaré.

La llamada no me parecía misteriosa, sino melodramática, pero ni por un instante se me ocurrió dejar de acudir a la cita. Por fortuna, mi trabajo no me obligaba a dar explicaciones a nadie. Informé a Gustavo Alfaro de mi ausencia y a Claudia le dije algo muy parecido a la verdad: que me iba a Madrid a entrevistar a un personaje famoso.

El avión despegó puntualmente y llegué al centro de Madrid mucho antes de la hora concertada para la cita, así que hice tiempo callejeando por las inmediaciones de la Puerta del Sol.

Durante una etapa de su vida, mi padre iba con frecuencia a Madrid a realizar gestiones relacionadas con su trabajo y, siendo yo todavía un niño, tomó la costumbre de llevarme consigo, no sé si para disfrutar de una intimidad que la rutina familiar no propiciaba, o por considerar aquellos viajes como una parte suplementaria de mi educación, ya que todos ellos incluían una breve pero reverente visita al Museo del Prado y, en sucesivas ocasiones, a El Escorial, a Toledo, a Aranjuez y a La Granja. Como por entonces el avión era un medio de transporte reservado a los ricos o a las grandes distancias, mi padre y yo siempre fuimos a Madrid en un tren diurno, atravesando media España con una lentitud que permitía apreciar los paulatinos y radicales cambios del paisaje: la trabajada y discreta fertilidad de la Cataluña interior, la aspereza de Aragón, la desolada planicie castellana en el crepúsculo. Después de muchas horas llegábamos derrengados y nos alojábamos en el hotel Palace, de una ampulosidad algo abrumadora para mí, poco o nada acostumbrado a la opulencia. Las espesas alfombras, los cortinajes y la calefacción excesiva de las habitaciones me asfixiaban y me hacían pasar las noches inquieto, sediento y presa de horribles pesadillas. Pero de aquel lujo, del sigiloso ir y venir del servicio, de la magnificencia del salón, enorme y recargado, yo deducía el significado de una ciudad en la que residía el poder y su manifestación más conspicua: la importancia. A mis ojos, en el hotel Palace todo el mundo era importante, y lo que cada uno hacía y decía repercutía de inmediato en la buena o mala marcha del país. Sin duda contribuía a reforzar esta impresión el hecho de que viajando con mi padre nunca entablé contacto personal con nadie, con lo que la ciudad se me presentaba como una gigantesca escenografía recorrida por una multitud de comparsas cuyo único papel consistía en imprimir en mi conciencia de ingenuo forastero la noción de una metrópoli hecha de monumentalidad, poder absoluto y casticismo. Más tarde fui con frecuencia a Madrid por mi cuenta, siempre a casa de amigos de mi edad a quienes había conocido durante el verano, cuando aquéllos iban a pasar unos días a los pueblos costeros, invitados a su vez a casa de familiares o amigos. De estos trasvases juveniles saqué una imagen de la ciudad completamente distinta. Pero siempre conservé de Madrid la huella de aquellas primeras impresiones, que las adquiridas con posterioridad se limitaron a complementar o a matizar. Mi conclusión fue que Madrid y Barcelona eran dos ciudades completamente distintas, sobre todo en lo referente al modo de vivir y de relacionarse las personas. La gente de Madrid siempre me pareció más desenvuelta, más independiente y mucho menos convencional que la de Barcelona, donde todos los catalanes parecían estar emparentados entre sí y desarrollar su existencia dentro de un tejido social que, visto desde fuera, podía tener la forma de una gigantesca telaraña y, visto desde dentro, de un hormiguero tan bien organizado como sometido a una estricta distribución de las funciones y los rangos. En Madrid casi nadie tenía una parentela extensa o la tenía lejos, y no se veía obligado desde la cuna a justificar sus actos ante un tribunal familiar ni a colmar las expectativas de ninguna instancia. Por esta razón, los madrileños me parecían bastante satisfechos consigo mismos, a veces hasta llegar a extremos de exagerada seguridad o fanfarronería, cosa que no ocurría en Cataluña, donde nadie se sentía orgulloso ni de sí mismo ni de sus circunstancias.

Ahora deambulaba una vez más por las calles de Madrid y contemplaba con la misma extrañeza del primer día el espectáculo familiar y exótico y su discordante sinfonía.

Comí un bocadillo en una cafetería y un poco antes de las tres y media entraba por la puerta giratoria del hotel Rímini, que ocupaba un edificio estrecho, entre una relojería y una tienda de bolsos y carteras de piel. Crucé ante un recepcionista absorto en la lectura del *As*, subí al segundo piso y llamé con los nudillos a la puerta de la habitación 208.

La propia Monica abrió. Físicamente no había cambiado en nada, pero la práctica adquirida en la revista *Gong* me permitió advertir que vestía un modelo de Chanel relativamente discreto y, dicho sea de paso, de la temporada anterior. Me dio la mano. Su sonrisa era la misma que me dedicó la primera noche, cuando con pericia conseguí poner en marcha la motocicleta averiada. Entré y cerró la puerta. La habitación no era muy amplia, pero los muebles eran nuevos y confortables y todo parecía limpio. Más por romper el silencio que por curiosidad le pregunté cómo me había localizado y de dónde había sacado el número de teléfono de la revista.

—Oh, el conde Salza lo sabe todo.

—¿También sabe que ahora estamos aquí?

—No, eso no.

Había un titubeo en la voz. Acto seguido cambió de tema.

—Esa revista que diriges, ¿de qué va?

—De tonterías: muchos anuncios y entrevistas a famosos de medio pelo, casi todas inventadas.

—¿Salimos nosotros?

—No. Di mi palabra de no volver a hablar de aquello.

Monica se echó a reír.

—De ti y de mí no. Pero del príncipe y de Queen Isabella cuanto más se hable, mejor.

—Bueno, si queréis, no me cuesta nada. Puedo inventarme otra exclusiva como la del Formentor.

—No, déjalo estar. No te he llamado por este motivo. Tenía ganas de saber de ti y de volver a estar un rato contigo. Si no recuerdo mal, la última vez estabas más animado.

—Y tú, soltera.

Monica Coover se sentó en el borde de la cama y se quitó los zapatos y las medias mientras seguía hablando.

—No te lo tomes así. La vida da muchas vueltas. La noche anterior a la boda la pasaste conmigo y mi noche de bodas la pasaste con mi marido. Dicho de este modo suena un poco raro. Sin embargo, no tuvo nada de particular: yo había salido a dar una vuelta, se me averió la motocicleta y apareciste tú. Como es lógico, te tomé por un veraneante. Ni yo me podía imaginar que tú eras periodista, ni tú que yo era una novia en vísperas de convertirse en reina de un país inexistente. Yo pensé que lo nuestro sería un encuentro fugaz. Sabía lo que me esperaba al día siguiente y en el futuro y quería aprovechar las últimas horas de libertad. Pero todo eso, ¿qué más da? Nadie va a pedirnos explicaciones.

Más tarde, aprovechando que había ido a ducharse, registré sigilosamente el armario de la habitación: estaba lleno de ropa femenina. Sin duda Queen Isabella no se alojaba en el Ritz, sino allí mismo y sin séquito. Hecha esta comprobación, volví a la cama. La ventana estaba cerrada, no tanto por el frío como para aislarnos del incesante estruendo ocasionado por el caos circulatorio, pero habíamos dejado los postigos abiertos y recostado podía ver un pedazo del cielo brillante de Madrid sobre los aparatosos remates de los edificios colindantes. Al fondo, entre unas nubes deshilachadas se anunciaba el crepúsculo de un otoño benigno. Casi me había dormido cuando Monica se reunió de nuevo conmigo, envuelta en aroma de lavanda.

—No me has preguntado cómo van las cosas.

—¿A qué cosas te refieres?

—A las aspiraciones de Bobby al trono de su país.

Aunque el tiempo transcurrido y las vicisitudes personales no me habían hecho olvidar la fantasiosa utopía del príncipe Tukuulo, me sorprendió oír a Monica hablando seriamente del proyecto. Opté por mostrar un interés personal pero distante.

—Por teléfono me dijiste que te vigilaban. ¿Quién te vigila y por qué? Será algo relacionado con la monarquía, supongo.

—Sí, claro. El plan es disparatado, pero un rey depuesto que no se resigna a vegetar en el exilio es un elemento desestabilizador, al menos en potencia. Por si acaso, los servicios de inteligencia de varios países procuran no perdernos de vista. Uno se acostumbra. Y a ti no te afecta directamente. Ni siquiera saben de tu existencia.

El lugar y las circunstancias hacían absurda la pregunta, pero no me pude abstener de hacerla.

—Y en el plano personal, ¿cómo te van las cosas, Monica?

Ella hizo una mueca burlona.

—Te contestaré luego.

Cuando volví a mirar por la ventana había oscurecido. Monica respiraba acompasadamente. Al cabo de un rato se volvió hacia mí y siguió hablando, como si la pausa no hubiera existido.

—Hay épocas buenas y épocas no tan buenas. Los ingresos son inciertos y algunas veces hemos acudido a eventos sociales para lanzarnos sobre los canapés. También hemos tenido que cambiar de domicilio con precipitación, o de ciudad, y una vez hasta de país, como hacía el padre de Bobby. Pero estos casos son la excepción. Por regla general llevamos una existencia cómoda, a ratos lujosa.

Ahora vivimos en Nueva York. Por lo que se refiere a mi vida personal, estoy conforme, si te referías a eso. Entre mi marido y yo nunca hubo engaño. En nuestro encuentro anterior no te conté nada porque creí que no volveríamos a vernos, pero mi caso no tiene nada de excepcional. Hace años, en el *Swinging London* de Mary Quant y los Rolling Stones, cuando yo aún era Monica Coover, quise abrirme camino en el mundo del cine o de la moda. No lo conseguí. Para que una chica como Lesley Lawson se convierta en Twiggy, varios miles tienen que quedarse en la cuneta. Las más afortunadas fracasan de entrada y pueden dedicarse a otra cosa. Unas cuantas tardamos un poco más en desengañarnos y para entonces ya es tarde. La mayoría sobrevive practicando alguna forma de prostitución. Obligadas a frecuentar determinados ambientes, no tardan en alcoholizarse o en colgarse de alguna droga cara. El resto es portada de la prensa amarilla: muertes por sobredosis, suicidios, crímenes sin resolver. Yo estaba al borde de ese abismo cuando apareció un príncipe y me ofreció un papel protagonista en una fantasía absurda. Una mezcla de *La Cenicienta* y John le Carré. Acepté y hasta hoy no he tenido ningún motivo para arrepentirme de mi decisión. Bobby es un hombre delicado y gentil, además de ser inteligente, culto, refinado, simpático y muy guapo: un artículo de lujo; da gusto tenerlo siempre al lado. Con él vivo bien, me siento respetada y me divierto. No siempre, pero sí con frecuencia. Mi única obligación, aparte de componer un personaje de la realeza convincente, es evitar un escándalo, y para eso basta con tomar algunas precauciones elementales. A los periodistas les gusta el cotilleo, pero no son sanguinarios: sólo atrapan a los incautos y a los que quieren ser atrapados. La gente hace cualquier cosa para salir en los periódicos. Nosotros también, pero en otra sección.

Calló un rato y luego me miró con expresión atemorizada, como si lo que acababa de contar le hubiera producido una impresión mayor de la que me podía haber producido a mí.

—¿Tú crees que soy cínica? Dime la verdad.

—Un poco. No más que yo. La sociedad capitalista nos ha hecho así. Y ya que estamos en el terreno de la verdad, cuéntame para qué has venido a Madrid. ¿Sólo para verme a mí?

—Bueno, no sólo para verte. Iba a Londres y decidí hacer escala en Madrid. Tenía que resolver un asunto de tipo financiero en España. Luego resultó que no era tan fácil como me habían dicho. Hay requisitos legales. Tú me podrías ayudar.

—Ah.

—Estás pensando que te he tendido una trampa. Es natural, pero te equivocas. No te he hecho venir para resolver un problema administrativo ni te presiono de ningún modo. Estoy contigo porque me gustas. Si no quieres hacer la gestión, no la hagas. Entre nosotros todo seguirá igual. Pero si quieres echarnos una mano, te lo agradeceremos. Ah, y no se trata de nada ilegal.

—Este preámbulo no me tranquiliza, Monica.

—Tienes razón. Se me ha contagiado el estilo de los conspiradores. En realidad, no es tan interesante como suena. Hemos de abrir una cuenta corriente y necesitamos un titular de nacionalidad española para evitar un procedimiento largo y engorroso. Para agilizar la cuestión lo mejor es abrir una cuenta conjunta con un titular español y una persona de otra nacionalidad. Si quieres ayudarnos tú serás el titular español. A la otra persona la conocerás en su momento. Esa persona gestionará la cuenta. Es de confianza y no la volverás a ver. Tú no has de hacer nada, ni poner dinero de tu bolsillo, por supuesto. Si estás de acuerdo, la cuenta se abrirá en Barcelona para evitarte molestias. Una vez la cuenta esté operativa, quedarás completamente desvinculado. Podríamos recurrir a un abogado o a un gestor, pero eso nos llevaría tiempo y nos costaría dinero. Además, Bobby prefiere tratar con conocidos y, si es posible, con amigos.

Era un disparate, pero antes de que Monica dejara de darme explicaciones yo ya había decidido aceptar su proposición. Cuando le hube dado mi consentimiento, Monica permaneció un rato sumida en un silencio hosco.

—Bobby te lo agradecerá. De cuando en cuando me habla de ti. Algo debiste hacer o decir que le impresionó favorablemente. Sea lo que sea, te tiene aprecio. Y no sólo aprecio, sino un gran respeto. Dice que tienes talento, que si no te dejas vencer por la indolencia, llegarás a donde te propongas. Bobby está convencido de que el azar te puso en su camino para que en un futuro lejano tú puedas contar su historia. Es decir, la nuestra, con las salvedades de siempre.

La barahúnda de la calle había disminuido un poco. Incluso los madrileños tenían un horario. Antes de salir, recogí del suelo el traje de chaqueta de Chanel que ella había tirado, no por prisa sino por despreocupación. Me parecía un sacrilegio tratar una prenda tan buena con tanta desidia. Dejé la ropa doblada sobre una butaca y con el pomo de la puerta en la mano pregunté si volveríamos a vernos. Mónica se había quedado adormilada, pero tuvo ánimos para mascullar:

—No te quepa duda. Después de mi marido, ya vienes tú.

Cuando salí del hotel era noche cerrada. Anduve por la Gran Vía, remoloneando antes de emprender la vuelta a Barcelona. De cuando en cuando volvía la cabeza por si alguien me seguía. Una precaución sin sentido, porque las aceras estaban abarrotadas de viandantes y cualquiera podría haberme seguido sin despertar sospechas. Soplaba un viento helado. Yo iba pensando que en Madrid también el frío y el calor son extraños. Pasan por Madrid como visitantes indeseables que prolongan en exceso su presencia, pero que no pertenecen a la ciudad.

Al cabo de un rato paré un taxi. Al salir del núcleo urbano, camino de Barajas, el cielo recobró parte de la débil claridad del crepúsculo. En el horizonte se veían nubes rosas contra el firmamento de color cobalto. En la llanura sin límites se alzaban bloques de viviendas aislados, con puntos de luz en algunas ventanas. El viento cimbreaba los escasos árboles negros y esbeltos que se apiñaban a los lados de la autopista. El paisaje era desolador, pero dentro del taxi reinaba un precario confort.

Cuando llegué a casa no era tarde. Habría podido llamar a Claudia para comunicarle mi regreso y decirle unas frases cariñosas, pero no me vi con ánimos de hacerlo. No me remordía la conciencia: en aquellos años, encuentros esporádicos como el mío con Monica Coover no eran objeto de recriminación sino de encomio. Se daba por sentado que todo cuanto se opusiera a la represión contribuía en mayor o menor medida al logro de la anhelada libertad. Aun así, yo no tenía intención de contarle a Claudia lo ocurrido en Madrid y las mentiras que había preparado me parecían deleznables. En unas relaciones efímeras y sin tapujos, como las de Gustavo con sus múltiples visitantes, nadie daba ni pedía explicaciones. Lo mío con Claudia era distinto. Y también aquella diferencia me pesaba.

Durante los días siguientes nos vimos de continuo, pero busqué y encontré excusas para eludir cualquier momento de intimidad. Si ella advirtió algo anómalo en mi conducta, no dijo nada.

We recruited fools for the show. But fools are hard to find.

Al octavo día del viaje a Madrid recibí la llamada de un hombre que dijo haber recibido instrucciones de la señorita Coover referentes a mi intervención en una operación bancaria. Si continuaba dispuesto a concluir dicha operación, debía presentarme al día siguiente, a las doce menos cuarto, en las oficinas de la Banca Mackenzie, sitas en el paseo de Gracia.

Yo esperaba recibir una llamada de la propia Monica y la interposición de un desconocido me molestó, pero no tanto como para que a la hora convenida no acudiera a cumplir mi cometido. Esperaba encontrar una pequeña sucursal de un banco extranjero y me encontré con la oficina principal de una importante entidad financiera catalana. Comprobé la dirección, entré en el vestíbulo y me dirigí al recepcionista.

—Perdone, debo de estar en un error. Yo venía buscando la Banca Mackenzie.

El recepcionista me miró entre alarmado y servil y respondió apresuradamente y en voz baja.

—Es aquí. Quinta planta.

Un ascensor revestido de acero inoxidable me llevó directamente a un pasillo alfombrado donde ya me esperaba un hombre calvo, vestido con terno de alpaca.

—Soy Vilopriu. Tenga la bondad de acompañarme.

Seguí al señor Vilopriu por el pasillo, impregnado de aroma de colonia de caballero y de tabaco rubio. Detrás de puertas cerradas sonaban amortiguados el tableteo de una máquina de escribir y el timbre de un teléfono. Al fondo del pasillo entramos en una sala rectangular ocupada por una mesa de juntas y una docena de sillas. De las paredes colgaban cuadros de pintores catalanes contemporáneos. A través de una persiana de lamas se veían a lo lejos los campanarios de la catedral, el Pino y Santa María del Mar. El señor Vilopriu me ofreció asiento.

—¿Esto es la Banca Mackenzie?

—Oh, sí, sí. Sin la menor duda. La documentación está preparada. Sólo esperamos a la otra parte. Mientras tanto, si me permite su carnet de identidad... Es un formalismo. Se lo devolveré de inmediato.

Le di mi carnet de identidad y salió por otra puerta lateral. Al cabo de muy poco regresó con una carpeta, la dejó sobre la mesa y me devolvió el carnet. Luego estuvimos un rato sentados, uno frente al otro, en un silencio embarazoso. Finalmente sonó un teléfono en la pieza contigua y el señor Vilopriu acudió a la llamada. Respondió con monosílabos y volvió a entrar.

—La otra parte ya ha llegado. Con su permiso, voy a recibirla al ascensor.

Me quedé solo otra vez. En seguida reapareció el señor Vilopriu seguido de un hombre alto, moreno, de facciones herméticas y aspecto extranjero. No debía de sobrepasar los treinta años, pero tenía canas en las sienes. Vestía un traje negro y una camisa también negra, sin corbata. De una cartera sin asas sacó un sobre y se lo entregó al señor Vilopriu.

—Los poderes.

El señor Vilopriu cogió el sobre con gesto reverencial y se dirigió a la puerta.

—He de llevarlos a la asesoría jurídica. Allí los bastantearán. Es un formalismo. ¿Desean tomar algo? ¿Un café, tal vez? ¿Agua mineral? Por favor, siéntense. No tardaré mucho. Ah, también debo pedirle a usted un documento de identidad, padre. Es un formalismo. Se lo devolveré de inmediato.

El recién llegado entregó un pasaporte de color azul al señor Vilopriu. Cuando éste se hubo ido, no pude ocultar mi curiosidad.

—¿Padre?

El desconocido hablaba un correcto castellano con deje alemán.

—Disculpe que no me haya presentado. Esperaba que lo hiciera el representante de la Banca Mackenzie. Pero como no lo ha hecho, sin duda por timidez o atolondramiento... Soy el staretz Porfirio. Discípulo del staretz Protasio, a quien usted conoció en Mallorca. Estudié en Granada, tengo pasaporte británico y en la actualidad vivo en Zúrich. Desde allí asesoro al príncipe Tukuulo en cuestiones fiduciarias.

—Ah.

—Le sorprende.

—Un poco.

La cara del staretz se iluminó con una sonrisa irónica.

—Y le escandaliza.

—No lo niego.

—No se preocupe, estoy acostumbrado. Ustedes se extrañan de que un clérigo intervenga abiertamente en cuestiones financieras, incluso prevaliéndose de su condición eclesiástica. Es una idea muy arraigada, sin duda heredada de la Edad Media, cuando la Iglesia católica condenó la simonía. Un error por su parte, créame. Una institución como la Santa Madre Iglesia no puede inhibirse de un aspecto tan importante de la vida humana y del tejido social como es el dinero. Incumpliría gravemente su responsabilidad si dejara su gestión en manos de usureros y especuladores. El mundo occidental se ha ofuscado con la idea de la separación de la Iglesia y el Estado. Según ustedes, la Iglesia sólo debe ocuparse de las cuestiones religiosas, vale decir, litúrgicas: casar a los vivos, enterrar a los muertos y poca cosa más. No es sólo un error, sino una grave hipocresía. En la práctica el *homo politicus*, el *homo œconomicus* y el *homo religiosus* son una misma persona. Dinero y moral van estrechamente unidos.

Y con la ficción de la división de poderes, lo único que han conseguido es que la Iglesia siga actuando en el terreno material de tapadillo y sin control.

Me molestó su aire de suficiencia y no pude evitar responderle de manera parecida.

—Ustedes pueden hablar así porque son una Iglesia ambulante. Nadie les va a pedir cuentas de sus actos. Obran en el vacío. Yo también soy un héroe cuando nadie me ve.

A medida que hablaba me iba arrepintiendo de mi intemperancia: después de todo, sólo estábamos allí para evacuar un trámite bancario. Por su parte, el staretz se limitó a encogerse de hombros.

—Su descreimiento no le protegerá de usted mismo.

En aquel momento me acordé de Claudia y de Monica y enrojecí. Enfrentarme a aquel individuo era improcedente y además peligroso. Yo no sabía nada de él; ni siquiera sabía lo que él sabía de mí y de mis actos. Di unos pasos por la habitación y luego me volví hacia él.

—Discúlpeme. No debería haber hablado así. Estoy nervioso.

—No tiene motivo para estarlo. Usted juega en su propio campo. Yo soy un forastero. Nadie me avala. Represento, como usted muy bien ha dicho, a una institución sin reconocimiento, a una Iglesia sin feligresía. Ni siquiera represento a una institución religiosa. Más bien a una causa. O, mejor aún, a una lucha sin causa precisa. Luchamos contra un régimen que califica a la religión de opio del pueblo pero que no tiene reparo en intoxicar a su propio pueblo y a todos los pueblos del mundo con las ideas más deletéreas, un régimen que en nombre del progreso fomenta la delación, practica la opresión y elimina a quien se le opone o a quien se le antoja. ¿Cree que me divierte estar aquí, participando en negocios de legalidad incierta? Yo sé por qué lo hago. ¿Lo sabe usted?

Había pronunciado esta diatriba sin levantar la voz ni alterar el hermetismo de sus facciones. Sin embargo, cuando hubo acabado y el tema parecía zanjado de resultas de mi silencio, sus ojos se iluminaron con destellos de exaltación.

Nos quedamos un rato inmóviles, uno frente al otro, como dos contendientes a punto de agredirse. El ardor de la confrontación no me impedía mantener la cabeza clara y podía haber contestado sin vacilar a su pregunta sobre mis motivos. Participaba en aquel oscuro juego para formalizar legalmente mi vinculación a una causa que de un modo tangencial también era la suya, sobre cuya cordura abrigaba serias dudas y en cuyo futuro no tenía depositada ninguna esperanza, pero a la que había decidido adherirme para salir del mundo rutinario y predecible en el que me veía inmerso. Cuando estaba considerando la posibilidad de exponer estas razones a mi irascible asociado, reapareció el señor Vilopriu con un legajo de mediano grosor, que puso sobre la mesa, hecho lo cual, y entre sonrisas y reverencias, se sentó, se cambió las gafas por otras bifocales y empezó a pasar las hojas del legajo con mucha destreza, llevándose de cuando en cuando el dedo índice a la lengua. Al dar con la página adecuada, llamaba nuestra atención con un carraspeo, la extraía del legajo y nos la presentaba.

—Tengan la bondad de estampar aquí sus apreciadas firmas.

Esta operación se repitió no menos de veinte veces, ya que algunas cláusulas habían de firmarse por triplicado. Cuando hubimos llegado al final del legajo, el señor Vilopriu ordenó las hojas y suspiró aliviado.

—Ya hemos terminado por hoy. En unos días la cuenta estará inscrita en el Registro y operativa a todos los efectos. Debidamente recibirían ustedes la notificación y el correspondiente talonario de no mediar, según tengo entendido, renuncia expresa por una de las partes. Con esto vengo a referirme, para que quede constancia, a que los balances y movimientos no les serán enviados a sus domicilios respectivos, sino a la dirección convenida en las conversaciones previas a la apertura. ¿Están ustedes conformes? En tal caso, sólo me queda reiterarles mi entera disposición para cuanto deseen mandar, dentro de mis modestas atribuciones. Vilopriu, para servirles.

Me sorprendía aquel hombre, que precisamente por falta de carácter y por espíritu de sumisión era capaz de convertirse en un inflexible agente de la autoridad. Al oírle me acordé del señor Perelló, de infausto recuerdo, y de su transformación en severo policía. De cualquiera de los dos se podía esperar cualquier cosa.

El señor Vilopriu nos acompañó al ascensor, nos despedimos ceremoniosamente, y el staretz Porfirio y yo descendimos a la planta baja y anduvimos juntos y en silencio hasta la puerta. En la calle el staretz esbozó una inclinación de cabeza y echó a andar paseo de Gracia abajo, en dirección a la plaza Cataluña. Yo me quedé un instante quieto a la puerta del banco, observando cómo se alejaba: de espaldas creía advertir algo de esforzada afectación en su porte pendenciero y me invadió una repentina compasión por aquel personaje extravagante que se dirigía con inquebrantable fe hacia ningún lugar por un camino erizado de privaciones y peligros. Sin motivo alguno corrí hasta alcanzarle y me puse a su lado. Él me miró de reojo, sin aminorar la marcha. Adapté mi paso al suyo.

—Espere. He de decirle algo.

—Llevo prisa.

Seguí a su lado sin decir nada. Al cabo de un rato se me ocurrió preguntarle si en su liturgia existía el sacramento de la confesión. Si la pregunta le desconcertó, no lo reveló en su brusca respuesta.

—¿Qué más le da? ¿Quiere confesarse conmigo? Le advierto que no pienso darle la absolución. Si tiene problemas, vaya a un psiquiatra.

—¿Conoce la revista *Gong*? Es basura. Yo soy el director.

—Enhorabuena. Pero no tengo intención de suscribirme, si éste es el objeto de la persecución.

—Déjese de bobadas. Le estoy hablando en serio. Oiga, usted y yo acabamos de firmar unos documentos que pueden reportarnos problemas graves. Usted se ha metido en este lío por su propio interés: un interés elevado, una inversión espiritual, si quiere llamarla así, pero también una maniobra geopolítica de amplio alcance, que, de salir bien, le devengará cuantiosos beneficios, y no sólo espirituales. Por añadidura, tiene pasaporte extranjero. Yo, en cambio, no gano nada, y si me piden cuentas, no saldrá nadie en mi defensa. Quizá soy un estúpido o un frívolo, como usted cree, pero a diferencia de usted, yo no utilizo el disfraz del idealismo y mi estupidez es completamente desinteresada. De modo que tráteme con respeto.

El staretz se detuvo en mitad de la acera. Los peatones se veían obligados a dar un rodeo para sortear nuestra presencia. Sin embargo nadie reparaba en nosotros. Quizá mi discurso o quizá esta prueba de nuestra insignificancia dejó inerme al staretz. Abanicó el aire con la mano, como quien espanta una mosca, pero en su mirada se había apagado el brillo de la convicción.

—Todos los curas son iguales: predican el amor al prójimo pero sienten un profundo desprecio por los seres humanos y ni siquiera se toman la molestia de disimularlo.

—Está bien, ¿qué quiere?

—Conocer su opinión.

—¿Sobre qué cosa?

—¿Usted cree que he de dejar la revista y largarme de aquí?

El staretz meditó un instante. Puesto en situación, se esforzaba por cumplir con la dignidad de su misión pastoral. Finalmente hizo una mueca que podía pasar por sonrisa.

—La pregunta es retórica. Sólo usted puede contestarla. Pero si me lo pregunta a mí, le responderé que sí. No por deducción, sino porque creo que ésta es la respuesta que quiere oír. Y no me creo que actúe desinteresadamente. Nadie obra sin ton ni son. Sólo Satanás.

Y nosotros nos iremos, y no volveremos más.

Uno de los muchos días en que iba a comer a casa de mis padres, encontré a mi madre desenvolviendo y desempolvando los adornos navideños. Estábamos a principios de diciembre y el anuncio inequívoco de las temibles fiestas me sumió en un profundo desasosiego. Había algo macabro en aquel tosco y bienintencionado muestrario de sensiblería que había presidido invariablemente nuestro hogar desde la noche de los tiempos.

Cuando empezaron a tener hijos, mis padres compraron las figuritas del belén y su correspondiente decorado (la cueva, el puente, el pajar y unas irreductibles cortezas de alcornoque), así como las bolas brillantes, las velas, las guirnaldas y una temeraria ristra de bombillas de colores, y este surtido, salvo alguna baja accidental, continuaba siendo el mismo después de tanto tiempo, año tras año. Olvidados durante once meses, su reaparición, aparte de recordar la opaca fugacidad de nuestras respectivas existencias, generaba en cada uno de nosotros la incómoda sensación de estar cumpliendo un rito tan aburrido y superfluo como inexcusable.

Aquel año, la visión de los pastorcillos de barro en teatral actitud de sorpresa y unción me reafirmó en la decisión de marcharme de España cuanto antes.

En octubre Janis Joplin había muerto de sobredosis en un motel de Pasadena. Aunque mis gustos musicales seguían alejados de la modernidad, había visto y oído a Janis Joplin en el documental sobre el concierto celebrado el año anterior en Woodstock y su voz y su personalidad me habían impresionado de tal modo que, contraviniendo mis gustos musicales, me compré un LP titulado *Pearl* y lo escuchaba con frecuencia.

Al enterarme de su muerte, no sólo le dediqué un amplio espacio en la revista *Gong*, sino que lo escribí con una seriedad y un esmero inusuales. Cuando empecé a documentarme caí en la cuenta de que Janis Joplin y yo teníamos la misma edad. En el momento de su muerte, ella era una figura internacional y un símbolo de las inquietudes de su generación; había tenido desastrosas relaciones sentimentales e innumerables amantes, había descendido al abismo del alcohol y las drogas, había derrochado su voz y sus emociones por los escenarios y había muerto de una manera triste y violenta, mientras yo, a su misma edad, tenía un trabajo estúpido y una novia con la que no sabía qué hacer y perdía mis energías y mi tiempo en forjar unos proyectos que sólo tomaban cuerpo en mi imaginación. Y para colmo mi madre había sacado del armario los adornos navideños.

Comuniqué aquellas reflexiones a mis amigos y me tacharon de imbécil. Habíamos ido al cine Claudia y yo con Gustavo Alfaro y una chica con la que él, sin abandonar sus devaneos, andaba medio ennoviado por aquellas fechas.

La novia de Gustavo se llamaba Gudrun y llevaba tres años afincada en Barcelona. Oriunda de Hannover, a los dieciocho años había pasado unas vacaciones de verano en Lloret y se había emparejado con un chico español, convencida de la sinceridad de los sentimientos que él expresaba en una mezcolanza de idiomas apenas comprensible y sin más propósito que vencer unos escrúpulos inexistentes por parte de ella. El malentendido duró unos meses, al término de los cuales, Gudrun rompió con su novio de pega pero decidió no regresar a Hannover. En poco tiempo aprendió a hablar y a leer el castellano con fluidez, un léxico rico con un punto de floritura y una sintaxis revuelta, y no tardó en encontrar un trabajo fijo y bien retribuido. De otra relación sentimental breve y clandestina había tenido un hijo, con el que se quedó y del que se hacía cargo con solvencia y sin lamentaciones. Estas peripecias y el hecho de que aun siendo una mujer sola, joven y guapa en un país extraño, consiguiera vivir de manera independiente, sin estrecheces ni desórdenes, le daban una incontestable autoridad. Tenía un carácter de mil demonios, odiaba a los hombres en general y a los españoles en particular y llevaba la contraria a todo el mundo por sistema. Había idealizado su país, cosa que, tratándose de Alemania, no resultaba fácil en aquellos años; se tomaba las críticas con parsimonia, por no decir con indiferencia, y atribuía a maliciosa inexactitud las acusaciones que llovían de todas partes contra los alemanes. Por supuesto, negaba el Holocausto.

—Todo es un montaje de los servicios de inteligencia occidentales para aniquilar a Alemania de una vez por todas. Lo intentaron en Versalles en 1918 y no les funcionó. Ahora están dispuestos a llevar las cosas hasta el final. Destruir Alemania físicamente y también moralmente, del todo y por completo, imponiéndole un insostenible sentimiento de culpa que impida siempre y en cualquier momento toda especulación intelectual. El pensamiento alemán ha sido siempre y en cualquier momento el más sobresaliente y el más grosero: Kant, Hegel,

Schopenhauer, Heidegger, incluso también el propio Marx. Hoy los alemanes ya no se atreven nunca más a pensar. ¿Y cómo ha sido esto conseguido? Con unas fotos burdamente trucadas y una campaña aún más burda de intoxicación generalizada. La guerra es siempre en sí misma cruel, eso yo no lo niego, y grandes atrocidades y verdaderas brutalidades se cometen a causa de la guerra, pero los alemanes no querían de ninguna forma y en ningún momento exterminar a los judíos. Si verdaderamente y realmente se lo hubieran propuesto, en la actualidad no quedarían tantos judíos como existen en todas las partes de Europa, incluso en Alemania.

Tratar de refutar sus argumentos era inútil. Los que la conocíamos sabíamos que hablaba por hablar. En el fondo era una buena persona y seguramente su obcecación era debida a una comprensible resistencia ante la monstruosidad de unos hechos irrefutables. Esta actitud llegaba a extremos delirantes.

—Os han engañado totalmente y vosotros habéis creído también totalmente todas las mentiras más grandes y absurdas. Así está demostrado e incluso demostrado hasta la saciedad que el diario de Ana Frank es totalmente apócrifo y burdamente fabricado en los Estados Unidos por orden de la CIA y escrito íntegramente por Anita Loos.

Cuando expuse mi reacción a la muerte de Janis Joplin se indignó.

—¿De qué te quejas? ¿Quizá te gustaría estar muerto en lugar de estar ahora vivo? Pues métete una sobredosis y en unos instantes estarás completamente muerto como es tu deseo evidente.

—No me refería a eso. Además, yo no soy drogadicto.

—Mejor, así te hará más efecto. Los hombres sois unos cabrones: empujáis completamente a las mujeres al abismo y luego les tenéis compasión. Y encima es todo una mentira grosera: a ti Janis Joplin te trae sin cuidado; para ti es sólo y únicamente una fotografía en la funda de un disco. Toda la compasión la guardas exclusivamente para ti mismo.

—Bueno, mujer, no te pongas así. Yo no le he hecho nada, ni a Janis Joplin ni a nadie. He comprado un disco, le he dedicado un reportaje elogioso. ¿Qué te pasa?

No valía la pena discutir con Gudrun: nunca daba su brazo a torcer y en aquella ocasión, a pesar de sus exabruptos, llevaba razón. Encumbrábamos a unos personajes tan efímeros como frágiles, proyectábamos en ellos nuestros sueños de libertad mientras les duraba la cuerda y los veíamos derrumbarse como parte del espectáculo. Aquélla era nuestra mitología particular: un panteón rebosante de cadáveres o de seres patéticos que habían tenido la mala suerte de sobrevivir a su breve reinado.

En mayo de aquel mismo año, unos meses antes de la muerte de Janis Joplin, los Beatles habían lanzado el que sería su último disco y al finalizar el año anunciaron la disolución del grupo. El hecho no me apenó ni me interesaban los motivos de la decisión. Me pareció admirable desaparecer voluntariamente en el momento de máximo esplendor, cuando del futuro sólo cabía esperar la decadencia. Pero tomé nota del valor simbólico de aquel suceso: habían transcurrido tres años desde que el príncipe me había regalado *Sgt. Pepper's Lonely Hearts Club Band* y la conmoción producida por aquel regalo no había tenido ninguna consecuencia material. Pasaba el tiempo, las cosas que me rodeaban tocaban a su fin y, si yo no hacía algo pronto, también mi vida pasaría sin dejar de ser como había sido desde sus inicios: inmóvil, vacía, oscura y desesperada.

Esta última parte me abstuve de comentarla delante de Gudrun, que odiaba a los Beatles. Según ella, también formaban parte del plan de aniquilación de la nación alemana. Habían sido enviados desde Liverpool al Kaiserkeller de Hamburgo para imponer una música que hiciera olvidar a los alemanes y al mundo las glorias de Bach, Beethoven y Wagner.

Con Claudia tampoco hablaba nunca del tema que me preocupaba. Ella advertía mi desasosiego y el silencio redoblaba su preocupación. No era tonta y deducía que fuese cual fuese el motivo de mi malestar, ella era parte esencial del problema. No andaba errada: si quería dejarlo todo y emprender una vida nueva en otra parte, lejos de Barcelona, era preciso romper nuestra relación. No tenía nada contra Claudia, al contrario: ella me hacía la existencia llevadera y le profesaba verdadero cariño. Tampoco me lastraba: si se lo hubiera propuesto, sin duda habría abandonado su trabajo y su casa y me habría acompañado a donde yo hubiera ido, en cualesquiera condiciones y sin pedirme nada a cambio. Pero yo aspiraba a una hipotética libertad, y aceptar su compañía con todo lo que ello implicaba para ella me suponía un compromiso moral que no me sentía capaz de asumir. Aparte de que, si me iba con ella al extranjero, un mínimo decoro me obligaba a pasar antes por la vicaría. En aquella época la liberalización de las costumbres tenía ciertos límites.

Con Gustavo Alfaro tampoco hablaba abiertamente de este tema, pero con él me mostraba menos hermético respecto de mi situación y mi descontento. Me habría gustado conocer su opinión. Al fin y al cabo, él personificaba la libertad del exilio voluntario que yo anhelaba. Pero no acababa de confiar en su discreción.

En vísperas de Navidad, Claudia se volvió esquiva e irritable. Lo atribuí a la presión de las fiestas y también a mi propio comportamiento. No se me ocurrió pensar que ella pudiera estar pasando un mal momento.

La situación estalló la noche de fin de año.

Como no podíamos costear un *réveillon* aparatoso y probablemente triste, Claudia y yo cenamos con nuestras respectivas familias. Cuando pasé a recogerla, poco antes de las doce, los dos estábamos deprimidos y de mal humor. Llegamos a casa de unos amigos de Claudia a tiempo de oír las campanadas en el reloj de la Puerta del Sol. Luego la televisión siguió emitiendo un programa estridente. El ambiente era mortecino y la gente, aburrida. Nos fuimos. En la calle hacía un frío seco y el aire era limpio. Nos presentamos sin avisar en casa de otra amiga de Claudia, cuyos padres se habían ido y le habían cedido el piso. La música era atronadora y todo el mundo estaba borracho o colocado. Era imposible incorporarse a la juerga. Bebimos, bailamos sin ganas y al cabo de una hora estábamos de nuevo en la calle. Claudia me pidió que la acompañara a casa. Era pronto, pero alegó estar cansada. Ante el portal, me dijo de sopetón que desde hacía unos meses tenía un amante. No me dio más explicaciones. Le pregunté si era alguien a quien yo conocía y no me lo quiso decir. Así nos despedimos.

La noticia no me afectó mucho desde el punto de vista emocional, pero estaba desconcertado: a pesar de mis ideas avanzadas y de mi propia actitud con respecto a la fidelidad, nunca se me había pasado por la cabeza que Claudia pudiera hacer una cosa semejante.

Al día siguiente me llamó y nos vimos. Yo había decidido aprovechar la ocasión para romper con ella, pero antes de que pudiera decir algo, Claudia se puso a llorar. Aquello me irritó sobremanera. No soporto estar ante una mujer que llora. Hablamos un rato y nos fuimos sin haber tomado ninguna decisión.

A pesar de mi insistencia, Claudia se negaba a revelar el nombre de su amante. Me mortificaba la posibilidad de hacer el ridículo con alguien que, a mis espaldas, se acostaba con mi novia. Estaba casi seguro de que el culpable era Gustavo Alfaro. Por supuesto, no podía preguntárselo al propio interesado. Me resultaba humillante y, de haber sido ciertas mis sospechas, él no lo habría reconocido. Seguimos trabajando juntos, como siempre, pero nuestra relación se enfrió sin razón aparente. Él se tomaba mi irritabilidad con paciencia y su tolerancia lo hacía más sospechoso a mis ojos.

El día de Reyes recibí una llamada de Gudrun. Quería hablar conmigo y me citó a última hora de la tarde en una pequeña coctelería de la calle Rosellón, entre Aribau y Enrique Granados.

Cuando llegué ella ya estaba allí, y en el breve tiempo de la espera ya había tenido ocasión de protagonizar un desagradable incidente. Como no había podido dejar a su bebé con nadie, lo había llevado consigo. El camarero le dijo que en aquel local no podían entrar niños, y para sustanciar su postura señaló un letrero que decía: RESERVADO EL DERECHO DE ADMISIÓN. Gudrun repuso que la norma iba destinada a impedir la presencia de clientes indeseables, que su hijo no pertenecía a semejante categoría y que la pretensión del camarero era discriminatoria, no sólo contra el bebé sino contra la madre, toda vez que el local estaba vacío, por lo que la presencia de un bebé no podía molestar a nadie. El camarero repuso que se podían quedar los dos, siempre y cuando no le diera de mamar en el local. El camarero era un hombre joven, alto y corpulento, de pelo rizado. El pantalón negro, la americana blanca y una corbata de lazo no cuadraban con su físico, más campesino que mundano. Gudrun le respondió que no tenía la menor intención de hacer tal cosa. ¿Por quién la había tomado? Además, el niño tenía un año cumplido y había sido destetado hacía tiempo. El camarero pidió disculpas. En aquellos años los extranjeros tenían un gran ascendiente en España. Al endémico sentimiento de inferioridad de los españoles se unía la convicción de que, en caso de conflicto, las autoridades darían siempre la razón al extranjero, porque el turismo era nuestra principal fuente de riqueza y nada debía poner en peligro el funcionamiento del sistema. Los turistas venían a España a divertirse y se les debía tolerar lo que a un español se le habría prohibido a rajatabla.

Al entrar percibí que reinaba en la coctelería un ambiente cargado.

A pesar de la escasa luz, la piel de las butacas se veía cuarteada, la alfombra cubierta de manchas y las paredes sucias. El local olía a tabaco frío. Gudrun bebía agua con gas. Yo pedí un *Screwdriver* y ambos estuvimos callados hasta que me lo sirvieron y el camarero hubo vuelto a su lugar, detrás de la barra. Luego, como ella no decía nada, le pregunté el motivo de la cita. Sin responder, Gudrun me pasó al bebé que dormitaba entre sus brazos. Yo me resistí.

—Venga, hombre, sujétalo. He de ir a hacer pis.

—¿Y si se despierta y llora?

—No se despertará y si se despierta, no llorará si no se le provoca. Los niños no están locos y no lloran sin causa. Vuelvo en seguida.

Sintiendo sobre mí la mirada reprobadora del camarero, cogí al niño. Tenía un peso y una temperatura agradables y olía a colonia. Recordé que su madre lo había inscrito en el registro civil con el nombre de Parsifal, a lo que el funcionario se había negado alegando que sólo podían inscribirse en el registro nombres del santoral. Gudrun había respondido que ni ella ni el niño eran católicos, que la Iglesia luterana, a la que pertenecían, admitía aquel nombre y otros aún más raros y que si el funcionario no lo inscribía como ella decía, presentaría una queja ante la embajada alemana.

En cuanto su madre se hubo ido, Parsifal se despertó y me miró con unos ojos grandes, de un azul claro. Para que no se asustara al encontrarse en brazos de un desconocido le hablé en tono pausado y cariñoso.

—Hola, Parsi.

Por toda respuesta hizo una mueca que me pareció una sonrisa y con la que se ganó mi cariño incondicional. Pronto regresó su madre.

—Ya he orinado, puedes darme al niño. Gustavo está muy preocupado.

—¿Por el niño?

—No. Ni por el niño ni por mis orines. No todo es tan inmediato. Está preocupado por tu comportamiento. Tienes el cabeza totalmente lleno de estupidez. También he hablado con Claudia. Ella me contó lo que te había dicho. Por supuesto, no te he llamado para reconvenir tu conducta ni para decirte lo que tienes que hacer o deberías. Te he llamado para plantear el problema en sus términos exactos. Es algo que las personas pocas veces saben hacer cuando están envueltos en sus dudas y humanas contradicciones, ¿sí? Ahora, en tu caso, la cuestión no es que Claudia se haya ido a la cama con otro. Esto sería un hecho irrelevante, considerando tomadas las debidas precauciones, si no te lo hubiera contado, puesto que tú no lo habrías sabido. Lo único relevante es, pues, que ella te lo ha contado, incluso siendo posible, e inclusive probable, que no sea verdad. ¿Me entiendes?

—Sí, pero no veo adónde vas a parar.

—A una conclusión preestablecida: los hombres sois idiotas. Las mujeres también, pero las mujeres tenemos una justificación. En última instancia, lo mismo da. Las mujeres llevamos las de perder, con justificación o sin justificación. La pobre Claudia nota que te va perdiendo y ha dado este paso arriesgado para ponerte en situación de tomar una decisión. Si ha tenido un amante o no lo ha tenido, nunca lo sabremos con certeza. Yo tiendo a creer que sí. Claudia se ha educado en un colegio de monjas y es capaz de poner los cuernos a su hombre pero no es capaz de sostener una mentira mucho tiempo. En cualquier caso, se ha equivocado: quería ser interesante y sólo ha conseguido ser problemática. De todos modos, a ti te toca decidir. En tu decisión únicamente han de intervenir tus sentimientos. Olvida la vanidad masculina. Y, sobre todo, no metas en el asunto a Gustavo. Él te aprecia y te respeta, y si se ha metido en la cama con Claudia habrá sido porque ella tomó la iniciativa. Yo sobre eso no sé nada. Ni lo he preguntado ni tengo la intención de preguntarlo. Es vuestro lío, no es nuestro lío. Y nadie tiene la culpa de que no sepas tratar a las mujeres.

También en aquella ocasión Gudrun tenía buena parte de razón, y como el tema me interesaba sobremanera y ella me parecía una oyente cualificada, le conté una historia que me había ocurrido un tiempo atrás, al principio de mi relación con Claudia.

Pero ¿quién ha forjado esa novela?

La jamona se dirigió al calmuco fluctuando zalamerías:

¿Para usted también es una novela?

El Paralelo es una avenida larga y fea en todo su recorrido. Antes de la guerra, en una mítica y seguramente ficticia edad de oro, había albergado un circo y varios teatros, algunos de repertorio clásico o comercial y otros, los que quedaron impresos en la memoria ciudadana, dedicados a espectáculos de *music hall*, los más de ellos atrevidos hasta extremos inimaginables. Después de la guerra, la censura y la pobreza fueron cerrando los teatros y el Paralelo adquirió un aire desangelado y sombrío. Habría parecido una desafortunada vía de paso para camiones si algunos desvencijados restos de su antiguo esplendor no hubieran interrumpido la monotonía y puesto de relieve la decrepitud.

En la época en que sucedía mi historia, el Paralelo vivía un mísero resurgimiento. En el recién estrenado ambiente de liberación sexual que imperaba en el mundo occidental y cuya onda expansiva había llegado a Barcelona más como un estado de opinión que como una norma de conducta, el modesto erotismo que se ofrecía en los vetustos teatros del Paralelo les confirió una pátina de ingenuidad que, unida a la baja calidad de los espectáculos, los hacía entrañables a un determinado sector social. Por esta razón, junto al habitual público rústico que seguía disfrutando con los chistes de doble sentido y las exhibiciones anatómicas, acudía un público nuevo, joven, intelectual, levemente liberado de la asfixiante represión, para disfrutar, con una actitud condescendiente, de lo que consideraba una mamarrachada no exenta de destellos de ingenio. Consciente de este fenómeno y sin otro ánimo que dejar constancia de una moda y, de paso, llenar unas cuantas páginas de la revista *Gong*, decidí escribir una crónica.

Vi el par de revistas que estaban en cartel y hablé con el empresario y con algunos miembros del elenco artístico de la más famosa, una burda e inconexa farsa que tenía el muy genérico y recatado título de *Sígueme al Paralelo*. Las entrevistas no resultaron muy fructíferas desde el punto de vista periodístico. La primera *vedette* no pudo recibirme porque un asunto familiar la reclamaba en otra ciudad. Compartía cabecera de cartel con un cómico costumbrista, hombre de mediana edad, enclenque y poco agraciado, con un aire desvalido y sumiso que invitaba a la mayoría de espectadores a identificarse con él, medio en serio, medio en broma. En escena exhibía un notable abanico de recursos y dominaba como nadie el arte de sintonizar con el público a cada instante, en cada representación, allí donde estuviese y al nivel del más lerdo. Sin embargo, en el trato personal resultó ser un tipo atravesado y presuntuoso y un pozo de resentimiento. Desde el principio trató de establecer conmigo una complicidad basada en el desprecio por su trabajo y por sus compañeros de profesión, y acabó lamentándose de haber nacido en un país tan mezquino a la hora de reconocer y estimular el talento de sus artistas. El resto de los entrevistados a lo largo de la tarde, antes de empezar la función, en los pasillos angostos e increíblemente sucios que conducían a los camerinos, resultó muy poco interesante, con dos excepciones: un humorista argentino afeminado, malévolo e inteligente y una chica del coro con la que congenié desde el primer momento y con la que tuve una breve relación carnal. Ella acababa de cumplir los veintiún años y desde los quince trabajaba en el mundo de la revista; sobre el escenario y a la luz de los focos, siempre en segundo plano y flanqueada de sus compañeras de coro, poseía un encanto especial; era rubia, de constitución frágil, facciones dulces y una sonrisa alborozada. De cerca, las cualidades y el encanto se teñían de vulgaridad. Se maquillaba en exceso, el tinte del cabello era de mala calidad y llevaba las uñas largas, pintadas de esmalte verde, como las garras de un loro. Su conversación consistía en una sarta de lugares comunes y expresiones de afectado casticismo, reía ruidosamente sus propias ocurrencias y esperaba que yo coreara con mis carcajadas aquellas necedades. Pero se acostó conmigo del modo más natural, sin pedirme nada a cambio, y sólo por esto yo se lo perdonaba todo.

Aunque parezca mentira, su verdadero nombre era Petra Sobada. En el transcurso de la entrevista se me ocurrió rebautizarla Liviana de Lejos. Al ver que el nombre le causaba una gran impresión, la invité a tomar algo después de la función. Acabamos en el *meublé* de la calle Bolívar. Luego nos vimos varias veces más, siempre por la tarde, antes del primer pase. A lo largo de su carrera teatral, como ella calificaba su aperreada vida, había pasado por muchas manos; si vino a dar en las mías influida por la creencia de que la revista *Gong* podía catapultarla al estrellato, nunca me lo dio a entender. Su aparente desinterés me libraba de sentirme un embaucador.

Yo estaba muy ufano de haberme convertido en el remedo de un flamante libertino decimonónico. Poco duró la euforia: a partir de la tercera o cuarta cita, pequeños remilgos y oblicuos comentarios, quizá inconscientes, me hicieron percibir de su parte una actitud hacia mí más conservadora que la de la propia Claudia. Acostumbrada a ser el juguete de ricachos dadivosos, sinvergüenzas con labia o fogosos sementales, lo único que podía atraerle de un hombre como yo, amante mediocre, escaso de medios y de temperamento abúlico, pero con el certificado de buena conducta grabado en el rostro, era una vaga perspectiva de respetabilidad, constancia y protección. Y caí en la cuenta de que así sería siempre, salvo que mi personalidad experimentara una improbable mutación y que yo renunciara a formar parte de la clase social compacta y servil a la que había pertenecido desde el instante mismo de la concepción y a la que había seguido perteneciendo a lo largo de toda mi existencia, incluido el breve y estéril periodo de rebeldía individual y de afán revolucionario.

—Te cuento esta historia para que entiendas que lo tengo mal con las mujeres. Quizá no debería ser tan respetuoso.

Gudrun me miró con desdén.

—Quizá no deberías ser tan paternalista. Las mujeres saben lo que hacen y lo que quieren y si alguna no lo sabe, es su problema. ¿Cómo acabó la aventura de la corista?

Mi relación con Petra acabó de un modo muy poco melodramático. Al miedo a decir algo que pudiera comprometer mi futuro y a que Claudia descubriera mi doble vida se añadió la sospecha de que aquella maquiavélica desvergonzada podía quedarse embarazada, de mí o de otro, para forzarme a regularizar nuestra relación. No sucedió nada semejante, pero yo, por todas estas razones, no veía el momento de cortar con ella. Por fortuna, la revista en la que actuaba acabó la temporada en Barcelona y la compañía se fue de gira por provincias. Nos despedimos sin lágrimas, pero con la promesa por mi parte de escribirle y llamarla por teléfono para no perder el contacto. Por supuesto, ni escribí ni llamé, ni ella hizo nada por reclamar el cumplimiento de mi promesa, a pesar de que no le habría costado hacerlo llamando o escribiendo a la dirección de la revista *Gong*. Al principio pensé que se había embarcado en una relación más prometedora o más gratificante; más tarde, cuando hube recobrado la tranquilidad, pensé que me había dejado porque nada más podía esperar de mí y que se había liado conmigo sin un propósito oculto, simplemente porque le gusté. Esta idea, lejos de halagarme, me hizo sentir mal bastante tiempo. Unos años más tarde, paseando por Madrid, vi anunciada una revista en cuyo reparto figuraba el nombre de Liviana de Lejos, no en cabecera de cartel, pero sí en un lugar destacado. Me alegré de que hubiera prosperado dentro de la profesión, aunque para entonces el género había iniciado una rápida y definitiva caída, y de que hubiera adoptado el nombre que yo le había puesto casi por guasa. Como es lógico, me abstuve de restablecer contacto e incluso de hacer averiguaciones y nunca más volví a saber de ella.

Mientras yo refería a Gudrun esta aventura, había entrado en la coctelería una pareja formada por un hombre de unos treinta años y aspecto de profesional acomodado y una mujer algo más joven, y se había sentado en un sofá, en el rincón más recóndito del establecimiento. Era evidente que buscaban intimidad, pero el lugar era demasiado pequeño para no acaparar la atención de los demás clientes, es decir, Gudrun y yo, por más que fingiéramos ignorar su presencia. No así el pequeño Parsifal, que los miraba con insistencia y desplegaba su escaso repertorio de monerías.

Antes de que el camarero tuviera ocasión de preguntarles qué querían tomar, la mujer se levantó y conminó al hombre en un tono de voz deliberadamente audible.

—Vámonos. Esto es un parvulario.

Él se levantó tímidamente y la siguió hacia la puerta. Al pasar por delante de nosotros, Gudrun levantó la voz para ser oída por todos los presentes.

—Una cosa lleva a la otra. Si no les gustan los niños, tomen precauciones.

El hombre y yo intercambiamos una mirada de entendimiento. No estábamos dispuestos a salir en defensa de nuestras respectivas acompañantes y menos aún a provocar un altercado. Las mujeres se habían vuelto guerreras y los hombres, conciliadores. Cuando hubieron salido, el camarero se nos acercó nuevamente. Temí otro enfrentamiento a causa del reciente suceso, pero el camarero venía en son de paz. En la mano sostenía una bandeja de metal sobre la que había un vaso con un líquido blancuzco y una cucharilla.

—Aprovechando que estamos solos, quería disculparme por el malentendido de antes. A mí los niños me encantan. Tengo dos y sé lo que significa no tener con quién dejarlos. Lo que pasa es que, ya saben, el bar no es mío, pero la responsabilidad, sí. Si hay quejas, me las cargo yo.

—No tiene importancia.

—Gracias, es usted muy amable. Y déjeme decirle una cosa: nunca he visto un niño tan bien educado como el suyo. Se está portando como una persona mayor. Si no es indiscreción, ¿cómo se llama?

—Parsifal.

—¡Vaya nombre bonito! ¡Y estos ojos tan azules! Extranjero, no falla. Seguro que los Reyes te han traído mogollón de juguetes.

—Nosotros no hacemos Reyes. En Alemania se celebra solamente la Navidad.

Decidí intervenir en la conversación.

—No obstante, los Reyes Magos están enterrados en la catedral de Colonia.

El camarero no pareció registrar esta información y siguió hablando con Gudrun.

—Mire, le he traído un poco de leche de coco. Aquí la usamos para hacer una bebida que se llama *coco loco*. Vodka, ron blanco, *curaçao*, zumo de piña, leche de coco y lo que a uno se le pase por la cabeza. Con dos, no vea usted cómo se ponen las tías. Esto sólo es leche de coco. Nada de alcohol, naturalmente.

Depositó el vaso sobre la mesa y adoptó un tono más solemne.

—Los niños son lo más importante. Dan sentido a nuestras vidas. Quiero decir que hemos de esforzarnos para dejarles un mundo mejor que el que nos dejaron a nosotros.

Fui al servicio. Al volver, Parsifal se había bebido la leche de coco y Gudrun estaba de pie, con el abrigo puesto. Mientras le ponía la gorra y los guantes a Parsifal, pagué las consumiciones. En la calle la circulación era densa y hacía frío. Gudrun y yo iniciamos una rápida despedida.

—Gracias por haberme aguantado el rollo. Y siento lo del camarero.

—No, ¿por qué? Mientras estabas en el servicio hemos quedado para otro día, cuando pueda colocar al niño. Si no hay clientes, igual nos damos un revolcón. Aquí te pillo y aquí te mato.

—¡Gudrun! ¿Con este soplapollas?

—¿Qué tiene de malo? Está macizo y se le ve honrado. Y si no es una lumbrera, tanto mejor. Además, lo que ha dicho de los niños me ha gustado.

—¡Es una tontería!

—No es una tontería. Es una actitud. ¿Por qué has de ser tan elitista? Las mujeres vemos las cosas de otra manera.

—Bueno. Y con Claudia, ¿qué hago?

—Tú verás.

She sat at the window watching the evening invade the avenue.

La cafetería ofrecía un servicio discreto en cómodos sofás tapizados de rojo y un aroma exquisito de café con leche y bollería, pero el grosor de los cristales no lograba aislar a la clientela del petardeo de las motos, el ronquido de los autobuses y los bocinazos ocasionales de los vehículos atrapados en el tórpido y exasperado atasco de la hora punta en la Diagonal. Era inútil tratar de escapar al ruido constante en todos los rincones de Barcelona. Aquel deprimente y reiterado espectáculo parecía captar su atención. Finalmente, sin desviar la mirada de la ventana, habló en voz baja, casi imperceptible, como si quisiera prolongar el largo silencio en que había estado sumida.

—No me hace falta oír más, lo he entendido

perfectamente. No necesito explicaciones y menos edulcorantes.

En mi interior suspiré aliviado. La parte más difícil ya estaba hecha. Claudia volvió la cabeza lentamente y me dirigió una mirada tan abstraída como la que había dedicado al tráfico.

—Entiendo que esta ciudad se te ha quedado pequeña. Necesitas otros horizontes y otras posibilidades y prefieres salir tú solo a buscarlas. Es una pena, porque yo también deseaba dejar todo esto atrás y marcharme a cualquier parte en busca de algo distinto, pero me falta atrevimiento y pensaba que tú lo tenías, y que te irías y me llevarías contigo. Pero, ya te digo, entiendo tu postura y no insistiré, ni te haré reproches ni montaré un drama.

Hizo una pausa.

—Sólo te voy a pedir un favor. No es fácil, pero no me lo puedes negar.

—Tú dirás.

—Me gustaría que hablaras con mi padre. Dile que lo nuestro ha terminado. Yo no me atrevo a enfrentarme a él. Ya lo conoces. A ti te respeta y te aprecia.

Era un encargo muy poco atrayente al que, en conciencia, no me podía negar.

A decir verdad, hacía tiempo que el padre de Claudia había dejado de ser aquel ogro fascista dispuesto a lavar el honor mancillado de su hija a tiro limpio, tal como ella lo había descrito al inicio de una relación que ahora yo estaba tratando de concluir. No sólo no le temía, sino que había llegado a inspirarme una cierta simpatía.

De un modo gradual, con renuencia, pero sin firme oposición por mi parte, mi relación con la familia de Claudia se había ido oficializando a partir de unos primeros encuentros ocasionales, resueltos con rubor y confusión por Claudia, que insistía en presentarme como un amigo, en un tono que ponía de manifiesto la naturaleza equívoca de nuestra amistad. Premeditadamente o no, la reacción de los padres de Claudia fue de socarrona benevolencia: la torpeza de su hija y mi afectada desenvoltura debieron de convencerlos de lo inofensivo de aquel secreto tan mal guardado. Más adelante, cuando la índole de nuestra relación ya estaba fuera de toda duda para ellos, no pude ni quise excusar mi presencia en alguna actividad familiar de escasa significación, una presencia cuidadosamente dosificada y de ser posible breve, encaminada a dejar clara mi seriedad y buena crianza, sin incurrir por ello en un excesivo compromiso respecto de nuestro futuro inmediato.

Todas las familias, felices o desgraciadas, tienen tanto en común que hay que ser muy sagaz para establecer distingos. La de Claudia, como el reparto de una mediocre comedia de costumbres, estaba compuesta por el padre, la madre, la hija casadera, un hermano díscolo y una criada entrada en años que había visto nacer a los dos vástagos y los había criado, lo que le confería un estatus privilegiado que nadie habría osado disputarle. Como un astro rey, el padre ocupaba el centro de este minúsculo cosmos. Dictador de zapatillas, en cuya autoridad sólo creía su esposa, pero cuyos berrinches todos se esforzaban por evitar, don Fermín Centellas, oriundo de Plasencia, provincia de Cáceres, era abogado sin ejercicio. Durante una etapa de su vida había ocupado un cargo relativamente alto en la Organización Nacional de Sindicatos, un organismo ya obsoleto, simple refugio de enchufados. Cuando yo lo conocí, disfrutaba de ingresos considerables provenientes de mediaciones, gestiones y diligencias encaminadas a barajar influencias, mangonear despachos y amañar trapicheos, si bien él creía sin sombra de cinismo percibir el justo precio por un asesoramiento vertido en farragosos dictámenes que nadie se tomaba la molestia de leer, en la certeza de que su autor tampoco se había tomado la molestia de pensar antes de redactarlos. Ignorante de las leyes pero experto en reglamentos, su actividad no se podía calificar de improductiva en una sociedad que, embarcada en un proceso de rápido cambio y frenético desarrollo, pero sustentada en una estructura esclerótica, se habría paralizado si alguien no se hubiera encargado de quitar impedimentos, maquillar arreglos, agilizar trámites y, en resumidas cuentas, conseguir que el poder legislativo, el ejecutivo y el judicial mirasen hacia otro lado cuando convenía a la buena marcha del país y a todas las partes interesadas. Al margen de esta benemérita función, don Fermín Centellas llevaba una existencia plácida, aunque no ociosa. Instalado en un círculo pequeño pero autosuficiente, ajeno por completo a la sociedad barcelonesa, a la que despreciaba, vivía con pasión los toros, aborrecía el fútbol y frecuentaba el frontón. Todas las tardes concurría a una tertulia de irascibles excombatientes, melifluos funcionarios y parásitos de varia condición, donde se consumían grandes cantidades de vermut con sifón y aceitunas rellenas y se fumaban puros execrables mientras se practicaba una animada chismografía aderezada con detalles salaces y se lamentaba el general desgobierno del país con una indignación creciente que solía culminar en una sentencia perentoria: Si me dejaran a mí, esto lo arreglaba yo en un santiamén. Hacia mí sentía cariño a su pesar. No respondía a sus planes, pero veía que hacía feliz a su hija y eso pasaba por encima de cualquier otra consideración. En el terreno ideológico me consideraba algo así como un rival a su altura. En su fuero interno se daba cuenta de que los viejos camaradas, con sus uniformes, sus medallas, sus boinas, sus bigotes y sus tripitas, se habían convertido en verdaderas caricaturas.

La madre de Claudia se llamaba Fuensanta. Había nacido en Barcelona, pero le habían puesto este nombre por la Virgen de la Fuensanta en honor de su abuela, oriunda de Murcia. A ella el nombre le parecía ridículo y de pequeña se hacía llamar Fifí. Al hacerse mayor no hizo méritos suficientes para mantener aquel diminutivo, más propio de una revista del Paralelo que de una señorita de buena familia, y volvió a regañadientes a ser Fuensanta e incluso la señora Fuensanta. Le horrorizaba que la llamaran señora, porque la hacía sentirse anciana. Yo le regalé una reproducción en huecograbado del cuadro de Romero de Torres titulado *La Fuensanta*, una mujer muy guapa y sensual, con los brazos cruzados sobre una enorme vasija de cobre o de estaño, y le señalé que esta figura era tan atrayente que aparecía en los billetes de cien pesetas. Como era de esperar, se tomó la explicación como una burla, estuvo un tiempo enfadada conmigo y siempre me miró con una mezcla de temor y desconfianza, como si en cualquier momento pudiera volver a ridiculizarla. Ella misma era una mujer guapa, y seguramente habría tenido gracia si no hubiera estado tan constreñida por sus convicciones y sus complejos. No muy inteligente, carente de formación y criada en el seno de una familia conservadora sin otro objetivo que encontrar un marido adecuado, en cuanto se hubo casado ya no supo qué hacer con sus cualidades ni, de hecho, con su persona. Desde hacía décadas se limitaba a representar el papel que, según creía, le había asignado el destino y que consistía en un estado de perpetua tribulación y una renuncia superflua en la que cifraba su autoestima. Sentía por su marido un temor reverencial y seguramente un íntimo desprecio. Con Claudia mantenía una rivalidad unilateral, admiraba su capacidad intelectual y envidiaba su trabajo y su independencia, pero no la creía capaz de desenvolverse en la vida. Toda su capacidad de amor la había volcado en su hijo, un niñato campechano, haragán, jugador y borrachín.

Los que con recias botas la vieja piel de toro
trillaron, en los ojos quimeras y romances,
¿adónde están ahora? —decidme— ¿qué se
hicieron?

Dispuesto a pasar el mal trago cuanto antes, a la mañana siguiente llamé a casa de Claudia, dije que quería hablar con don Fermín Centellas, hubo consultas y fui citado aquella misma tarde, sobre las seis y media.

Para dar formalidad al acto me puse un traje oscuro, camisa blanca y corbata y acudí puntualmente con un discurso conciso, claro y diplomático en la cabeza.

Me recibió doña Fuensanta. Don Fermín llevaba un rato instalado en su gabinete, a la espera de mi comparecencia. Ella me acompañó hasta la puerta corredera, con un nerviosismo que la hacía vacilar a cada paso, como si anduviera desorientada en su propia casa. El mero hecho de haber concertado la entrevista había puesto a toda la familia en estado de emergencia.

Antes de abrir me puso la mano en el antebrazo y me miró fijamente a los ojos.

—Te diga lo que te diga, quiero que sepas que yo estoy de tu parte.

Aquella declaración inesperada me pareció ominosa.

El gabinete era un cuarto interior no muy grande con pretensiones de relumbrón. Lo llenaban una librería de madera oscura enteramente ocupada por la *Enciclopedia Espasa*, una mesa pesada de estilo castellano con su sillón frailuno, dos sillas de respaldo recto y una alfombra gruesa. Sobre la mesa había una lámpara de latón, un cenicero de alabastro y una foto dedicada de Franco con el uniforme blanco de la Armada en un marco de plata.

—Pasa, Rufo, y siéntate.

Hacía calor y el aire era polvoriento en aquel cuarto que apenas se usaba.

—Antes de que me digas eso tan importante que me vienes a decir, déjame que yo te diga algo.

Me senté y don Fermín frunció el ceño y ahuecó la voz.

—Aunque hace tiempo que nos conocemos, hasta hoy nunca habíamos tenido la ocasión de hablar a solas, de hombre a hombre. Ello no obstante, como puedes suponer, yo me he formado una opinión de ti y estoy seguro de no haberme equivocado. A lo largo de mi vida he tratado a mucha gente y he aprendido a calar a las personas al primer golpe de vista, a leer en sus ojos y a interpretar sus palabras y sus silencios. En mi profesión o tienes esta habilidad o ya puedes retirarte. Por eso sé que eres un chico honrado y responsable. No te ofrezco un cigarrillo porque sé que no fumas.

Hizo una pausa para encender un Ducados pestilente.

—También sé, sin necesidad de hacer averiguaciones, que sobre algunos temas pensamos de un modo diametralmente opuesto. Hasta cierto punto, es natural. Como reza el dicho, uno es más hijo de su tiempo que de sus padres, y hoy los tiempos son muy distintos de como eran antes. No me refiero sólo a las condiciones sociopolíticas o económicas, sino a las costumbres, a las relaciones matrimoniales, a las relaciones de los padres con los hijos, al sentido del deber y al amor a la patria. Me responderás que es ley de vida. Los jóvenes quieren cambiar el presente y construir un futuro que les parece mejor. Nosotros, mi generación, quiero decir, eso pensábamos y eso hicimos. ¡Vaya si lo hicimos! Pero nosotros estábamos justificados. Lo nuestro no era un berrinche generacional. Lo nuestro era salvar a España de un destino aciago. ¡Por eso derramamos nuestra sangre! Y gracias a nuestro sacrificio en las trincheras y luego gracias a nuestra tolerancia en la paz, los jóvenes habéis nacido en el orden y la libertad y podéis jugar a subversivos.

Enardecido por sus propias palabras aplastó el cigarrillo en el cenicero con saña.

—Incluso podéis renegar tan ricamente de lo que hicimos. ¡Santa ignorancia!

En vista de la deriva que iba tomando la soflama, yo no sabía cómo intercalar mi modesto discurso. Opté por callar y asentir con un ligero movimiento que expresara atención pero no conformidad con los argumentos expuestos.

—Ya sé, ya sé que hay quien a estas alturas nos echa la culpa de la guerra. Calumnias. También Nerón culpó a los cristianos del incendio de Roma. Otra calumnia. Nosotros no queríamos la guerra. La guerra separa a las familias, destruye los recursos del país. La guerra siega vidas jóvenes, empezando por la del Fundador. ¿Belicosos nosotros? Ca. El capitalismo se lucra con la guerra. No así el fascismo. El fascismo nació para luchar contra la oligarquía internacional, que no sabe de patrias ni respeta fronteras. Me duele admitir que las oligarquías triunfaron. Las derrotamos en España, pero el dinero ganó en Europa y nos arrojó a todos a los brazos de los Estados Unidos, del capitalismo sin alma y del turismo desvergonzado. La suya fue una victoria despiadada. Con la derrota del fascismo se extinguió el fuego sagrado y en su lugar se instauraron la corrupción, el amiguismo, la ineptitud y la picardía. Triste victoria. Breve victoria. Hoy volvemos a estar donde estábamos. Por doquier reina la inseguridad, la moral se corrompe. En España el terrorismo y el separatismo renacen de sus cenizas. Alguien tendrá que tomar las armas si queremos pararle los pies al viejo enemigo. Pero ya no seremos nosotros, la vieja guardia, los que avanzábamos al redoble del tambor, sin miedo a las balas. ¡Prietas las filas!

Se detuvo embargado por la emoción. Carraspeó y siguió, más sereno.

—Nuestra hora ya pasó. Aún tengo el arma bien engrasada y una caja de munición, pero nadie vendrá a llamarme. Nadie nos necesita. Pronto la guerra la harán las máquinas y los hombres las mirarán como miran las damiselas un pase de modelos. ¡Ay! Digan lo que digan, el fascismo fue la primavera de este siglo. Luego vino el frío invierno de la democracia, de los partidos y las camarillas.

Calló, me miró de hito en hito y sonrió, como si acabara de verme entrar por la puerta.

—Nunca me había sincerado con nadie como hoy lo hago contigo. Ni siquiera con mis antiguos camaradas. Te preguntarás por qué te cuento esto a ti precisamente, a sabiendas de que eres un rojillo. Pues lo hago porque estamos predestinados a entendernos y estoy seguro de que nos vamos a entender. No renuncio a convencerte. No en un día, ni en dos. Pero no es tiempo lo que nos va a faltar. Claudia no me ha contado nada, pero una hija no tiene secretos para su padre. Desde hace unos días la he sorprendido varias veces cuchicheando con su madre. De modo que, al anunciarme tu visita, sólo he tenido que sumar dos y dos. Los jóvenes de hoy sois muy listos y habéis leído muchos libros, pero cuando vosotros vais, yo ya vuelvo.

No me quedó más remedio que seguirle la corriente. No sabía cómo desengañar a aquel energúmeno y decirle que no estaba allí para pedir la mano de su hija, como Claudia, deliberadamente, le había dado a entender.

Al volver a casa me llamó mi hermana para decirme, de parte de Claudia, que me esperaba al día siguiente en el bar Mirasol cuando acabara el turno de la farmacia.

Cuando estuvimos frente a frente Claudia no paraba de reír.

—Daría cualquier cosa por haber presenciado la escena.

—Eres una rata. Eso no se hace. ¿Qué pretendías?

—Nada. Divertirme a tu costa.

—¿Y ahora qué?

—No te preocupes. No te voy a llevar al altar a base de malentendidos. Dejaré pasar unos días y diré a mis padres que soy yo la que no me quiero casar contigo. Me tomarán por loca, pero si les dijera que tú me has dejado, sería peor. De este modo es posible que hasta me tengan un poco de respeto. Y tú también.

Se puso seria, bebió un sorbo de té y continuó hablando.

—Bromas aparte, siento que tengamos que separarnos. Es tu deseo y tu decisión y contra eso yo no puedo hacer nada. Sería inútil luchar o quejarme. La separación me duele porque te quiero. Me humilla que seas tú el que me deja plantada, y sobre todo me duele porque no quiero perderte. Sé muy bien que no eres perfecto. Eres egoísta y encima no tienes valor para serlo abiertamente. Por eso eres embustero y falso, con los demás y contigo mismo. No te preocupes: tus defectos son defectos que la sociedad permite, fomenta y a veces premia. Pero eres listo, alegre y simpático, tienes curiosidad por las cosas y un espíritu inquieto que resulta contagioso. Sin ti la vida se me hará muy monótona.

SEGUNDA PARTE

Car il ne sera fait que de pure lumière.

—Si los rusos, un día de éstos, dejaran caer una bomba atómica en el centro de Manhattan, en la Quinta Avenida, por ejemplo, a la altura del Rockefeller Center...

Antes de proseguir, Paco Andrade hizo una pausa más reflexiva que dramática.

—Y me refiero a una simple bomba atómica.

Interrumpió el señor Carvajal:

—El avión que arrojó la bomba atómica llevaba a Rita Hayworth pintada en el fuselaje. Los americanos siempre han incorporado elementos de la cultura pop a momentos decisivos de su historia, como si tal cosa, mucho antes de los cuadros de Andy Warhol. Los módulos del *Apolo 10* se llamaban *Charlie Brown* y *Snoopy*. A mí no me parece bien.

Intervine yo.

—Bueno, al fin y al cabo, las carabelas de Colón se llamaban la *Pinta* y la *Niña*. Lo de la *Santa*

María fue pura chamba. Se podía haber llamado de cualquier modo.

—No es lo mismo. Ellos no sabían que iban a descubrir América. En cambio los que iban a Hiroshima sabían muy bien a lo que iban.

Javier Piñol terció en la discusión.

—Pero bueno, no nos desviemos de la cuestión. Si los putos rusos echan esa bomba en la Quinta Avenida, ¿qué coño pasa?

—Pues nada, que todos los que estén en un radio de una milla, como ahora nosotros, desaparecerán instantáneamente, desintegrados. Los que estén un poco más lejos también se morirán en el acto, pero sus cuerpos quedarán más o menos enteros, eso sí, carbonizados. Unas millas más allá, y todos se morirán lentamente, de un modo horrible. Y por fin, los que estén más lejos sobrevivirán un tiempo y luego se morirán de cáncer.

—Y con este panorama tan divertido, ¿qué nos viene a decir, señor Andrade?

—Pues eso: que nos estamos jugando la vida por algo que no nos concierne.

En aquellos años la guerra fría se mantenía en un estado latente, con momentos de exasperación. A menudo la radio interrumpía la programación para emitir simulacros de alarma y acto seguido dar unas instrucciones a la población civil para el caso de un eventual ataque nuclear. En vista de lo descrito por Paco Andrade, todas aquellas instrucciones se me antojaban un tanto fútiles, aunque quizá fueran dirigidas a los habitantes de zonas suburbiales, o incluso a los habitantes de otras ciudades, menos expuestas que Nueva York a un ataque enemigo de cualquier tipo.

—Mira, Paco, no estamos en Nueva York porque nos concierna la guerra fría. Estamos aquí porque nos pagan un sueldo decente y en España nos daban por el culo. Además, ¿para qué iban a bombardear los rusos Nueva York? Aquí no hay nada. El Pentágono, Fort Knox, eso es distinto...

—Por el efecto psicológico.

—¿Esta mierda de ciudad?, ¿a quién le importa?

Tan mala prensa tenía Nueva York cuando yo llegué allí, a mediados de noviembre del año en que rompí con Claudia y me largué de España.

Recién incorporado a mi nuevo trabajo, yo mismo me habría hecho eco de la mala fama de la ciudad.

No me había costado demasiado encontrar un empleo provisional y muy poco atractivo desde cualquier punto de vista, en la delegación de la Cámara de Comercio en Nueva York. Tenía un título universitario, sabía inglés y nadie más aspiraba a semejante destino. Yo tampoco, pero eso fue lo primero que me salió y lo cogí al vuelo. Di aviso a Marc Riera Deulofeu, dejé la revista *Gong* en manos de Gustavo Alfaro y me mudé sin tardanza.

Las pocas personas a quienes comuniqué mis planes me pintaron un panorama aterrador. Nueva York era una ciudad fea, sucia, vulgar y, sobre todo, muy peligrosa: las personas honradas no podían usar transportes públicos, ni aventurarse más allá de un reducido perímetro urbano, ni salir de noche. El clima era espantoso; la comida, asquerosa; la mayoría de la gente era ruda y despiadada; los americanos sólo se movían por dinero; allí nadie ayudaba a nadie.

Se contaban historias terroríficas. En una ocasión un conductor había perdido el control de su vehículo y había atropellado a varios peatones en una calle comercial. Antes de que la policía y las ambulancias llegaran al lugar de los hechos, los demás viandantes habían desvalijado a los heridos. Los enfermos eran objeto de robos cuando no de violaciones por parte del personal asistencial. Éstos eran sólo dos ejemplos elegidos al azar. No había ventana ni puerta seguras. Y en caso de peligro, no había que contar con la policía, que prefería mirar hacia otro lado para no meterse en líos.

Mi primera impresión corroboró estos prejuicios.

Las grandes ciudades fueron concebidas para impresionar al forastero que llegaba por mar o, más tarde, en ferrocarril. La fachada marítima o fluvial es imponente; las estaciones antiguas son suntuosas. Acto seguido el recién llegado se encontraba en una zona céntrica, rebosante de comercio, actividad y tanta opulencia como el lugar fuera capaz de mostrar. No podía haber mejor recibimiento. Ahora, por el contrario, los aeropuertos están lejos del centro, encerrados en sí mismos, de espaldas a la ciudad. El que sale de la terminal, después de un viaje fatigoso y en algunos casos de unos trámites policiales ásperos y suspicaces, se encuentra en tierra de nadie, a merced de unos medios de transporte cuyos entresijos desconoce.

Estas circunstancias se agravan en el caso de Nueva York. El trayecto hasta la isla de Manhattan es pobre, triste y muy poco amistoso.

A diferencia de Europa, donde las cosas son como son desde el origen de los tiempos, los Estados Unidos llevan mal la pobreza, porque hacer fortuna está en el origen de su existencia.

A mi llegada el frío era agudo y la luz, crepuscular. Un taxi desvencijado me sumergió en una circulación densa de camiones y autobuses enormes y coches largos, pesados, de colores pálidos, la mayoría sucios y maltratados.

El taxi era grande, pero el asiento trasero iba separado del conductor por una gruesa mampara blindada y una rejilla que impedían la visibilidad y la comunicación.

Después de un rato largo de zigzaguear por varias autopistas, al coronar una cuesta, apareció de repente el perfil imponente de Manhattan. Por haberlos visto infinidad de veces en imagen reconocí el Empire State, el Chrysler Building, la ONU. A tamaño natural parecían enormes.

La visión duró sólo un instante: la autopista se hundió y el taxi se metió en un túnel interminable.

Estábamos cruzando el East River. No se veía nada, salvo las paredes ennegrecidas, la hilera de vehículos y alguna luz aislada, pero la atmósfera era subacuática. Al salir del túnel, en mitad de Manhattan, las calles, apenas transitadas, presentaban un aspecto sombrío. Las bolsas de basura formaban una trinchera en las aceras, el pavimento estaba cuarteado.

El hotel que me habían reservado era lúgubre y la habitación, angosta y de dudosa higiene. El ruido de los vehículos traqueteando por los baches y las sirenas de la policía, los bomberos y las ambulancias me tuvieron despierto toda la noche.

A la mañana siguiente me presenté en las oficinas de la delegación, donde fui recibido con cortesía por el señor Carvajal. Como primera medida, me presentó a mis compañeros. Luego me asignó una mesa y encargó a otro empleado que me pusiera al corriente de mis obligaciones, cosa que aquél hizo de un modo prolijo y confuso.

Como no estaba familiarizado con el trabajo en una entidad pública, tardé bastante tiempo en descubrir que allí no había casi nada que hacer, porque en apariencia no hay persona más atareada y laboriosa que un funcionario. Todos llegaban puntualmente, ocupaban sus respectivas mesas y hasta la hora de salir no levantaban los ojos de algún documento o formulario, ni intercambiaban una frase que no tuviera que ver con el trabajo. A la hora del almuerzo se hacía una pausa de una hora, durante la cual todos acudían a una cafetería próxima a la oficina, hacían una comida frugal y charlaban por los codos, muy animadamente, de cualquier banalidad, tras lo cual, en fila india, se reintegraban a sus puestos. En realidad, su rendimiento era nulo, su trabajo, improductivo, y el disimulo no cumplía ningún objetivo, porque nadie los vigilaba, y menos que nadie el señor Carvajal, que se pasaba las horas y los días en el limbo. Al final de la jornada todos manifestaban una terrible fatiga y contaban los días que faltaban hasta el viernes, aunque el fin de semana se aburrían mortalmente. Tenían un concepto muy elevado de su labor, se quejaban amargamente de la desidia con que Madrid recibía sus informes y lamentaban por anticipado las consecuencias funestas de esta inoperancia para la economía y para el prestigio de España en el extranjero, ya muy menoscabado. Yo nunca vi ninguno de aquellos informes e incluso llegué a dudar de que existieran, aunque me abstuve de hacer preguntas al respecto y mucho menos expresé mis sospechas, porque a pesar de mi espíritu crítico y mi presunta rebeldía contra el sistema, desde el primer momento me adapté a aquel modo de vida con asombrosa facilidad, y mientras estuve empleado en la delegación, nunca sentí el menor escrúpulo por cobrar un sueldo a cargo del erario público a cambio de no pegar golpe.

Esto no quiere decir que me pasara las horas mano sobre mano. Nunca supe qué hacían los demás, pero yo trabajaba con ahínco organizando un fichero de productos españoles, naturales o manufacturados, cuya utilidad dependía de que fuera completo, cosa que nunca ocurriría, porque cada día salían al mercado productos nuevos o variedades de los mismos productos, lo que planteaba una disyuntiva insoluble: o terminar un fichero que por definición quedaría obsoleto *ipso facto*, o ir poniéndolo al día sobre la marcha, con lo que nunca habría tiempo para terminarlo. A aquella tarea, y poco más, me dediqué durante mi estancia en Nueva York, como un Tántalo haragán, feliz con su condena.

Mis compañeros de trabajo me dispensaron una amabilidad formal que me agradó. Todos llevaban años en Nueva York e indefectiblemente se interesaron por mi reacción ante aquella ciudad dejada de la mano de Dios. Al oír mi respuesta poco entusiasta, se mostraron complacidos y se apresuraron a incrementar mis temores con relatos espeluznantes: toda forma de violencia me fue descrita en detalle. Con el tiempo descubrí que sobrevivir en un lugar tan peligroso fomentaba su autoestima. Comparada con la tranquilidad y la molicie de un trabajo en España, su existencia en aquella avanzadilla del comercio exterior les hacía sentirse herederos de los conquistadores españoles.

Hasta mi llegada, la oficina se componía del señor Carvajal y tres empleados de plantilla: Javier Piñol, Francisco de Andrade y Alicia Pujadas.

Javier Piñol era el de más edad, pero tenía la misma categoría profesional que Paco Andrade. Alicia Pujadas era superior a mí en el escalafón, siendo yo interino y ella de plantilla, pero en tanto que secretaria, estaba, reglamentariamente, a mis órdenes.

Javier Piñol era un alicantino campechano y sin malicia que afectaba aires de aristócrata centroeuropeo. De un modo vago recordaba a Erich von Stroheim. Quizá un resto de pudor le impedía usar monóculo. Pese a esta apariencia inquietante, lo único que de verdad le interesaba era la comida. Frisaba la cincuentena y permanecía soltero, muy a su pesar, según confesión propia: a menudo lamentaba no tener a su lado a una mujer que se ocupara de él, de su ropa, de su casa y de todos los aspectos prácticos de la vida, para los que era un perfecto inútil. Aun así, los inconvenientes que en su imaginación atribuía al matrimonio le disuadían de buscar pareja, por más que sus compañeros se lo recomendaran, medio en serio medio en broma. Él se tomaba a bien estas muestras de interés y no argumentaba en su contra, pero se aferraba a una libertad que consistía en llevar una vida triste y solitaria en un exiguo apartamento amueblado en la esquina de la calle 36 con la Segunda Avenida.

Paco Andrade era lo opuesto. Leonés de nacimiento, estaba casado con una andaluza jovial y acogedora y tenía un hijo y una hija, ambos adolescentes. No sé cómo, se había comprado una bonita casa de dos pisos, con buhardilla, porche y jardín en una zona suburbial de clase media alta, a media hora de Manhattan en tren. La casa era de madera o estaba revestida de madera enjalbegada. A primera vista, era una casa típica de Nueva Inglaterra. Sin embargo, al entrar uno se encontraba con muebles rústicos de estilo pretendidamente español. Las paredes estaban cubiertas de carteles turísticos con paisajes verdes sembrados de hórreos, vacas, ovejas y otros detalles de la vida rural, porque Paco Andrade estaba muy apegado a las cosas de su tierra.

Alicia Pujadas tenía unos treinta y pocos años y era de un pueblo de Huesca, que había abandonado de niña para estudiar en Zaragoza primero y luego en Madrid, pese a lo cual parecía una monja recién exclaustrada. Sin ser fea, no era físicamente atractiva. Timorata y redicha, se escandalizaba por cualquier cosa, desde un chiste irreverente o subido de tono hasta una palabrota o una afirmación levemente heterodoxa, como si no hubiera abandonado nunca el ambiente cerrado y atrabiliario de donde procedía, en lugar de llevar muchos años viviendo en aquella ciudad en la que toda perversión tenía su escaparate. Buena como el pan, amable y simpática de trato, se declaraba una romántica empedernida y, según fui sabiendo, había pasado por la cama de muchos hombres en busca de un amor imaginario, sin que eso hubiera mermado su actitud puntillosa y estricta. Nunca supe si todos se aprovechaban de su ingenuidad o si ella, con su aparente inocencia, se estaba resarciendo de la represión vivida en su infancia y primera juventud.

Don Luis Carvajal tenía el aspecto de un funcionario ministerial trasplantado sin que en ello hubiera mediado de su parte ni voluntad ni traba, y tan bien adaptado a su lugar de destino como indiferente a los usos y peculiaridades locales. Según él mismo me contó a poco de mi llegada, había nacido en Torrelavega, provincia de Santander, y de muy niño había perdido a su padre en la guerra, de resultas de una infección contraída en el hospital de campaña donde trataban de curarle una herida leve recibida en el frente. Cuando le pregunté en qué bando luchaba su padre, el señor Carvajal se encogió de hombros y dijo no saberlo. En el que le alistaron, respondió, ¿eso qué más da? Había decidido que aquella diferencia no debía pesar en su vida más de lo que ya le pesaba haber quedado huérfano de padre y haber crecido junto a su madre y su abuela en un hogar marcado por la tragedia, en una pequeña ciudad de provincia propicia al estigma y la murmuración, y con las estrecheces propias de la posguerra.

A falta de un hombre en la casa, don Luis Carvajal creció inquieto de ideas y salvaje de conducta. A los nueve años, aprovechando el paso del circo Colodrón por Torrelavega, se fugó de casa oculto en uno de los carromatos. Al día siguiente reveló su presencia y fue llevado ante el director del circo, el cual le dio un bofetón y le ordenó volver de inmediato al sitio de donde había venido. El circo Colodrón no era un orfanato y él no estaba dispuesto a que le enchironaran por secuestrar criaturas. El muchacho se echó a llorar: estaba asustado, hambriento, no tenía dinero y no sabía cómo volver a casa. El director del circo llamó al Gran Benavente y le encomendó la misión de devolver al fugitivo a su hogar. El circo estaba levantando la carpa en un solar a las afueras de Santander, donde tenía previsto actuar aquella misma tarde, y el Gran Benavente era el único integrante de la compañía de cuyos servicios podía prescindir. El Gran Benavente había actuado en el circo Colodrón como domador de leones durante más de tres décadas sin sufrir un rasguño, hasta que se le fueron muriendo los leones y la empresa, nunca próspera y menos en las precarias condiciones de la época, se vio incapaz de reponer las bajas. Al morir el último león, escuálido y reumático, con el que había ido trabajando mano a mano los últimos tiempos, el Gran Benavente se encontró en el paro y con pocas posibilidades de encontrar un trabajo acorde con lo único que sabía hacer. Ahora seguía en la plantilla del circo y se ocupaba, entre otras cosas, de tramitar los permisos con los ayuntamientos de las sucesivas localidades donde recalaban, porque era hombre de trato fácil y, por su antigua profesión, no se arredraba ante el talante hostil y prepotente de algunos funcionarios municipales. Cuando le ordenaron reintegrar al pequeño Luisito a su hogar estuvo ponderando si era mejor ir vestido de paisano o ponerse las vistosas galas de los buenos tiempos y se decantó por esto último, porque si los paraba la Guardia Civil, cosa muy probable, el atuendo daría verosimilitud al relato de lo sucedido. Subieron a un autobús de línea y durante el trayecto el pequeño Luis puso a su acompañante al corriente de su situación y de los motivos que le habían impulsado a emprender la huida. Benavente le escuchó con paciencia y luego le dijo: Mira, chico, te voy a hablar como lo haría el padre que perdiste. Las hazañas con que tú sueñas no conducen a nada. El circo no tiene ninguna gracia. La mayor parte del tiempo es montar y desmontar, ir de un sitio a otro, ¿y todo para qué? Un trabajo rutinario, un público zafio y distraído y unos ingresos miserables. No te dejes engañar por las apariencias, añadió señalándose a sí mismo y a su llamativo atuendo, los leones son animales estúpidos, cobardes y holgazanes. Las focas es distinto. Pero los leones... Hazme caso, chico: quédate en casa, estudia, preséntate a unas oposiciones y hazte funcionario. Las guerras van y vienen, los circos pasan, pero los funcionarios siempre están ahí, cobran un sueldo a fin de mes, nadie les toca un pelo y Dios te guarde si a alguno se le antoja hacerte la puñeta. El señor Carvajal había seguido el consejo del domador y ahora estaba al frente de la delegación de Manhattan con la misma tranquilidad que si no hubiera salido nunca de Torrelavega.

El señor Carvajal era un funcionario íntegro y sin fisuras. Si en vez de haber sido destinado a Nueva York hubiera sido destinado a Badajoz, no le habría parecido ni mejor ni peor y en ambas plazas se habría comportado de la misma manera.

Con Alicia Pujadas no llegué a intimar, quizá a causa de su timidez. Con los otros sí. Tanto Piñol como Andrade habían recibido una buena educación en colegios religiosos, donde les habían inculcado unos principios y unas ideas bastante retrógrados a los que seguían firmemente adheridos por no haberlas cuestionado nunca. Tanto ellos como el señor Carvajal eran prototipos de la España de la que yo había salido huyendo. Allí, sin embargo, aislados de su mundo, me resultaban simpáticos, me resultó fácil congeniar con ellos y su peculiar idiosincrasia, lejos de molestarme, me resultaba acogedora, como si en ella viera reflejada una parte oculta de mi propia personalidad, lo cual debía de ser cierto.

En la oficina el trato entre los compañeros era cordial. El jefe trataba a sus subordinados con un paternalismo distante, pero dejaba hacer a todo el mundo lo que le daba la gana, siempre que en la conducta no hubiera ninguna salida de tono. Piñol y Andrade eran buenos amigos. Con respecto a muchos temas mantenían posturas divergentes e incluso irreconciliables, lo cual no les impedía convivir en paz y cultivar una sincera camaradería dentro y fuera de la oficina, en parte porque entre los funcionarios predominaba sobre cualquier otra cosa el espíritu de cuerpo y la solidaridad gremial.

Si algún conflicto podía surgir entre ellos, era sólo por cuestiones internas, relacionadas con el trabajo y, muy especialmente, con el escalafón, un terreno propicio a la confusión, sembrado de suspicacias y abonado para la confrontación.

Cada uno de estos personajes habría podido pasar por demente en cualquier conjunto humano salvo en el peculiar mundo del funcionariado, tan rígido en su rutina como laxo con respecto al comportamiento personal. Mientras uno se acoplara a lo primero y no creara problemas, gozaba de absoluta libertad en lo segundo. No faltaban casos, según fui sabiendo, en los que un funcionario había pasado de su puesto de trabajo al manicomio sin transición y sin que el desempeño de sus funciones hubiera dado motivo alguno de extrañeza o de preocupación. A tanto no llegaban mis compañeros, tipos curiosos, pero de conducta intachable y hábitos muy circunspectos.

Ciudad de invierno...

Lo primero era encontrar una vivienda propia y salir de aquel hotel de pulgas donde llevaba varios días sin haber deshecho todavía la maleta.

Pero yo no me precipitaba, aunque la necesidad era patente, en parte por desidia y en parte por prudencia. Quizá de un modo inconsciente, me negaba a dar un paso decisivo hacia mi instalación en una ciudad en la que me sentía mal.

Mis compañeros de trabajo me aconsejaban alquilar un apartamento cerca de la oficina: además de la comodidad y el ahorro de tiempo y de gastos de transporte que eso suponía, evitaría el metro y sus peligros y no debería arrostrar las inclemencias del tiempo.

La delegación ocupaba un lugar en la novena planta de un edificio de la calle 42, entre la Tercera Avenida y Lexington, ni tan alto ni tan bonito como sus vecinos, el Chrysler, el Chanin o el Daily News. En el vestíbulo, de mármol gris, no muy amplio y mal iluminado, había un mostrador donde una anciana malcarada vendía periódicos, revistas, tabaco y golosinas y un tenderete en el que un hindú ejercía de zapatero remendón; el lado opuesto del vestíbulo comunicaba con la puerta trasera de una cafetería abierta a la calle 42, de la que emanaba una pestilencia compuesta de muchos tufos difíciles de individualizar.

Superado este triste recibimiento, un ascensor desvencijado llevaba a la oficina, siempre oscura a pesar de unas ventanas amplias e increíblemente sucias, amueblada con el espíritu prosaico y barato de quien no concibe que eficacia y estética puedan caminar juntas. Todo parecía de segunda mano. El resultado era deprimente y yo me resistía a la idea de vivir en un apartamento que fuera una prolongación de aquel ambiente.

En mis horas libres, a pesar del frío y el temor a ser asaltado en cualquier esquina, empecé a recorrer las zonas presuntamente más tranquilas de Manhattan.

La ciudad estaba en sus horas más bajas y allí donde uno fuera la oferta de apartamentos de alquiler era abundante, variada y barata.

El West Village acaparó mis preferencias desde el primer momento. Era un barrio acogedor y amable, de calles estrechas y arboladas y casas bajas, de una belleza europea convencional, y muy animado. Inspeccioné varios apartamentos sin decidirme por ninguno, porque la relativa lejanía del trabajo me obligaba a utilizar a diario el temible metro en hora punta, hacer transbordo en Grand Central por un dédalo de pasillos y caminar luego un rato por la calle 42 con un frío despiadado para el que yo no estaba preparado ni física ni psicológicamente.

Una tarde, después de haber visto varios apartamentos, sumido en un mar de dudas, cansado, hambriento y aterido, entré en una cafetería oscura e inhóspita en una esquina de Washington Square en la que no había más cliente que yo. Pedí un sándwich de pastrami y un café, y me senté en una mesa junto a la ventana. Mientras consumía aquel desconsolador refrigerio, empezó a nevar. Una cortina de copos gruesos ocultó la plaza y los edificios. A través de la ventana sólo veía el ritmo lento de la nieve contra un fondo negro. Se había hecho un silencio insólito y la ciudad entera parecía sumida en una perfecta y efímera serenidad. La cafetería se convirtió en un refugio cálido y benévolo.

Al salir de la cafetería, la calle se había vuelto intransitable. Caminar hasta la parada de metro más cercana me llevó un buen rato. La circulación rodada se había interrumpido y apenas si se veía algún transeúnte dando trompicones. Las aceras y la calzada, siempre grises y mugrientas, ahora estaban cubiertas de una blancura inmaculada y hasta las bolsas de basura parecían esculturas abstractas. El viento se había calmado y en el aire quieto de la noche el frío era menos vivo.

Cuando salí del metro la tregua había concluido: por la calle 42 circulaban autobuses con cadenas en las ruedas que iban dejando surcos negros como de petróleo y magullando el pavimento de un modo doloroso. Los porteros de los edificios echaban cubos de sal delante de las puertas para evitar que se formaran capas de hielo. Cuando llegué al hotel tenía los pantalones empapados hasta media pierna y los zapatos habían quedado inservibles.

Entonces comprendí que quienes me habían prevenido contra el clima de Nueva York me habían engañado, porque el clima de Nueva York no es un clima, sino una aventura.

Al cabo de un par de días, cuando se hubo restablecido parcialmente la normalidad, volví al Village y alquilé por tres años un apartamento en un edificio alto. El apartamento estaba en la planta doce y era bastante amplio, con una buena calefacción, una cocina y un cuarto de baño decentes y dos grandes ventanales a través de los cuales se veía la parte norte de Manhattan, con el Empire State a lo lejos, y un mar de azoteas rematadas por enormes cilindros de madera con tapa de cinc.

Aquel fin de semana me instalé allí sin más muebles que un colchón en el suelo y una lámpara de pie, ni más menaje que la ropa de cama, las toallas y un proyecto de vajilla y cubertería que adquirí apresuradamente en unos grandes almacenes y acarreé yo mismo hasta mi nuevo hogar en un taxi de los años cincuenta en el que cabía todo. Llené la nevera de comida y me sentí en mi casa. El periodo de adaptación había acabado.

Al principio iba y venía del trabajo en metro con cierto resquemor. Luego comprendí que los vagones iban llenos de personas como yo, que se dirigían al trabajo o a sus quehaceres, absortas en sus preocupaciones. Acepté las mordeduras del frío, me compré un chaquetón y unas botas aptas para caminar por la nieve y después de sufrir dos caídas ridículas y aparatosas, que se saldaron con sendos moretones, aprendí a moverme sobre el hielo.

Nueva York no da a sus habitantes la grandeza, pero sí la energía de los héroes.

And now just think how few of these people are doing essential work.

Poco a poco empecé a establecer contactos humanos fuera de la oficina.

El portero de la casa donde fui a vivir se llamaba Matías y era oriundo de un país centroamericano. Como a mí me hacía gracia su modo de hablar español y a él el mío le hacía la misma gracia, solíamos conversar un rato cada vez que yo entraba o salía del edificio. En una ocasión le pregunté si no echaba de menos su tierra y me contestó que no.

—Mire, señor, yo allá era pobre y acá sigo siendo pobre, pero la diferencia es grande. Acá un pobre no tiene nada, pero vive rodeado de comodidades. En mi tierra ese mismo pobre no tendría ninguna. En mi tierra lo peor no es la pobreza, sino la privación. Acá el pobre más pobre se puede permitir un capricho de cuando en cuando: tomarse un *ice cream*, ir al cine. Allá nada de eso existe. En mi tierra el más rico se compra un gran carro, un Cadillac o un Lincoln Continental, pongamos por caso, ¿y adónde va en su carro, si todo es suciedad y miseria? En cambio acá, sin tener carro ni nada, por unos centavos, el metro te lleva a Coney Island, y ahí te sientes como si los ángeles te hubieran llevado en volandas al Paraíso.

En otra ocasión, mientras compartíamos el ascensor, una vecina me preguntó si era español y al responderle afirmativamente, dijo haberlo deducido de mi vestuario. Sólo un español podía llevar un traje tan bien cortado. Como no era el caso del mío, supuse que había hecho averiguaciones sobre mí y ahora encubría su cotilleo con un halago. Al despedirnos dijo vivir dos pisos más arriba y me invitó a visitarla y tomar una copa de vino blanco aquella misma tarde. Como me doblaba en edad y en su invitación no parecía haber ningún propósito oculto, acepté y a la hora convenida me presenté en su apartamento, similar al mío en tamaño, pero puesto con elegancia y confort. Muebles sólidos, alfombras, cortinas, pequeños óleos de paisajes y una biblioteca con algunos libros antiguos encuadernados en piel lo hacían parecer más grande y pertenecer a una categoría tan superior que por un momento pensé si el propósito de la invitación no habría sido darme a entender que yo no pertenecía a aquel edificio y que mi presencia allí sólo era una lamentable consecuencia de la deplorable coyuntura económica. También en eso me equivocaba.

Cumplidas las cortesías iniciales, mi anfitriona pasó a contarme que vivía sola porque había enviudado tres años atrás y su marido y ella no habían tenido hijos. Se habían casado ya mayores, al terminar la guerra. No la Segunda Guerra Mundial, sino la guerra civil española, en la que su marido había participado como miembro de la brigada Lincoln, en rigor, el batallón Abraham Lincoln. A aquel turbulento periodo de su vida su marido rara vez hacía alusión en privado y jamás en público, ya que sobre los brigadistas pesaba la sospecha de pertenecer o haber pertenecido al partido comunista, con las consecuencias que eso habría tenido en los Estados Unidos de la época en todos los terrenos y muy especialmente en el terreno profesional. En realidad, él no era comunista, ni siquiera socialista. Se había enrolado para luchar contra el fascismo, había corrido grandes peligros y arrostrado penalidades inimaginables para verse luego condenado al ostracismo, injustamente convertido en un verdadero paria por el país cuyas libertades creía haber estado defendiendo, dijo mi vecina con amargura.

En las décadas posteriores a la Segunda Guerra Mundial, el pobre brigadista se había visto en la necesidad de cambiar de trabajo varias veces a causa de la animadversión de sus jefes y de sus propios compañeros, que implícitamente lo tachaban poco menos que de traidor. Durante esta etapa difícil de su vida, ella, que se ganaba bien la vida en una importante editorial especializada en literatura infantil, le había brindado incondicionalmente su apoyo moral y a veces también económico, hasta que finalmente, con el paso del tiempo, más por olvido que por justicia y sin llegar nunca a una completa normalidad, los ánimos se habían serenado.

Cuando ambos se jubilaron, casi al unísono, y a pesar de la salud algo mermada de él, el matrimonio se había dedicado a viajar, sobre todo por Europa. Pero su marido nunca quiso volver a España, por más que ella se lo pedía encarecidamente. Le habría gustado visitar con él los lugares donde había estado durante la guerra y ser testigo de sus reminiscencias. No hubo forma de convencerle. De cuando en cuando, su marido acudía a una taberna del Upper West Side, un local histórico, donde había cantado Ella Fitzgerald, y allí se encontraba con otros exbrigadistas. Probablemente entre ellos sí hablaban de los momentos compartidos, sin duda porque cada uno sabía del miedo y el horror que habían experimentado los demás y sabían cuándo había que callar o pasar de puntillas sobre ciertos temas. Con ella, en cambio, su marido sólo hablaba de España como si allí hubiera disfrutado de unas agradables vacaciones en sus años mozos, con gran cariño hacia el país y hacia los españoles, de los que solía referir anécdotas triviales que reflejaban la amabilidad y el sentido de humor de aquella buena gente a la que, sin embargo, había visto empeñada en una matanza despiadada y concienzuda.

Después de la visita a mi vecina y de habernos despedido con unas muestras de cordialidad que auguraban futuros encuentros, nunca más nos volvimos a ver. Transcurridos unos meses, el portero me informó de que aquella señora había dejado su piso y se había ido a vivir a Florida con una hermana también viuda y sin hijos.

El sentimiento de culpa por no haber hecho nada para paliar la soledad de aquella mujer, tan vinculada a la memoria colectiva de España, me llevó a visitar la famosa taberna del Upper West Side donde, según ella me había dicho, se reunían los brigadistas. Resultó ser un local lóbrego y destartalado, con el suelo cubierto de serrín y una clientela compuesta de unos pocos borrachos pendencieros. Allí no cantaba ni la Primera Dama del Jazz ni nadie, salvo algún beodo en plena melopea. Al pronto pensé que la taberna había corrido la suerte del barrio, años antes zona residencial de una clase media acomodada y ahora territorio degradado y arriesgado de transitar. Luego pensé que a lo mejor mi vecina, al tener noticia de mi nacionalidad, se había inventado la historia del marido brigadista en un intento desesperado por obtener de mí una esporádica compañía que la entretuviera. O, simplemente, era una mentirosa compulsiva, cosa frecuente entre los americanos, según pude constatar, en aquellos años difíciles para un país poderoso en plena crisis de identidad por la recesión económica y la guerra de Vietnam.

Con el tiempo aprendí que la mayoría de los neoyorquinos, por su procedencia o por los avatares de su vida, tenían una buena historia que contar, pero sólo una.

De la pasada edad, ¿qué me ha quedado?

A medida que me iba compenetrando con la ciudad, Barcelona y su gente se difuminaban en mi recuerdo de un modo imperceptible.

Mi único contacto personal se reducía a las cartas que escribía y recibía. Hablar por teléfono era caro y complicado. La prensa española no llegaba a los quioscos y los medios de comunicación locales no hacían mención de España salvo en el caso improbable de que allí ocurriera algo importante.

Como las cartas tardaban una semana en llegar a su destinatario, el diálogo epistolar se reducía a pequeñas crónicas desganadas, cada vez menos personales, hasta convertirse en un mero trámite encaminado a evitar el olvido.

Yo las escribía más por sentido del deber que por ganas y las recibía con una ilusión que la lectura del primer renglón convertía en decepción, hastío y algo parecido al resentimiento, porque de algún modo aquellas cartas, hechas de pequeños detalles familiares, me obligaban a mantener una vinculación con el pasado y me hacían sentir un expatriado, y ésta era una condición que yo no estaba dispuesto a adquirir.

A lo largo de mi vida había invertido en mi país esfuerzos y esperanzas y a cambio había obtenido pocas satisfacciones y ningún motivo de orgullo. Finalmente había dejado España para empezar una nueva vida. Después de un principio desalentador, me iba aclimatando a Nueva York y las duras condiciones imperantes favorecían este propósito en la medida en que me obligaban a conquistarla día a día y paso a paso. Difícilmente podía describir esta pequeña épica personal en unas cartas breves y espaciadas, dirigidas a unas personas con quienes, en el fondo, nunca había tenido una relación profunda.

De mis padres recibía cartas anodinas con exasperante regularidad. De la meticulosa datación del encabezamiento y la fecha del matasellos deduje que me escribían una carta el domingo y el lunes la echaban al buzón. Me los imaginaba sentados a la mesa del comedor al caer la tarde de un domingo aburrido, coartándose mutuamente cualquier posible espontaneidad y eligiendo al alimón las noticias más inconsistentes sobre los temas más insustanciales. Yo contestaba en el mismo tono, porque tampoco conseguía encontrar una fórmula sencilla para expresar sin dramatismo cariño y añoranza.

Mi hermana Anamari me escribía menos, pero siempre contaba alguna novedad o hacía un comentario oportuno, por lo general malicioso. Una vez me informó, como de pasada, de que estaba saliendo con un chico. A vuelta de correo le exigí que definiera el término *salir*. Respondió que, por el momento, tenía con aquel chico una relación parecida a la mía con Claudia, pero que esperaba recibir un trato menos desalmado que el que yo había dispensado a la pobre Claudia. De aquel exabrupto y del hecho de que no mencionara el nombre del chico en cuestión deduje que la cosa iba en serio. La alusión a Claudia me dio pie para preguntar por ella. Anamari dijo no haberla vuelto a ver ni saber nada y me sugirió que, si la echaba de menos, tenía mala conciencia o sentía curiosidad, me aguantara y dejara en paz a la pobre Claudia. Prometí seguir su admonición y le reproché la improcedente reiteración del adjetivo *pobre*, que Claudia no se merecía.

Mi hermano no me escribió nunca. Por Anamari sabía que estaba bien y que seguía tan esquivo como de costumbre.

Los amigos empezaron escribiendo de cuando en cuando, pero se creían en la obligación de ser graciosos y como eso, por escrito, es muy difícil, renunciaron después de varios intentos patosos y me dejaron incomunicado.

El abandono generalizado me resultaba práctico y halagüeño.

Al cabo de un tiempo empezaron a aparecer algunos compatriotas, a los que algún asunto, por lo general de trabajo, había llevado a Nueva York. Apenas desembarcados, me llamaban, aunque sólo me conocieran por referencias, a través de amigos comunes, no por interés hacia mi persona, sino en busca de alguien que pudiera orientarlos y protegerlos en aquel lugar desconocido y hostil. Yo, por cortesía, concertaba una cita con los recién llegados, les mostraba algún lugar típico y los invitaba a cenar en un restaurante de medio pelo, de acuerdo con lo limitado de mis medios. Casi todos los visitantes se comportaban de un modo que a mí se me antojaba pueblerino: no escuchaban lo que yo les contaba, hablaban por los codos de sus propias experiencias y, en fin de cuentas, me trataban como a un bicho raro. Al despedirnos me dejaban un sentimiento indefinible que era lo contrario de la nostalgia.

Is the White bear worth seeing?
Is there no sin in it?
Is it better than a black one?

Como inicialmente no tenía ningún contacto en Nueva York, al principio sólo trataba con mis compañeros de trabajo y con algunas personas que frecuentaban la delegación, generalmente españoles residentes en Nueva York. Sin embargo, transcurridas unas semanas y por diversos cauces, me encontré acudiendo casi por inercia a *parties* donde no conocía a nadie y donde me aburría de un modo indecible.

Nueva York era una ciudad de aluvión, un enorme centro de acogida, no amable aunque sí generoso, para emigrantes, desamparados y trotamundos de muchos tipos y muy variada procedencia. Pero una vez allí, el recién llegado quedaba absorbido por la masa urbana y su personalidad se diluía en el aire, como un gas inerte. Tal vez por esta causa se forzaban encuentros donde cada uno pudiera recuperar por un rato una parte reconocible de su identidad primigenia. Con cualquier pretexto las personas establecían leves contactos y se organizaban unas reuniones sociales denominadas *parties*.

Un *party* se podía celebrar cualquier día de la semana, al caer la tarde, después de la jornada laboral, y concluir poco antes de la cena, nunca incluida en el programa del *party*. Los invitados eran tantos como cabían en la vivienda del anfitrión, es decir, no muchos, y eran seleccionados en función de su falta de afinidad para evitar la poca interacción social resultante del conocimiento mutuo. De ahí el éxito de los recién llegados como yo.

En los *parties* la bebida era abundante y la comida, si la había, escasa.

Todos los invitados estaban de pie, para poder circular de grupo en grupo, interesándose por todos y por nadie, intercambiando breves fórmulas de cortesía y bromas ligeras, sin entrar nunca en materia, hasta que, con suerte, el alcohol desinhibía a alguien y se producía una trifulca o un chorro incontenible de embarazosas confidencias.

En los *parties* se procuraba que hubiera un número igual de hombres que de mujeres y, a ser posible, que hubiera gente de diversas nacionalidades y etnias. Esta conjunción aleatoria, sostenida por una forzada cordialidad, propiciaba el ingenio y premiaba la excentricidad; el comportamiento caprichoso e irritante e incluso la histeria eran tenidos por muestras de originalidad.

Cuando empecé a ir a *parties* me llamó la atención el comportamiento de las mujeres, no porque fueran diferentes de los hombres, sino porque mi relación con ellas era diferente. La mayoría parecía cortada por el mismo patrón: se movían con soltura, hablaban sin parar y no se entendía nada de lo que decían. Yo pensaba que a lo mejor la bebida se les subía antes a la cabeza, aunque no excluía que fueran meramente estúpidas. A la vista de la apatía con que respondían a mis esfuerzos por caerles bien, a la tercera o cuarta vez dejé de hacerles caso, hasta que conocí a Valentina en casa de China Higgins.

China Higgins daba muchos *parties*. Vivía en un edificio antiguo de Riverside Drive, en un ático con un salón enorme y varias habitaciones, amueblado con una elegancia costosa. Por las ventanas se veía el Hudson y una panorámica de New Jersey, oscura y deprimente.

El verdadero nombre de China era Conchita. Era alta, con rasgos duros, de una belleza clásica. Le gustaba que le dijeran continuamente que era muy guapa, no tanto por vanidad como por inseguridad. Era hija única de una familia madrileña linajuda y venida a menos. En Madrid había conocido a un muchacho norteamericano llamado Allan Higgins y se habían casado muy deprisa, con una blanda oposición por parte de ambas familias y un genuino pesar por parte de los padres de China, que perdían a su hija, por más que el novio fuera un buen partido. En el tiempo que China y Allan llevaban casados, los padres de ella nunca habían viajado a Nueva York: eran personas chapadas a la antigua y no se decidían a cruzar el Atlántico y meterse en una ciudad tan violenta y ruda. China y Allan tenían dos hijos, un niño y una niña, de cinco y cuatro, respectivamente. Ella, por su parte, se negaba a viajar a Madrid con dos criaturas tan pequeñas, con lo que la temida pérdida se había hecho realidad. A China el desinterés de los abuelos le resultaba incomprensible y doloroso.

En Nueva York China vivía como una reina, pero se sentía muy sola. Allan ganaba mucho dinero, la colmaba de regalos y le consentía todos los caprichos. En cambio, China trataba bastante mal a su marido, hacia el que mostraba un profundo desdén. Él siempre estaba ausente, unas veces retenido por su trabajo hasta altas horas de la noche, y otras de viaje. Se había especializado en derecho penal y su clientela estaba compuesta en su mayor parte por personajes importantes del crimen organizado, algunos italianos, otros judíos, otros griegos y otros, yanquis de pura cepa. Tenía clientes de todas las etnias salvo hispanos. Con los hispanos no quería tener tratos, porque eran muy dados a la violencia y a los delitos de sangre. Defender a homicidas no era bueno para la reputación de un abogado, sobre todo si el defendido había cometido múltiples homicidios o se había ensañado con sus víctimas, como solía suceder con los hispanos. A éstos los defendían abogados de aspecto zafio, poco escrupulosos, auténticos parias de la profesión.

China daba *parties* para compensar el abandono de su marido y, contraviniendo la norma de la diversidad, invitaba a muchos españoles, residentes o de paso. Era sociable por naturaleza y le gustaba exhibir su piso, su ropa y sus joyas.

A mí China me cayó bien desde el primer momento, aunque su afán de agradar acababa por hacerse empalagoso. La belleza y el descarado coqueteo de la anfitriona provocaba una gran excitación entre los varones, aunque ninguno se atrevía a propasarse, seguramente porque les cohibía aquel ambiente de lujo, tan distinto del suyo.

En las escasas ocasiones en que Allan hacía acto de presencia en los *parties* de China, se esforzaba por ser simpático. Apenas si chapurreaba el español y, desde luego, no podía seguir nuestras conversaciones. Para compensar esta desventaja, se reía a grandes carcajadas, sin ton ni son, y ofrecía comida y bebida sin parar a los invitados. Debajo de su histrionismo se advertía un auténtico deseo de agradar y ser aceptado en el círculo de compatriotas de su mujer, a pesar de ser todos hispanos. Era evidente que con los españoles hacía una excepción por deferencia hacia ella. Los desplantes que China le hacía en público parecían resbalarle. O no se los tomaba en serio o disimulaba la amargura que le causaban. En este aspecto, China era temeraria porque, en definitiva, la posición social de que gozaba se la debía exclusivamente a Allan. Si se hubieran divorciado, ella habría obtenido una suculenta pensión y seguramente la custodia de los hijos, pero como Allan era un abogado con muchos recursos, este resultado era incierto.

Ah! Comme elle était belle
et comme je l'aimais!

Conocí a Valentina en uno de los *parties* en casa de China. En realidad, fue Valentina la que vino a mi encuentro. Hasta entonces yo casi no había reparado en ella, acaparado por las atenciones que me dispensaba China al advertir que yo, a pesar de ser un recién llegado y un pobre asalariado, no me dejaba impresionar por su nivel de vida, lo cual era bastante cierto: estaba tan contento con mi modesto apartamento, con mi barrio, con mi vida e incluso con los apretujones del metro, que los privilegios de los demás me traían sin cuidado. Y como China no podía consentir mi indiferencia, me prodigaba sus atenciones.

Valentina era atractiva, pero no parecía interesada en gustar a nadie. Vestía de cualquier manera, no se maquillaba y hablaba con frases entrecortadas, como si su interlocutor la estuviera aburriendo y quisiera abreviar el diálogo. China y Valentina eran íntimas amigas, pero Valentina sentía hacia China una rivalidad casi ridícula: se esforzaba por ser el negativo de su amiga. El padre de Valentina era inglés y su madre española. Los dos vivían en España, separados desde hacía muchos años. Harta de ir del uno al otro, en cuanto alcanzó la mayoría de edad, Valentina se fue a Nueva York. Quería liberarse del involuntario chantaje sentimental al que se sentía sometida. Me contó todo aquello sin irritación ni tristeza, pero su tono denotaba la firme determinación de no establecer vínculos afectivos de ningún tipo. Todo esto la hacía muy poco seductora. Después de contarme estas cosas, se desentendió de mí. Más tarde, como el *party* languidecía, alguien puso música y dos parejas salieron a bailar. Valentina se les unió con aire abstraído. Entonces me dije: si antes de contar hasta veinte me mira, significa que algo espera de mí. Pensé que si la artimaña le sirvió al príncipe Andréi con Natasha, también podía servirme a mí. En aquel momento, Valentina me dirigió una mirada y una media sonrisa. Es posible que la artimaña funcione en la mayoría de los casos. A partir de entonces no volvimos a hablar, pero no la perdía de vista. Cuando se dirigió a buscar su abrigo, sin despedirse de nadie, yo hice lo mismo y abandonamos el *party* juntos. En el ascensor le pregunté si vivía lejos. En vez de responder se encogió de hombros. En la calle hacía un frío insoportable. Paré un taxi, subimos y le oí dar al taxista una dirección en la Tercera Avenida con la calle 33. Al llegar, ella bajó primero. Dado su retraimiento durante el trayecto, temí que desapareciera mientras yo pagaba, pero cuando me apeé, estaba en la acera, en una actitud casi modesta.

Al apartamento de Valentina se llegaba por un zaguán sombrío, un ascensor metálico y polvoriento y un pasillo tortuoso y mal iluminado. Una vez dentro, el apartamento distaba de ser acogedor. Consistía en un rectángulo demasiado largo y demasiado alto de techo, sin particiones. Unos paneles de madera sin pulir separaban el cuarto de baño del resto de la vivienda. Al fondo, en el extremo opuesto a la entrada, una ventana ocupaba todo el paño de pared. Los cristales estaban muy sucios por la parte de fuera y no tenían cortinas ni nada que protegiera la vivienda de las miradas de los vecinos. Valentina me explicó que en el edificio de enfrente sólo había oficinas, que se vaciaban a las cinco de la tarde. Ahora era una simple caja vacía de ladrillo rojo. A pesar de la explicación, me cohibía la falta de intimidad. Los muebles eran pocos y de estilos variados, ajados y macizos, como de anticuario barato; quizá ya estaban allí cuando ella alquiló el apartamento. En lugar de armario había un nicho tapado con una cortina de tul que dejaba ver prendas de ropa colgadas. Nada parecía haber sido elegido con un criterio personal o funcional, y tuve la impresión de que lo mismo ocurría conmigo. Si al principio me había estimulado el juego y el misterio, ahora mi desconcierto nos convertía en dos extraños. Tal vez debería haberme ido, pero en aquel momento el gesto me pareció forzado y quizá ofensivo. Suplimos la falta de pasión con naturalidad. Valentina puso mucho de su parte. A ratos me sentí tratado con ternura. Probablemente estaba acostumbrada a situaciones similares. Como había empezado a nevar, me quedé a dormir allí.

Me desperté sobresaltado, sin saber dónde estaba. Aún era noche cerrada. A través de los mugrientos cristales vi caer la nieve contra una oscuridad resplandeciente que lo engullía todo. Me sentí perdido en el cosmos, como en una película de ciencia ficción. La persona que dormía a mi lado era mi único refugio. Quizá mis sentimientos por Valentina no habrían sido tan intensos de no haberse desarrollado en un lugar tan teatral. Todo era grandilocuente en Nueva York.

A la mañana siguiente nos despedimos sin ceremonias.

Al salir a la calle metí la pierna en un charco de agua helada y sucia que la nieve no dejaba ver. Durante el día, al rememorar los incidentes de la noche anterior, me asaltaba la idea absurda de haber estado con un fantasma bondadoso. Aquella misma noche llamé al teléfono que había tenido la previsión de anotar antes de salir de su apartamento. Respondió un contestador automático, dejé un breve mensaje y mi número de teléfono. Valentina no me devolvió la llamada, ni las que fui haciendo en días posteriores. Su silencio me mortificaba, pero me negaba a interpretar lo que parecía evidente, es decir, que Valentina había decidido cortar por lo sano nuestra incipiente relación. Era una decisión poco halagadora para mí, pero razonable por su parte. Valentina no quería ligámenes sentimentales y nuestro lance no la había dejado con ganas de repetir la experiencia. Esta deducción no hería mi amor propio: por lo general caigo bien a las mujeres, pero no les hago perder la cabeza. Sin embargo, en este caso no me reconciliaba con la idea de que Valentina anduviera con otros. Nunca hasta entonces me habían devorado los celos.

Si quería volver a verla, lo primero era ocultar aquellas emociones contraproducentes. Dejé de importunarla y al cabo de diez días volví a llamar y en tono despreocupado dejé un mensaje en el contestador diciendo que me habían dado dos entradas para el concierto del próximo miércoles en el Carnegie Hall, el programa era magnífico y yo no conocía a nadie aficionado a la música clásica; si me quería acompañar, podíamos quedar en la puerta del auditorio; si no, trataría de revender la entrada allí mismo.

Al día siguiente al volver del trabajo, encontré en el contestador de mi teléfono un mensaje de Valentina diciendo que aceptaba la invitación. No era para menos. Aquella noche dirigía Carlo Maria Giulini al frente de la Orquesta Sinfónica de Chicago, de la que había sido director invitado hasta hacía poco. El programa consistía en los *Cuadros de una exposición* de Músorgski y la Sexta Sinfonía de Tchaikovski.

Valentina llegó puntual. En el entreacto me dijo que le gustaba toda la música, incluida la música clásica. Por la forma de decirlo la creí a medias, pero me guardé mucho de hacerle alguna pregunta capciosa: estaba satisfecho del resultado de mi estrategia y la posibilidad de que en realidad no le gustara la música clásica me hacía pensar que tal vez había venido por mí. De todos modos, opté por no precipitarme.

A la salida le pregunté si quería tomar algo rápido. Añadí que yo no podía alargar mucho la velada, porque a la mañana siguiente había de estar temprano en la oficina y si no dormía lo suficiente, no daría pie con bola. Con aquella premisa falsa fuimos a una cafetería de la Séptima Avenida y comimos deprisa y mal. Ella insistió en pagar para corresponder a mi invitación. Me negué: las entradas no me habían costado nada. No era verdad: las había comprado y había pagado por ellas un precio bastante alto. Pagamos la cena a escote, como dos buenos amigos. Si ella adivinó la sarta de mentiras que le estaba contando no lo dijo. Durante la cena le pregunté por su trabajo. Valentina me dio una explicación bastante confusa. Tampoco insistí, porque en aquel momento no tenía la menor curiosidad por el tema. En realidad, nunca supe cómo se ganaba la vida. Una vez me dio a entender que intervenía en intercambios culturales entre España y los Estados Unidos, especialmente de carácter cinematográfico. No concretó más. Es cierto que conocía a mucha gente en las delegaciones e instituciones oficiales y semioficiales. Si tal cosa le devengaba ingresos, no lo sabría decir. Probablemente su familia le remitía dinero con regularidad o no habría podido subsistir en Nueva York.

Al concluir la cena paré un taxi. Di la dirección de Valentina y dije que luego continuaríamos viaje hacia Greenwich Village. En el trayecto intercambiamos frases sueltas y al llegar ante su casa me bajé del taxi para despedirnos en la acera. Me rozó los labios con los suyos y corrió hacia el portal. Soplaba un viento gélido que no permitía más efusiones. Cuando hubo entrado y cerrado la puerta, subí de nuevo al taxi. Durante el resto del trayecto me reproché mi conducta hipócrita. Me sentí un farsante. Al entrar en mi apartamento me hice el firme propósito de no volverla a llamar.

Mantuve mi promesa. Luego Valentina me llamó para decirme que aquel sábado estaba invitada a un *party* en casa de un matrimonio norteamericano y que, si no tenía otros planes y me apetecía, la podía acompañar. Acepté disimulando mi alborozo y mi nerviosismo.

El sábado, a la hora convenida, fui a buscarla. Era una tarde limpia y fría. Unas nubes blancas cruzaban el cielo a gran velocidad. Valentina no tardó en salir. Se había maquillado y llevaba un abrigo elegante, botas y guantes de piel. Iba del brazo de un individuo alto, moreno y apuesto llamado Ernie.

Debido a un malentendido con un casero desaprensivo, Ernie se había visto obligado a desalojar su apartamento en poco menos de una hora y Valentina lo había acogido en el suyo hasta tanto no encontrara un nuevo alojamiento. Dadas las dimensiones y el mobiliario del apartamento de Valentina, sin duda Ernie y ella compartían la cama. Pensé que Valentina se había percatado de mis mentiras o, al menos, de mis intenciones, y ahora me ponía en aquella situación tan desairada. De lo contrario, pensé, no me habría invitado al *party*.

Now, I give you fair warning, shouted the Queen, either you or your head must be off. Take your choice!

Fuimos en taxi y en el trayecto Ernie me puso en antecedentes de su persona. Era la oveja negra de una familia de clase media del barrio madrileño de Lavapiés. Tenía una abuela cubana, razón por la cual se consideraba mulato, aunque no lo era, y, sin lógica alguna, atribuía a este rasgo inventado el origen de sus excentricidades. Había empezado a estudiar Medicina en Madrid, pero había dejado los estudios en el segundo curso para emprender una vida bohemia que le había llevado a Ámsterdam y finalmente a Nueva York, donde llevaba unos cuantos años residiendo y donde, al igual que Valentina, se ganaba la vida con oficios variados y confusos. Valentina y él eran dos personas caóticas y esencialmente libres. Más tarde averigüé que Ernie, gracias a sus exiguos conocimientos de medicina, podía conseguir, sabe Dios cómo, productos farmacéuticos sin receta y se atrevía a poner inyecciones, lo que le daba gran predicamento entre la colonia española. Aparte de eso, era querido por su carácter alegre, a veces desmedido.

Distraído con estas explicaciones, llegamos a un espléndido apartamento de la Quinta Avenida, frente al parque, donde se celebraba la fiesta. Nos abrió la puerta un anciano vestido de mayordomo o comodoro. Sin decir nada se llevó nuestros abrigos y nos dejó solos en el vestíbulo. En la sala contigua había mucha gente distribuida en pequeños grupos. En el extremo opuesto del vestíbulo, a través de una doble puerta, se podía entrever una salita con un piano de cola.

Como nadie salía a recibirnos, Valentina y Ernie entraron muy decididos en la sala y se mezclaron con la gente y a mí me dejaron plantado.

A diferencia de los *parties* a los que solía acudir, en aquella casa todo el mundo se conocía. Aquel detalle acentuó mi sensación de estar de más. Aun así, vencí el impulso de coger el portante, porque eso me habría dejado de un humor sombrío. Además, en casa no tenía nada para cenar y no era cosa de buscar un restaurante el sábado por la noche.

Mientras titubeaba, distinguí entre la gente a Allan y China Higgins. Los dos iban muy acicalados, especialmente ella, con un vestido escotado y un collar de perlas. Me acerqué haciéndome el distraído, porque estaban charlando animadamente con tres caballeros de mediana edad y mucho empaque y no quería entrometerme en la conversación. China me vio, dijo algo al oído de Allan y éste me incorporó al corro con un sencillo ademán, como si fuera un viejo amigo.

—Queremos oír tu opinión de extranjero sobre un asunto que nos tiene muy preocupados. Te presento a los doctores Bosta, Blomstedt y Rondel, dos eminentes cardiólogos y un no menos eminente gastroenterólogo, todos ellos, sin embargo, poco versados en cuestiones políticas, porque afirman que dentro de unas semanas todo el mundo habrá olvidado qué significa la palabra *Watergate*, y yo digo que este asunto tiene una enorme trascendencia.

El caso Watergate tenía en ascuas al país. Todos los medios se hacían eco del escándalo y los comentaristas discutían el tema acaloradamente en los periódicos y la televisión. Antes de trasladarme a Nueva York yo me había informado de un modo sucinto por la prensa española y ahora seguía el curso de los acontecimientos con más escepticismo que curiosidad.

Allan Higgins confesó haber votado a Nixon, a pesar de sus prevenciones, porque creyó en la promesa electoral de acabar de un modo expeditivo con la matanza espantosa y sin salida de Vietnam y la ruina económica en que se hundía el país. Luego la promesa no se había cumplido, el conflicto bélico se había extendido a los países vecinos y la crisis económica parecía imparable.

—Se veía venir.

El que había hecho aquel comentario era un hombre bajo, rollizo, calvo y risueño. Vestía una americana de *tweed* y llevaba lazo en lugar de corbata.

En julio de 1972 los vigilantes de turno del hotel Watergate en Virginia Avenue, Washington, pillaron con las manos en la masa a unos individuos que habían allanado la oficina electoral del candidato demócrata a las elecciones presidenciales. Al parecer buscaban datos comprometedores para usarlos durante la campaña en descrédito del candidato rival, un acto a todas luces innecesario, porque según todas las encuestas Nixon no necesitaba hacer nada para asegurarse la reelección. En aquel momento, la investigación había comprometido a varios miembros del equipo gubernamental y la responsabilidad amenazaba con alcanzar al propio presidente.

A mí todo aquello me parecía exagerado. Acostumbrado a la impunidad del régimen de Franco, creía sinceramente que el abuso del poder estaba implícito en su ejercicio mismo. Por otra parte, en el caso concreto del hotel Watergate, el crimen me parecía de poca monta. Y aplicar la ley a rajatabla podía desestabilizar el orden interno de toda la nación.

También había observado que en los Estados Unidos un sector de la prensa no tenía reparos en exagerar noticias triviales para llamar la atención de sus lectores y aumentar las ventas, ni las publicaciones populares se reprimían a la hora de inventar cualquier patraña. Era probable que el caso Watergate formara parte de esta estrategia de ventas. Por supuesto, cuando Allan Higgins me preguntó mi opinión, no expuse este parecer ni nadie prestó atención a mi silencio. Para los americanos lo que estaba en juego no era una triquiñuela electoral poco elegante, sino la esencia misma de su sistema político. Nadie estaba por encima de la ley, ni siquiera el presidente. En aquel terreno no cabía relativismo ni transigencia.

Mientras Allan Higgins y los doctores hablaban, China me lanzaba miradas insinuantes y a escondidas me hacía caricias furtivas. Seguramente se había enterado de mi noche con Valentina y no quería ser menos. Yo estaba cohibido y me sentí aliviado cuando el anciano mayordomo y una criada con uniforme y cofia almidonada, que habían estado colocando fuentes de comida en una mesa larga, indicaron a los invitados que podían servirse. De inmediato se disolvieron todos los grupos, inclusive el nuestro.

En un extremo de la mesa había una pila de platos, cubiertos y servilletas. Tuve que hacer un rato de cola para conseguir dos lonchas de carne cubiertas de una salsa espesa y acompañadas de unas verduras mustias. Con este magro botín y una copa de vino tinto, me instalé en un rincón y me puse a comer recostado en una mesa con molduras. Ernie se reunió conmigo. En la mano sólo llevaba un vaso de zumo.

—Por suerte, estoy a dieta. Nunca he sabido desenvolverme en un bufet.

Bebió un sorbo de su zumo y me miró con seriedad.

—Te he visto hablando con Allan Higgins mientras China te metía mano.

—Era un gesto amistoso e intrascendente y, en todo caso, no es asunto tuyo.

—Mío no, tuyo. A China le gusta tontear y Allan es muy celoso. No lo parece, pero lo es. Hace un año apareció por aquí un chico español muy mono. Recién acabada la carrera, venía a perfeccionar su inglés, conocer mundo, lo de siempre. China se encaprichó con él. El chico quedó fascinado y como era un pardillo, se dejaba querer. Hasta dónde llegaron las cosas, nunca se sabrá. Un buen día el chico desapareció sin dejar rastro. A lo mejor volvió a su casa sin despedirse. Pero el fondo del río está lleno de esqueletos que se fueron sin despedirse.

—Venga ya.

—Allan tiene muchos contactos con las mafias locales. Si quiere deshacerse de alguien impunemente le basta una llamada de teléfono.

—¿China está al corriente?

—Otra incógnita. A lo mejor es una bendita con aires de mujer fatal. A lo mejor es una sirena que lleva a los hombres a la perdición. Ahora tienes la ocasión de comprobarlo. Pero si pasa algo, no digas que yo no te advertí.

A diferencia del resto de las personas que conocí en Nueva York, Ernie cuando hablaba decía cosas interesantes. A menudo insensatas, pero interesantes. En aquel momento se nos acercó Valentina y no desaproveché la ocasión.

—Si tener a Ernie de huésped te resulta incómodo, puedes venir a mi apartamento. Está limpio y bien situado, y yo me paso el día fuera de casa.

—¿Y las noches?

—Todo es negociable.

—Lo pensaré.

De regreso, Ernie y ella se apearon delante de su casa y yo seguí solo hasta la mía.

Me pasé la noche dando vueltas a las dos conversaciones sostenidas aquella misma tarde con varios desconocidos en una fiesta a la que no había sido invitado.

Así funcionaba todo en el agitado trajín de aquella ciudad. Las cosas que en Barcelona uno leía en la prensa o veía en las películas y en las series de televisión, en Nueva York sucedían realmente. Pero mi situación distaba de ser tan colorista. Sin estar realmente enamorado, andaba loco por una mujer que alardeaba de convivir con otro y me perseguía otra mujer cuyas atenciones podían desembocar en una ejecución sumaria. Y lo peor era que, en última instancia, yo seguía siendo un funcionario interino mal pagado que pasaba las noches de invierno leyendo novelas policiacas en un apartamento pequeño y mal ventilado.

Todos estos sucesos me hacían encontrarme en un estado de continua tensión, pero no estaba deprimido ni arrepentido de estar donde estaba.

Cuando uno está solo, cuando uno vive solo y además en el extranjero, se fija enormemente en el cubo de la basura.

Con cautela iba explorando la ciudad y cambiando los tópicos traídos de España por realidades menos simplistas.

En la oficina, donde todos los días pasaba largas y tediosas horas, el recuento de mis incursiones por territorios ignotos producía entre los compañeros una mezcla de admiración y enojo. El que mi temeridad no recibiera el castigo que ellos me habían augurado ponía en entredicho la autoridad derivada de muchos años de experiencia. A decir verdad, nadie de la plantilla había sufrido en su propia persona ningún tipo de violencia. Simplemente, conocían a víctimas de terribles asaltos y, a lo sumo, habían sido testigos presenciales de situaciones amenazadoras. Luego su imaginación había hecho el resto. Lo cual no restaba veracidad a unas estadísticas sobrecogedoras, que ellos esgrimían ante mi insubordinación.

Yo no les contradecía. Sólo les aseguraba que en todo momento procedía con cordura e insistía en que tantas precauciones eran innecesarias y acababan limitando mucho la libertad de movimientos. Ellos no daban su brazo a torcer. Preferían continuar asediados en reductos creados por trabajosas y estrictas medidas de seguridad. El estado de sitio voluntario creaba entre ellos una fuerte solidaridad frente al enemigo común y confería a su rutinario papeleo categoría de hazaña. Su inquebrantable espíritu de equipo también se hacía extensiva a mi persona. Pese a mi modo de pensar y de actuar, tan distinto al suyo, a la diferencia de edad y a mi condición de novato, en el incesante y errático coloquio indisociable de la vida cotidiana de la administración, mi voz era escuchada y mi opinión aceptada o rebatida sin distinción. A mí me resultaba reconfortante aquel trato igualitario, tan alejado de la habitual rigidez jerárquica de la sociedad española.

Cuando saqué a colación el caso Watergate, el señor Carvajal se limitó a decir que todo era una farsa.

Le pregunté por qué pensaba así.

—Salta a la vista. La persecución de Nixon es una pantomima para convencer a la gente de la eficacia del sistema. El sistema político americano no funciona, nunca ha funcionado y no funcionará jamás. Es una utopía más del llamado Siglo de las Luces, es decir, una paparrucha. Así que cuando las cosas van mal dadas, cuando los problemas reales se agudizan, como ocurre ahora con la crisis económica, la inseguridad ciudadana y el peligro de una guerra nuclear, hay que distraer a la opinión pública con un espectáculo.

—Pero Nixon es un truhan.

—Vaya descubrimiento. La democracia, si verdaderamente representa la voluntad de la mayoría, por fuerza lleva al poder a los peores.

La actitud del señor Carvajal era sincera. No creía en la democracia. Pero tampoco propugnaba un régimen dictatorial y menos aún la anarquía. Era un hombre de orden. Si le preguntaban en qué creía, respondía que en el escrupuloso cumplimiento de los reglamentos escritos, sin caer en interpretaciones de sesgo ideológico, ni siquiera humanitario. Yo le replicaba que a menudo las leyes no hacían sino consagrar la injusticia y la desigualdad y perpetuar concepciones erróneas, a lo que él respondía que tanto si eso era cierto como si no, la cuestión no era de la incumbencia del gobernante ni del ciudadano. Los reglamentos servían para aplicar las leyes a la vida práctica y las leyes expresaban las costumbres y las creencias que las habían engendrado.

—Tratar de cambiar las leyes es tan absurdo como tratar de cambiar la anatomía humana, por más que nuestra constitución biológica nos lleva indefectiblemente a la enfermedad, la decrepitud y la muerte. Qué le vamos a hacer: somos como somos, es decir, como Dios o la naturaleza o la evolución nos han hecho. Una persona se desarrolla y actúa dentro de sus posibilidades. No intenta volar, aunque sabe que volando llegaría antes a todas partes, sencillamente, porque sabe que no puede. Uno procede como requiere la ocasión, ¿no es así?

Pues del mismo modo, el Estado, por medio de sus representantes, o sea nosotros, ha de aplicar las normas correspondientes a cada caso del modo más preciso, sin perderse en abstracciones filosóficas o emocionales. Un funcionario, en el desempeño de su cargo, no ha de tener creencias ni ideas ni sentimientos. Sólo ha de ser fiel al reglamento. De lo contrario, los sistemas políticos, siempre basados en falsas nociones y en sueños irrealizables, como la democracia, acaban en el caos y la extinción.

Si le hubiera dicho que en este aspecto adoptaba una visión hegeliana del Estado, se habría sorprendido y seguramente enojado. Reprobaba por igual todas las ideologías. Nunca llegué a determinar si el señor Carvajal estaba como una regadera o si era el último reducto de una ancestral sabiduría.

Why do you ask whither we go? What is it to you? It is this, O white men, that if indeed you travel so far I would travel with you.

Con la inminencia de las fiestas navideñas y la perspectiva de pasarlas solo, flaqueaba mi heroica rebeldía contra la tradición.

Incluso el acoso de villancicos cantados por Bing Crosby, Frank Sinatra y Nat King Cole hacía mella en mi ánimo.

No añoraba las forzadas alegrías familiares, pero tampoco quería celebrar la Navidad en una cafetería.

Después de mucho cavilar sobre si hacerlo menoscababa mi dignidad o no, llamé a Valentina para preguntarle qué planes tenía para las fiestas. Dado su empeño en no descolgar el teléfono, preparé un mensaje desenfadado, pero al segundo timbrazo contestó Ernie. Seguía instalado allí: Valentina se había ido a Madrid a pasar las Navidades en familia, y él seguía disfrutando de su hospitalidad, ya que no tenía adónde ir.

—¿Y tú? ¿También te largas?

—No, me quedo. Llegué hace poco y no tengo ni ganas ni dinero. Aborrezco las Navidades.

—*Bah, humbug!* Oye, la noche del 24 he quedado con unos amigos, pero si quieres podríamos almorzar juntos el 25. En un restaurante chino: para ésos la Navidad, como si no.

Acepté. Era un mal menor.

El día de Navidad nos encontramos a las doce en Mott Street, donde Ernie dijo conocer un sitio auténtico, tranquilo y económico.

En el interior del restaurante había un enorme abeto rebosante de bombillas y guirnaldas y el comedor estaba abarrotado de familias numerosas, aparentemente compuestas de varias generaciones de chinos que celebraban la Navidad del modo más estridente.

Nos colocaron en una mesa diminuta junto a la cocina. La comida era sabrosa, pero como el restaurante no tenía licencia para servir bebidas alcohólicas, tuvimos que conformarnos con agua y un té insípido.

Ernie no estaba muy locuaz y yo me iba deprimiendo progresivamente. Al acabar la comida salimos del restaurante y anduvimos unos metros hasta Little Italy. Entramos en un café de Mulberry Street y pedimos dos expresos y dos *cannoli* para completar el ágape. También había profusión de adornos falsamente ingenuos. Algunas mesas estaban ocupadas por forasteros deseosos de conocer el supuesto escenario de tantas acciones violentas. *El Padrino* había convertido la mafia en una atracción turística, que aquel barrio en decadencia explotaba con abulia. A pesar de todo, el ambiente tenía algo de acogedor.

Ernie miró a su alrededor con un deje de tristeza.

—Bueno, al fin y al cabo, hemos celebrado la Navidad como unos auténticos cristianos. Lejos del hogar y en tierra extraña. Como la primera vez. San José y la Virgen María eran de Nazaret. Allí habían nacido y allí se habían casado. Pero ese año, precisamente cuando estaban a punto de tener un hijo, la Navidad los pilló en Belén. No conocían a nadie, se metieron en cualquier parte y comieron lo que les trajeron los pastorcillos. Ya ves, igual que nosotros. Los Evangelios no dicen si el Niño Jesús se enteraba de todo o si era un bebé como los demás. Si era Dios, estaría al cabo de la calle, digo yo. Pero, entonces, ¿para qué perder tanto tiempo? Yo, en su lugar, habría nacido adulto y me habría puesto a predicar desde el primer momento, sin enredar a todo quisque: a sus padres, a Herodes, a los Reyes Magos...

Se quedó pensando un rato y como yo no acertaba a decir nada a propósito de aquella teoría, prosiguió su soliloquio.

—Unos dicen que la Biblia hay que tomarla como una cosa simbólica, un texto poético que hay que interpretar o dejar que otros interpreten, como pasa con Góngora. Otros, en cambio, dicen que hay que creerlo todo al pie de la letra. El paso del mar Rojo, la melena de Sansón. Tal cual. A mí, personalmente, me da lo mismo. No soy religioso. Respeto las creencias de todo el mundo, eso sí: la resurrección, la reencarnación, la momificación. Si a ti te sirve, a mí me vale, cuestión de gustos. Creer, lo que se dice creer, sí creo. No sé si en Dios. Más bien en algo espiritual, no sé cómo decirte: una realidad paralela, más allá del mundo físico, pero una realidad mía. A mí nadie ha de venir a decirme: cree en esto, no creas en aquello.

Al principio pensé que hablaba en broma, pero luego me di cuenta de que me estaba contando algo personal, meditado y sincero. Dejé de sonreír, asentí con la cabeza y le dejé seguir.

—El otro día tuve una revelación. Verás cómo fue. Estaba solo en casa de Valentina, sintiéndome un poco extraño en casa de otra persona, con la ropa y las cosas de otra persona, ya me entiendes: hay más secretos en el cajón de la ropa interior que en un diario íntimo. Para distraerme me puse a ver la televisión. Estaban dando *El mago de Oz*. Siempre la dan por estas fechas, como *Qué bello es vivir* o *Milagro en la calle 34*, películas para críos y retrasados. Yo *El mago de Oz* ya la había visto, pero de puro aburrido la volví a ver. Y mientras la veía a trompicones, sin poner mucha atención, se me ocurrió pensar: ¿por qué uno ha de creer en el Evangelio y no en *El mago de Oz*? Son dos relatos y los dos tratan de lo mismo: el camino a la salvación, los buenos y los malos, la fe, la solidaridad. Además, en *El mago de Oz* los personajes son más cercanos: entre san Pedro y el Espantapájaros, ya me dirás tú con cuál te quedas. ¿Y Dorothy? ¡Está divina! A su manera, Judy Garland también murió por culpa de los fariseos, que somos nosotros: tú, yo, aquellos chinos tan ruidosos, estos papanatas, toda la raza humana. ¿Te parece una tontería?

—No, no. Yo también respeto las creencias ajenas.

—Vale. Pero no vayas a pensar que me estoy inventando una nueva religión. No es mi intención ni podría, aunque quisiera. Me guste o no, soy católico, apostólico y romano, como tú. Uno pertenece a la religión en la que se ha criado y es inútil querer cambiarla. Si yo te digo: soy católico creyente y practicante, a ti te parecerá normal, tanto si tú lo eres como si no. Pero si te digo: creo en los dioses del Olimpo, tú pensarás: éste se ha sonado. Sin embargo, Platón y Aristóteles creían de buena fe en Zeus y en Apolo, sin menoscabo de su extraordinaria inteligencia. Creían en lo suyo, igual que hablaban griego y no francés o portugués. ¿Entiendes lo que te quiero decir? Que no le des más vueltas. Que los dos somos tan cristianos como santa Teresa. Yo lo único que hago es adaptar algunos aspectos de la religión a estos tiempos, a este país y, sobre todo, a mí mismo.

Me miró fijamente, como si quisiera adivinar mi pensamiento. Luego continuó hablando.

—La adaptación es un mecanismo de subsistencia. Los que somos como yo, lo dominamos. Estamos acostumbrados a adaptarnos desde pequeños. Por si no me has entendido, te pondré un ejemplo. En el edificio donde vivía hasta hace unos días, ese del que tuve que salir por piernas, vivía un indio. No un indio de la India, sino un indio americano: cheyenne, cherokee, sioux, da lo mismo. Bueno, pues este vecino, un día, hablando, me contó que, de niño, cuando veía películas del Oeste, ya sabía que los buenos eran los *cowboys* o los soldados o los de la diligencia, y que los malos eran los indios. Naturalmente, él iba a favor de los buenos. Si lo pensaba, le parecía un poco raro, pero hacía como si fuera normal, porque la alternativa era quedarse sin ir al cine los fines de semana.

—Ya veo lo que me estás diciendo, pero no sé por qué me cuentas estas cosas.

—No para hacer proselitismo, si es eso lo que temes. Hablaba por hablar. De todas formas, hace unos años esto mismo no se lo habría contado ni a mi mejor amigo. Ahora ya no me importa contárselo a quien sea.

What we are, we are.

Un par de años antes, la policía había hecho una redada en el Stonewall Inn, un bar frecuentado por un público exclusivamente gay. El bar tenía mala reputación y a la policía no le faltaban motivos para hacer un registro, pero los clientes estaban hartos de los abusos de la autoridad. A un gay se le podía insultar y pegar y tratar como si fuera escoria. A los gais el rechazo social los había empujado a una involuntaria clandestinidad. Sin pretenderlo, a menudo se movían en la frontera de lo ilegal; pero, a diferencia de otros colectivos marginales, ellos no recurrían a la violencia. Sólo pretendían que los dejaran en paz. Pacíficos y vulnerables, eran presa fácil por partida doble. Los policías de Nueva York no eran distintos de los policías de otras ciudades, pero aquí el alto nivel de criminalidad los tenía exasperados. No pasaba una semana sin que muriera un policía en un enfrentamiento armado. Si luego daban rienda suelta a su agresividad con los gais, sin pasarse de la raya, las autoridades municipales, estatales y judiciales hacían la vista gorda. Bastantes problemas había para ponerse en contra a la policía.

Así estaban las cosas cuando se produjo la redada en el Stonewall Inn. Aquella vez, sin embargo, los clientes plantaron cara a la policía y se armó una buena. El asedio duró días, conmovió a la opinión pública y tuvo mucho eco en la prensa y la televisión. Cuando las aguas volvieron a su cauce, había empezado una nueva era.

Ahora se los veía por todas partes. Nueva York les atraía especialmente. La tolerancia y el desorden propiciaban la expresión de todas las formas imaginables de desinhibición. Algunos se vestían y se maquillaban en forma llamativa y se comportaban con ruidosa desenvoltura. Otros adoptaban un porte grave pero no menos conspicuo. Mi barrio era el escaparate de esta transformación. Había tiendas especializadas en prendas de cuero y otros pertrechos; durante el día los travestis circulaban con aplomo y por las noches la francachela desbordaba la reducida capacidad de los locales y se desparramaba por las aceras de la Séptima Avenida y las calles colindantes.

Decidido a no dejar piedra por remover, recorrí unos cuantos locales en compañía de Ernie. Con él me sentía seguro.

—No tengas miedo, hombre. Conmigo no te pasará nada. Y si vienes solo, tampoco. No somos delincuentes y a ti, con esta pinta de pasmarote, nadie te va a confundir.

Por contraposición al arquetipo histriónico del maricón español, enclenque, amanerado y resignado a comprar el beneplácito social con una triste parodia de bufón descarado, en Nueva York y concretamente en Greenwich Village predominaban los tipos fornidos, con el pelo muy corto y fieros mostachos que bajaban por las comisuras de los labios, con atuendo de camionero o de estibador, remedos de una exagerada virilidad. También había gente de todas las edades, físicos y envolturas.

Una noche, en un local llamado The Fireworks, trabé conversación con un caballero de avanzada edad, barba blanca y aspecto distinguido. Iba vestido en consonancia con el lugar, pero era evidente que se había comprado la ropa y los complementos expresamente para la ocasión y que se sentía un poco ridículo con aquella pinta. Me dijo que era alemán y que hacía un par de años se había jubilado como profesor de Filosofía en Heidelberg. Antes de la guerra, había asistido a un ciclo de conferencias de Heidegger y más tarde había conocido personalmente a Jürgen Habermas. Cuando estalló la guerra ya era mayor, por lo que durante un tiempo siguió dando clases a un alumnado cada vez más escaso. A finales de 1941 fue movilizado. Por suerte no le tocó ir al frente oriental, donde sin duda habría perecido. Luchó en Italia, fue hecho prisionero y liberado en 1946. Volvió a sus clases. En el frente, bajo un incesante bombardeo, adquirió la certeza de ser gay. Siempre había intuido, no sin temor, cuáles eran sus verdaderas inclinaciones en este sentido, pero era un católico ferviente y se había criado en un ambiente piadoso y conservador. No obstante, cuando sólo el azar decidía la vida o la muerte, ante la probable extinción definitiva del ser, uno ya no podía seguir cerrando los ojos a la verdad. A pesar de todo, se mantuvo fiel a sus convicciones. Ahora, después de una vida entera de represión y fingimiento, a punto de cumplir los setenta años, había tomado la determinación de ser consecuente con su propia realidad. Gozaba de una posición económica desahogada, no tenía familia ni nadie ante quien rendir cuentas de sus actos. Hizo las maletas y se plantó en Nueva York.

—¿Qué le parece?

—Me parece muy bien, por supuesto.

—No me refiero a mi conducta, sino a esto.

—No sabría decirle. Yo no soy gay.

—Salta a la vista. Por eso se lo pregunto. Este ambiente, todo...

—Preferiría no emitir un juicio.

—Es usted discreto. Verá, me he pasado la vida soñando con este momento. La liberación, quiero decir. Por fin ha llegado. Pero nunca imaginé que llegaría en forma de pantomima. Quizá no pueda ser de otro modo. Toda victoria es amarga y toda ilusión lleva implícito el engaño. No me malinterprete. No estoy decepcionado. Si fuera joven tal vez me comportaría del mismo modo. Y, por supuesto, nadie me manda participar de la algarabía. En la maleta tengo la ropa con la que impartía mis clases. El problema es que no sé lo que quiero.

Hizo una pausa.

—Lo peor es la música. A mí me gusta Richard Strauss, incluso Schönberg y Berg. Y, sinceramente, no soporto a las Supremes.

Encuentros como éste me producían una sensación contradictoria. Me sentía partícipe de algo importante y, al mismo tiempo, era consciente de no pintar nada, puesto que no arriesgaba nada ni recogía ningún fruto.

En estas ocasiones me volvía el recuerdo de mis días en Praga, cuando creía estar participando en una novela de espionaje. En ambos casos el único consuelo que me quedaba era escandalizar a quienes por apocamiento o por falta de iniciativa ni siquiera habían llegado a donde había llegado yo.

Al referirles mis experiencias, los compañeros de la Cámara de Comercio me miraban como a un bicho raro, tal vez portador de enfermedades contagiosas. Lo cual no les impedía seguir manteniendo una relación afable conmigo.

—Y si un buen día, metido en ese mogollón, descubres que a ti también te van los tíos, ¿qué pasa?

—Pues nada, que la revelación me pillará en el sitio más adecuado. Además, estos locales no son como tú te los imaginas.

Aunque en los locales que tanto impresionaban a mis compañeros la clientela era en su mayoría masculina, no faltaban las mujeres; unas lesbianas, otras no. Habituadas a la dureza de la vida en Nueva York, allí se sentían protegidas y cómodas y apreciaban la desinteresada camaradería.

Una noche, bastante tarde, me abordó una muchacha china, de edad indefinible, y me contó que había quedado allí con una amiga con la que tenía pensado pasar la noche. Sin embargo, por alguna razón y sin darle aviso, su amiga no se había presentado. Ella no sabía dónde vivía ni, de haberlo sabido, habría cometido la indiscreción de presentarse en su casa. A lo mejor a su amiga le había surgido un problema inesperado. A lo mejor le había salido un plan mejor y por eso la había dejado plantada. No estaba dolida ni enojada, pero el abandono le ocasionaba un grave contratiempo: vivía lejos y por lo avanzado de la hora ya no podía coger un tren de vuelta hasta el día siguiente. Si yo vivía cerca y no me parecía mal, podía pasar la noche en mi casa.

—Mi apartamento es muy pequeño y sólo tengo una cama.

—Ya me vale. Yo también soy pequeña y muy silenciosa, ya verás.

—Te advierto que no soy gay.

—No importa, pareces buena persona.

Fuimos a mi casa. En cuanto nos metimos en la cama empezó a acariciarme. Le dije que no me debía nada.

—Ya lo sé. Lo hago por mí. Me gustan las mujeres, pero en la cama los hombres sois más satisfactorios.

No sabía si me estaba tomando el pelo, pero aquél no era momento de plantear cuestiones. Era delicada, competente y daba la impresión de no poner ningún interés en lo que estábamos haciendo. Al acabar se dio la vuelta sin decir nada y al cabo de un minuto respiraba acompasadamente. Aun a riesgo de despertarla le acaricié la piel, porque era suave, como satinada. Esta delicadeza y su aparente despreocupación en un mundo tan despiadado me produjeron un deseo de protección que reprimí de inmediato. Su desvalimiento no era de mi incumbencia.

De madrugada me desperté y vi que se había ido, tan silenciosamente como había anunciado. Se había llevado cuarenta dólares de mi cartera, pero no creo que la historia de su amiga fuera una mentira, ni que aquel magro lucro fuera el motivo del lance. En Nueva York las cosas se hacían así, sobre la marcha.

Nunca la volví a ver, pero recuerdo el roce de aquella piel exquisita, el suplemento calórico que su compañía aportaba a la exagerada calefacción del apartamento y la sensación de tristeza que me produjo su indiferencia, como si aquel estar en cualquier sitio con cualquier persona fuera el paradigma de la soledad.

You look tired, he said.
I am a little, she answered.
You don't feel ill or weak?
No, tired: that's all.

Al volver a Nueva York a principios de enero, Valentina se encontró con que Ernie y yo nos habíamos hecho amigos y lo consideró una traición.

—De modo que en mi ausencia has salido del armario.

Después de un par de semanas en Madrid, el frío intenso y las calles cubiertas de hielo sucio no contribuían a disipar su mal humor.

—¿Y a ti qué más te da? Para el caso que me haces...

—No, en serio, ¿eres gay?

Lo preguntaba con absoluta seriedad.

—Valentina, hemos estado juntos varias veces. Ya deberías saber cuáles son mis preferencias.

—Bah, una cosa no quita la otra.

La respuesta me inquietó: yo daba por sentado que la convivencia esporádica de Ernie con Valentina no llevaba aparejado ningún tipo de contacto físico. Para no ahondar en el tema le pregunté cómo le había ido por España.

—Mal.

No amplió este escueto dictamen, pero la expresión y el tono de su voz eran elocuentes.

A nadie se le ocultaba la incierta situación del país. Los días de Franco estaban contados. Muchos anhelábamos su desaparición, pero nadie sabía qué pasaría después. La continuidad del régimen, asegurada con amenazadora firmeza por sus miembros más vociferantes, era una perspectiva poco halagüeña, y la alternativa daba miedo.

Durante décadas la oposición a la dictadura había revestido la forma de declaraciones, manifestaciones pacíficas y huelgas. En los últimos años, sin embargo, habían empezado a darse con regularidad los actos de terrorismo: secuestros, asaltos y asesinatos. Puesto que el crecimiento económico de España dependía de las inversiones extranjeras y el turismo, la violencia revolucionaria constituía un doble peligro y hacía temer un recrudecimiento de la represión. La muerte inminente del dictador, cuya figura decrépita aún garantizaba la cohesión de las fuerzas en el poder, podía generar el caos y, de rebote, un golpe militar cruento.

Pero no era la inestabilidad política del país lo que provocaba el malestar anímico de Valentina, sino el breve periodo de inmersión en su familia. Según había ido deduciendo de lo que ella me contaba, siempre en forma fragmentaria y con mucha reticencia, los miembros de la familia de Valentina, cada uno por su lado, le reclamaban una vinculación sentimental tan fuerte que la convivencia desembocaba en continuos y acerbos roces. No sabían vivir separados ni estar juntos. Una lejanía prolongada le brindaba la tranquilidad relativa del olvido, pero tan pronto se restablecía el contacto, resurgían los viejos enfrentamientos y las contradicciones personales.

De esta aflicción, yo no la podía consolar, porque mi caso era el opuesto: siempre me había llevado bien con mi familia, pero ahora la recordaba sin añoranza. Sin sentir hacia mis padres ningún rencor, estaba feliz sabiéndome libre de su presencia y de las pequeñas responsabilidades que engendra la cercanía.

En cambio, me sentía responsable de lo que pudiera ocurrir en España. A esta llamada del deber cívico no habría sabido darle explicación. Nunca me había interesado la política y si estaba viviendo en Nueva York era precisamente para permanecer al margen de los zafios conflictos de la vida diaria en España. No obstante, yo sabía que a pesar de los fuertes vínculos emocionales que me ataban a Valentina, mi desapego y mi rechazo de todo cuanto supusiera compromiso, yo no tardaría en regresar a España, y ella, en cambio, no volvería a radicarse allí mientras viviera.

Mis preocupaciones por la deriva política de España dejaban perplejo al señor Carvajal.

—Nada malo puede pasar, salvo otra guerra civil, y hoy en día una guerra civil como la del 36 es impensable. Ya no existen aquellas diferencias de clase, el país se ha civilizado, los sindicatos no tienen un arsenal y las grandes potencias no están para bromas. En cuanto al orden interno, ¿qué más da un régimen u otro? ¿Se vive peor en una dictadura como la nuestra que en una democracia como la de Estados Unidos? Usted y yo podemos comparar y sabemos cuál es la respuesta. Venga quien venga después de Franco, lo importante seguirá siendo el tejido funcionarial. Eso hace andar al país, no los políticos de turno.

Nunca pronunciaba la palabra *burocracia*; siempre decía *tejido funcionarial*.

—En cuanto a la sucesión del Caudillo, la cosa ya está decidida: el príncipe Juan Carlos será el rey y el jefe del Estado. El rey es la autoridad, ahí no hay discusión. Y con autoridad y un buen tejido funcionarial, cualquier país sale adelante.

—¿Y los militares? También son funcionarios; cobran del Estado, como usted y como yo, y no me negará que les gusta meterse donde no los llaman.

—Sólo cuando es imprescindible.

Como este argumento no le debió de parecer convincente, añadió otro aún más endeble.

—Además, los militares no pertenecen al tejido funcionarial propiamente dicho. El Estado sufraga los gastos del Ejército, es cierto, pero eso no los convierte sin más en funcionarios.

—Ya, como los animales del zoo. Comen a cuenta del erario público, pero no son funcionarios.

El señor Carvajal frunció el ceño.

—No me gustan estas ironías en la oficina.

Valentina y yo habíamos restablecido una relación no tanto ambigua como insustancial. Durante unos días todo iba bien y de repente ella me daba con la puerta en las narices. Como estas rupturas se producían sin causa aparente ni reproche, la relación se reanudaba sin reconciliación, como si todo dependiera del azar. Cuando estábamos juntos yo tenía la sensación de que ella me consideraba un mal menor.

I am no match-maker, as you well know, being much too well aware of the uncertainty of all human events and calculations.

Con el buen tiempo la ciudad cambió de aspecto. Los rimeros de hielo que bordeaban las aceras se convirtieron en charcos mugrientos y se fueron por los sumideros o se evaporaron dejando a la vista un pavimento irregular y cuarteado, pero seco y relativamente seguro para el peatón. Los espacios arbolados se pusieron frondosos. El clima, sin embargo, seguía siendo guerrero: aguaceros repentinos inundaban las plantas bajas de los edificios y las rachas de viento apenas dejaban caminar. Pero la primavera había llegado y las plazas y los parques se llenaron de gente y de música. Por todas partes, de día y de noche, repicaban los bongós y en los lugares concurridos se instalaban músicos callejeros.

Por esas fechas y en rápida sucesión mi hermana me comunicó dos noticias. La primera era el cierre de la revista *Gong*.

Por fortuna, otras revistas cubren este importante sector del saber, añadía en su carta. La semana pasada, sin ir más lejos, vi un amplio reportaje en no sé cuál sobre la coronación del rey de Suecia. Como eres un especialista en estos temas, anoté el nombre de la madre, la abuela o la suegra del rey: Princesa Victoria Adelaida de Schleswig-Holstein-Sonderburg-Glücksburg. Con este nombre no sé cómo consiguió que un chico le dirigiera la palabra. Claro que a éstos les organiza la boda un comité. En una foto del reportaje salía aquel fantoche que entrevistaste en Mallorca hace unos años. Muy tieso y peripuesto. Estos personajillos, cuando son lo que son, son un cero a la izquierda, pero cuando ni siquiera lo son, dan pena.

Anamari no los menospreciaba por razones políticas, sino financieras. Los reyes, los cardenales y otras figuras similares le molestaban por improductivas.

En términos generales yo estaba de acuerdo con ella, pero hacía una excepción con el príncipe Tukuulo y Queen Isabella, no porque fueran distintos, sino porque de algún modo me pertenecían o yo les pertenecía a ellos. Eran parte de mi vida y yo de la suya.

Con frecuencia me preguntaba qué habría sido de ellos. Desde el oscuro asunto de la cuenta corriente no había vuelto a tener noticias del príncipe ni de Monica Coover. No habría podido notificarles mi marcha, aunque hubiera querido, puesto que ignoraba su paradero, pero tampoco lo habría hecho de haberlo sabido. No tenía motivo alguno para seguir manteniendo aquella relación y en mi fuero interno sabía que cuanto más alejado me mantuviera de ellos, mejor me irían las cosas.

La desaparición de la revista *Gong* no me entristeció ni me sorprendió. Mi deserción como inventor y redactor casi único de su contenido, unida a la pérdida del local social al dejar mi piso de la calle Urgel, habían precipitado un final que estaba escrito desde el momento mismo de su fundación. Mi hermana no sabía cómo se había producido la disolución ni qué había pasado con Gustavo Alfaro. Como de éste sí conservaba la dirección, le escribí para interesarme por su situación, pero pasaron las semanas y no recibí respuesta, lo que me hizo pensar que tal vez había hecho las maletas y se había mudado de ciudad una vez más.

La segunda noticia me afectó más. Repentinamente, sin previo aviso ni explicación, nuestro hermano Agustín se había ido de casa. Lo único que dijo antes de partir fue que le había salido un trabajo en Alemania. Agustín no sabía alemán ni tenía ningún contacto conocido en Alemania, pero como tampoco decía mentiras, porque le traía sin cuidado lo que pensaran los demás, todos daban por buena su explicación, hasta tanto no se supieran más detalles del asunto.

Escribí a Anamari diciéndole que la marcha de Agustín no debía suponer una traba para que ella hiciera lo mismo cuando lo juzgara oportuno, bien para estudiar o trabajar en el extranjero, bien para establecerse por su cuenta. Temía que Anamari se sintiera obligada a quedarse en el hogar familiar para no dejar solos a nuestros padres. Entre mis conocidos éste había sido el destino de algunas chicas.

A pesar de la primavera, Ernie cayó en una depresión de la que no sabíamos cómo sacarle. Todo lo veía negro y hablaba seriamente de suicidio. No comía, no hacía nada, durante días sólo se levantaba de la cama para ir al cuarto de baño. Ni siquiera veía la televisión. Y se negaba a tomar las medicinas más o menos ortodoxas que él mismo suministraba sin tasa a los amigos.

—Das asco.

—Soy el primero en darme cuenta, pero me da lo mismo.

Valentina se ocupaba de él. A mí me decía que no interviniera.

—No le harás ningún bien. Al final será él quien te deprima a ti y entonces tendré doble trabajo.

—Si al menos supiéramos la razón de su desaliento...

Si se la preguntaba, contestaba con vaguedades: un día le deprimía la situación mundial; al día siguiente, la conducta desabrida de los neoyorquinos; al cabo de poco, la bajada constante de la bolsa.

—Pero si no tienes un duro, ¿qué te importa la bolsa? Y la gente es insoportable, en eso estoy de acuerdo, pero siempre ha sido igual y antes vivías tan ricamente.

—Tienes toda la razón.

Y a renglón seguido se contradecía.

—Si pudiera discutir contigo estaría curado. Lo malo de mi estado es que ni siquiera me quiero curar.

Iba a visitarle a menudo a sabiendas de que al cabo de un rato las visitas le fatigaban y lo dejaban alterado.

Yo pensaba que mostrar interés por él a la larga le ayudaría a romper el círculo vicioso en que había caído. Para darle ejemplo le contaba mis propias preocupaciones.

—Motivos de preocupación los hay siempre. A mí, por ejemplo, me preocupa lo que pueda pasar en España cuando se muera Franco.

—Ah, ¿ves? Pues a mí eso me la suda.

—También me preocupa Valentina. No la entiendo. A ratos parece quererme y a ratos parece estar hasta el gorro de mí.

—Si quieres saber mi opinión, yo creo que tiene un novio en España.

—¿En serio? ¿Lo dices por decir o te lo ha contado ella?

—No, no. A mí no me ha contado nada. Si me hubiera contado algo guardaría el secreto. Valentina nunca habla con nadie de sus cosas. En eso es muy precavida. Lo he dicho porque me parece una explicación coherente con su comportamiento. Ya ves lo rara que está desde que ha vuelto.

—Una explicación absurda.

—Absurda, pero coherente. Piénsalo y verás cómo no ando desencaminado.

Me esforcé por tomarme el comentario como un síntoma más de su desequilibrio, pero a solas daba vueltas a aquella posibilidad y cada vez me parecía menos disparatada. Si Valentina estaba enamorada de alguien en Madrid, la vida se le complicaba mucho, porque la idea de volver a España no entraba en sus planes. Tal vez iba dando largas al asunto y mientras buscaba una solución, se entretenía conmigo. Por supuesto, me guardé mucho de comunicarle mis conjeturas, pero nuestra relación se hizo aún más incómoda.

Ernie estaba muy arrepentido de haber sembrado la sospecha en mi ánimo. Juraba que no disponía de ningún dato, y decía que era la enfermedad la que le había hecho imaginar una cosa tan horrible. Su arrepentimiento era sincero y agravaba su depresión. Porque Ernie, que practicaba una desaforada promiscuidad, era muy romántico en abstracto y muy victoriano cuando se trataba de los demás, sobre todo de las personas a quienes profesaba afecto. A las parejas de sus amigos les exigía una estricta fidelidad y un comportamiento de revista de peluquería. Para colmo, en nuestro caso ni siquiera era equitativo: a Valentina estaba dispuesto a consentirle cualquier liviandad, pero no a mí.

Piñol sostenía que el movimiento gay, que, según decía él, se estaba extendiendo por el mundo como una mancha de aceite, estaba programado y dirigido por los servicios secretos occidentales. En la década de los cincuenta había empezado la liberación de la mujer. Las mujeres trabajaban, iban a la universidad, conducían, fumaban y, en términos generales, habían dejado de estar sometidas a la autoridad del hombre. En la década de los sesenta, el feminismo había acabado de consolidar aquella tendencia. Para evitar la debacle, y como no se le podía poner coto sin recurrir a la violencia o a la ilegalidad, los gobiernos habían echado mano de los homosexuales. De este modo se proporcionaba a las mujeres una compañía masculina inocua y, al mismo tiempo, se les mostraba lo que podía ser el mundo sin varones.

—En estos momentos, una mujer que quiere formar una pareja normal en Nueva York lo tiene crudo. Ya verás cómo pronto se les bajan los humos y vuelven al redil.

Para llevar a término el plan, los servicios secretos habían dado carta blanca a los homosexuales para actuar a su antojo. Probablemente financiaban los antros que yo frecuentaba. Y si con estas medidas no bastaba, fomentaban una alimentación que influía en las inclinaciones eróticas de los niños. Robert Graves había insinuado algo parecido. Para el ilustre autor inglés, el uso desmedido de la leche en la dieta occidental había incrementado el número de homosexuales. Piñol se inclinaba a creer que el fenómeno venía causado por los cereales del desayuno.

—A nosotros nunca nos dieron cereales y salimos bien machos.

A mí aquellas teorías me parecían desatinadas y además empezaba a estar harto de novedades. Antes Barcelona me había parecido una ciudad cerrada y sin perspectivas. En cambio, Nueva York me había parecido un lugar cargado de promesas. Pero pasaban las semanas y los meses y aquellas promesas no se materializaban.

Un día, hacia mediados de mayo, el señor Carvajal fue entrando en todos los despachos de la delegación sereno pero preocupado.

—Dejen todo lo que están haciendo y vengan a mi despacho.

Por su aspecto dedujimos que se aproximaba el fin del mundo.

En el cubículo que le servía de despacho estábamos los cinco apretados como sardinas.

—Me acaban de comunicar de nuestro consulado que dentro de unos días Sus Altezas Reales don Juan Carlos y doña Sofía vendrán a los Estados Unidos en visita oficial. Y a su paso por Nueva York es su deseo saludar a todos los funcionarios españoles destinados en esta ciudad. En su momento se nos informará del lugar, fecha y hora del evento. No hace falta que les indique la obligatoriedad de su asistencia, sean cuales sean sus posiciones políticas. Para un funcionario en el desempeño de su cargo, el credo no ha lugar. Asimismo les encarezco la corrección en el vestuario y el comportamiento. Si el príncipe o la princesa se dignan hacer una pregunta a alguno de los presentes, se les responderá en forma cortés, impersonal y sumamente breve.

El encuentro tuvo lugar en la Casa de España, un establecimiento entre cultural y comercial situado en la calle 39, entre la Primera y la Segunda Avenida. Tal como nos habían indicado en una circular, a las cinco de la tarde ya estábamos todos allí, muy trajeados. El señor Carvajal parecía tranquilo. Los demás no nos tomábamos la cosa muy en serio. Ni siquiera Alicia Pujadas, a la que el príncipe Juan Carlos le parecía muy buen mozo. En el local no cabía un alfiler.

A eso de las seis y media nos hicieron formar una fila interminable, ordenada *grosso modo* por estamentos y jerarquías. A nosotros nos tocó bastante atrás, porque primero formaban los diplomáticos españoles del consulado y de la delegación española en las Naciones Unidas, y a continuación los altos funcionarios españoles en las Naciones Unidas. Luego veníamos nosotros y a continuación el resto de españoles residentes en Nueva York o sus alrededores, seleccionados al buen tuntún. En total, un centenar de personas.

Cuando llevábamos media hora larga en la fila, aparecieron don Juan Carlos y doña Sofía. Don Juan Carlos llevaba un traje de gabardina gris y doña Sofía un vestido azul marino. Fueron pasando y dando la mano a cada uno sin dejar de sonreír. Nos miraban a la cara, pero se notaba que estaban pensando en otra cosa o quizá en nada. Un fotógrafo iba tomando instantáneas mientras caminaba de lado como los cangrejos.

Finalizado el saludo, don Juan Carlos se colocó frente a nosotros, con doña Sofía a su derecha y el embajador de España a su izquierda. En el silencio expectante parecían tres reos ante el pelotón de fusilamiento. Al cabo de unos segundos, don Juan Carlos nos dirigió la palabra. En un tono monótono y con mala dicción nos agradeció nuestra presencia y nos animó a seguir dando una imagen positiva de la España presente y futura.

Concluida la alocución hubo una breve salva de aplausos y se fueron los tres. Los demás nos quedamos por el local, tomando un vino español y unos pinchos de tortilla.

Entre los compañeros nadie se atrevía a decir lo que pensaba. El primero en hablar fue Paco Andrade.

—Vaya panoli.

Como siempre, Javier Piñol le llevó la contraria.

—Pues qué esperabas, ¿a Jerry Lewis?

El señor Carvajal trataba de circunscribir el coloquio.

—Les recuerdo que estamos en público y que representamos al Estado español tanto a nivel individual como colectivo. Y Su Alteza Real es prácticamente el jefe del Estado español. Permítanme añadir que un jefe de Estado no ha de divertir, ni inspirar admiración, ni cariño, ni temor. La gente ha de confiar en él tácitamente, sin acordarse de que existe, como un piloto de avión.

—Eso en teoría está bien, pero España es España. No sé si os habéis fijado, pero ha mencionado el futuro. Quizá ahí había un mensaje. Entre líneas, quiero decir.

—A tanto no llego, Paco. Pero mira lo que te voy a decir: para mí que este hombre hará bien su papel cuando le toque. Y lo hará bien porque se ve a la legua que no sirve para otra cosa.

—¿Y ella? ¿Qué os ha parecido?

Alicia Pujadas dio su versión.

—Lo mismo. Discreta, afable, decorativa y sacrificada. Lo que se espera de las mujeres.

Intervine yo.

—Quizá no deberíamos juzgarlos por una actuación tan breve y tan sin sustancia.

—Bueno, dejarse juzgar es parte de su trabajo.

Yo pensaba que en definitiva aquel hombre de sonrisa cordial, palabra torpe y mirada vacía no se podía permitir una salida de tono. La Historia lo había puesto en aquel lugar para dirigir los destinos de un país verdadero en circunstancias que se auguraban difíciles, pero igualmente verdaderas. En su modo de proceder, como habría dicho el señor Carvajal, la fantasía no había lugar. El príncipe Tukuulo, por contraste, vivía en otra dimensión, aunque dijera aspirar a lo mismo.

Al cabo de unos días nos llegó a cada uno un sobre con la foto tomada en el momento de estrechar la mano a Sus Altezas.

La experiencia me dejó indiferente, pero Valentina estaba muy impresionada. Me enseñó la foto, la estuvo analizando un rato y luego me hizo varias preguntas sobre el aspecto de la pareja real.

*

La primavera en Nueva York dura poco. Pronto empezó a hacer un calor húmedo que hacía añorar los fríos del invierno. En las casas y los locales públicos el aire acondicionado funcionaba a todas horas. Pero aquellos mismos aparatos lanzaban a la calle chorros de aire caliente que aumentaban la tortura del peatón. En los vagones del metro no se podía respirar.

Un fin de semana de julio Allan y China Higgins invitaron a Valentina a su casa de la playa, en East Hampton, y ella aceptó de mil amores. A mí se me caía el mundo encima al pensar que me quedaba solo en aquel horno de asfalto y ruido sin más compañía que Ernie y su depresión, pero en el último momento, China llamó a Valentina y le dijo que contaban conmigo. Seguramente el encuentro con don Juan Carlos y doña Sofía me había hecho subir varios puntos en su estima.

Yo no había vuelto a ver a los Higgins desde el último *party*, cuando hablamos de Watergate, pero seguramente Valentina mantenía a su amiga al corriente de nuestra desequilibrada relación.

Lealmente, Valentina me transmitió la invitación y yo acepté con cierta vacilación.

—No podemos dejar solo a Ernie.

—Claro que podemos. Ya es mayorcito. Está mejor de lo que aparenta y lo estamos malcriando. Ya verás: en cuanto vea que no le hacemos caso, saldrá a la calle y acabará en brazos de un marinero.

—No sé qué es peor.

En busca de aventuras pasajeras los gais frecuentaban una zona próxima a mi casa, cruzada la frontera entre una relativa seguridad y un peligro cierto. Más allá de esa línea estaban los mataderos municipales. Eran unas instalaciones grandes y siniestras de las que salía un olor repugnante. Las calles circundantes eran inhabitables y lindaban con la estructura abandonada del tren elevado que unos años antes conectaba los muelles del Hudson. Los muelles habían caído en desuso y, de resultas de ello, también el tren, aunque nadie se había ocupado de quitar las vías y las columnas de hierro que las sustentaban. Debajo del elevado solían estacionarse los camiones y los tráileres y por la noche, al amparo de la oscuridad, individuos de toda laya merodeaban por aquel laberinto de pilastras y vehículos. La degradación del lugar se correspondía con las cosas que allí pasaban. Todo eso yo lo sabía de oídas: si alguna vez me había acercado a esa parte de la ciudad para comprobar por mí mismo las habladurías, en seguida había abandonado la labor de campo. En aquella corte de los milagros menudeaban los robos y la violencia y no faltaban los homicidios. La policía prefería no inmiscuirse. El que iba allí sabía a lo que iba; si le ocurría algo, él se lo había buscado.

Ernie vivía sumido en una perpetua contradicción. Con una ingenuidad de colegiala anhelaba un amor romántico y una relación estable, pero no podía evitar la atracción de aquel abismo, en el que acechaban enfermedades y crímenes. Él atribuía esta duplicidad a los siglos de clandestinidad en que se habían visto forzados a vivir los homosexuales. A fuerza de ser tachados de degenerados, habían acabado asumiendo de un modo inconsciente esta condición. Además, como sucedía con el circuito de las drogas, lo turbio y peligroso formaba parte de su atractivo.

—Pero no te inquietes, esto que ocurre ahora es un fenómeno residual. Cuando la aceptación de la diversidad sea un hecho, no sólo legal, sino en la práctica, los gais nos aburguesaremos y seremos tan aburridos como vosotros. Con la Ley Seca pasó lo mismo. Imperaba la violencia, el hampa hacía y deshacía a su antojo, pero ¿quién no añora aquellos años de disipación?

—Deliras, Ernie. Te prefiero deprimido.

—Pero reconoce que tengo razón. Mira a las mujeres. Los maridos engañan a sus mujeres porque van salidos. En cambio, las mujeres engañan a sus maridos porque les divierte. Si no lapidaran a las adúlteras, el adulterio perdería mucho encanto.

El viernes, a la hora convenida, nos presentamos en casa de China con nuestras bolsas. El portero la avisó y no tardó en bajar acompañada de los niños y de una criada que llevaba el equipaje y refunfuñaba sin parar en guaraní. Esperamos un rato en la acera, apareció Allan en su coche, cargamos los bultos en el portamaletas, subimos al coche y partimos. La criada se quedó en la acera, agitando la mano como si no fuera a vernos nunca más. Se la veía muy encariñada con los niños.

Como era fin de semana de verano, tardamos más de una hora en salir de Manhattan. A mí no me importaba, porque el coche era un Cadillac cómodo, silencioso y con buena refrigeración. En los asientos traseros íbamos Valentina, los dos niños y yo y aún sobraba espacio. China me informó de que el niño se llamaba Christopher, como su abuelo paterno, y la niña, Carmen, como su abuela materna, pero todos la llamaban Cherie. A mí los niños no me gustan ni me molestan. Normalmente no me hacen caso y yo les correspondo de la misma manera. Aquellos dos estuvieron dando la lata un rato y luego se durmieron. Valentina llevaba un vestido veraniego sin mangas y olía a gel de baño. Al cruzar el Triborough Bridge ya había oscurecido. Le puse la mano en la rodilla y así hicimos el resto del viaje.

I thought it was madness, and now I begin to fear it is disgrace.

La casa, situada sobre una loma junto al mar, resultó ser una verdadera mansión de madera oscura con tejado de pizarra, y un amplio jardín en la parte delantera. Un sendero empinado bajaba a la playa.

Nada más llegar, China propuso un baño a la luz de la luna. Allan se negó en redondo. A esa hora el agua estaría helada y no se veía a un metro de la nariz. De hecho, no había luna. Eso sin contar con las corrientes. En varias ocasiones él había visto desaparecer a algún pobre bañista, a plena luz del día, por causa de la resaca. Incluso nadadores atléticos y avezados no conseguían vencer la fuerza de la corriente, que los arrastraba mar adentro. Sin duda habrían perecido si los equipos de salvamento no los hubieran rescatado con sus embarcaciones. Tiempo habría para bañarnos y nadar a placer.

Allan decía estas cosas con una amable autoridad. Al oírle se veía que aquél era su territorio. En aquella casa, donde seguramente había pasado los veranos de su infancia, se hacía su voluntad.

El comedor y la sala de estar estaban decorados con el estilo que en Estados Unidos se llamaba provenzal: muebles falsamente rústicos, cortinas de cretona y utensilios de cobre en el aparador. El resto de la casa, por el contrario, estaba amueblado en el estilo sobrio de los Shakers.

Sin consultarme, me asignaron una habitación en la mansarda, con una sola cama individual. Valentina dormiría en la planta baja. En un aparte, Valentina me dijo que en este punto Allan era muy estricto. No se metía con la conducta de nadie, pero en su casa sólo dormían juntos los matrimonios legítimos.

Cenamos unos fiambres que nuestros anfitriones habían traído de la ciudad y luego, como era bastante tarde, nos fuimos directamente a dormir. Ya en mi cuarto, rechacé la idea de bajar de puntillas a reunirme con Valentina: la escalera de madera crujía y en la oscuridad no estaba seguro de localizar su cuarto.

Me metí en la cama. Dejé la ventana de guillotina un poco levantada: entraba el ruido de las olas y una brisa fresca movía los visillos. No tardé en quedarme dormido.

Me desperté con el sol ya alto. En la cocina encontré a Valentina y China tomando café y secreteando. Los niños aún dormían. Allan era madrugador: había ido al pueblo y había traído zumo de naranja, pan, salami y *scones* para el desayuno. Luego se había vuelto a marchar. Mientras yo desayunaba, regresó con bolsas cargadas de carne, verdura y fruta. Distribuyó las compras en la nevera, despertó a los niños y les preparó el desayuno.

Cuando todos estuvimos listos, bajamos a la playa con capazos llenos de toallas, sombrillas, cremas solares, moldes de plástico y pelotas. En la playa había poca gente. Quedaba alejada del pueblo y no era fácilmente accesible desde la carretera. Había poco oleaje, el sol era soportable y el agua estaba fría pero agradable. Allan no perdía de vista a los niños y jugaba con ellos en la arena mientras su madre y Valentina tomaban el sol, un rato boca arriba y otro boca abajo. Yo me zambullía, nadaba, paseaba y era feliz.

A mediodía Allan nos hizo levantar el campamento. Los demás todavía nos habríamos quedado varias horas en la playa, pero comprendimos lo sensato de la orden y obedecimos sin rechistar.

Mientras nos duchábamos, Allan preparaba la barbacoa. Le ofrecí mi ayuda y la aceptó agradecido, a sabiendas de mi inutilidad. No hay gente más educada y hospitalaria que los americanos. Mientras trajinábamos, por hablar de algo, le recordé la conversación sobre Watergate que habíamos mantenido en el último *party* y le pregunté cómo veía el asunto.

—Sé tanto como tú. El *impeachment* sigue adelante, ya es una bola de nieve, nadie lo puede parar. Nixon está decidido a dar la batalla, pero al final, quiera o no quiera, tendrá que dimitir. Y será una lástima, porque es un buen presidente. No es simpático, pero es inteligente, con visión política y, en el fondo, honrado. Pícaro, marrullero, pero honrado. Siempre ha estado al servicio de los intereses generales de la nación. Comparado con su antecesor, el balance es muy favorable para Nixon. Kennedy gustaba a la gente y su muerte lo convirtió en un mito, pero como presidente fue un desastre. Él nos metió en Vietnam y la crisis de los misiles fue consecuencia de la fantochada de Bahía de Cochinos.

Nunca hemos estado más cerca de la hecatombe que con Kennedy. Y en Alemania, lo mismo. Estuvimos a punto de ir a la guerra por los alemanes cuando aún no se había secado la sangre en las playas de Normandía. Nixon ha intentado acabar con el conflicto de Vietnam, pero la decisión no está en sus manos. Nadie podría a estas alturas. Los vietnamitas sufren, ciertamente, pero si nos vamos les irá peor. La China de Mao se los comerá y ésos no se andan con contemplaciones: allí los periódicos no socavan la moral de la población y si unos cuantos jóvenes se manifiestan, los fríen a tiros.

Miró fijamente las brasas y luego se volvió hacia mí con una sonrisa de disculpa.

—Perdona. No quería hablar de estas cosas. Aquí hemos venido a descansar.

Yo le escuchaba con interés y con simpatía, aunque no compartiera sus ideas. Me enternecía verle ocuparse de las faenas domésticas, convencido de que sus trabajos y aquel lugar idílico lo arrancaban momentáneamente de su mundo, cuando, visto desde mi perspectiva, seguía inmerso en el mundo para el que había sido programado, tanto en el jardín de su mansión como en su despacho de Wall Street.

—Viéndote, nadie diría que has venido a descansar.

—Ésta es mi forma de descansar. Con estos quehaceres banales me libero de la tensión acumulada durante la semana.

Hizo una pausa y luego me miró fijamente.

—Además, me gusta hacer algo por mi familia. Amo profundamente a China y a los niños. Lo que hago en la vida lo hago por ellos, por su bienestar presente y por la seguridad de su futuro. No me refiero sólo al aspecto económico. Éstos son tiempos difíciles, inciertos. No me malinterpretes, no soy un esclavo del deber. Me gusta mi trabajo, con él me realizo como abogado y como ser humano. Sin embargo, es extenuante y acaparador. Durante la semana veo poco a mi mujer y prácticamente nunca a mis hijos. Cuando llego del trabajo ya duermen. No puedo prestarles la atención que yo querría y que ellos se merecen. De modo que, ya me ves. Quizá preferiría echarme en una tumbona, como esas dos, y dejar pasar las horas mirando las nubes. Pero me gusta sacrificarme por mi familia.

Bajó la voz antes de proseguir.

—Tampoco pienses que estos sacrificios, pequeños o grandes, son fruto de la abnegación. En realidad, estoy en deuda con ellos y con el mundo. No soy un hombre bueno. Me comporto como un buen ciudadano, pero en el fondo de mi alma soy un pecador. He hecho cosas terribles, en mi juventud, incluso ahora, en la madurez... La vida corporativa está llena de tentaciones difíciles de afrontar. Chicas de alterne, ya sabes... Nunca se lo he contado a China. ¿Debería hacerlo?

—Yo creo que no.

—Los católicos sois más prácticos. Con la confesión y todo eso. Pero yo pienso de otro modo. Creo que debería decírselo. Es mi deber. Si no lo hago es porque no me atrevo. No me atrevo a darle un disgusto. Cuando me casé con ella juré protegerla. De los demás, y también de mí mismo. Incluso de sus propias debilidades, si se presenta la ocasión.

Recordé lo que me había contado Ernie del estudiante español que desapareció sin dejar rastro después de haber tonteado con China y me pregunté si estaba en presencia de un santo varón o de un psicópata.

Noise like—
Noise like?
Oompa! Oompa! Ooooompa!
Ah... a sound like a tuba?

Durante la comida le pregunté a Valentina si al terminar quería subir a mi cuarto a dormir la siesta y me dijo que no. Subí solo, contrariado, y me tumbé en la cama vestido. Antes de dormirme oí el motor del coche. Movido por un impulso súbito me levanté, me asomé a la ventana y alcancé a ver el Cadillac salir del jardín y enfilar la carretera en dirección al pueblo. No pude distinguir quién iba al volante. Me volví a acostar y me quedé dormido.

Me despertó el ruido del coche. Cuando llegué a la ventana, los ocupantes del coche ya habían entrado en la casa. Tuve la sensación de estar viviendo una manida novela de Rex Stout.

Mi cuarto tenía una terraza estrecha con vistas al mar, una mesa baja y un silloncito de mimbre. Un toldo de lona la protegía del sol. El mar estaba tranquilo y la playa vacía.

Estuve leyendo un par de horas en la terraza. Luego, como nadie me venía a buscar, me asomé a la escalera. Oí voces en la sala y bajé. Había un desconocido que me fue presentado apresuradamente por China. Se llamaba Yves, como Saint Laurent, era francés, músico, llevaba un año en Nueva York. Joven, bien parecido, andrajoso, despeinado y con barba de tres días, me pareció insolente y engreído. Deduje que era la persona a la que había traído el coche a la hora de la siesta, sin duda un invitado de China para mortificar a su marido.

Valentina y el recién llegado discutían acaloradamente. China y Allan escuchaban, ella irritada, él divertido.

Por lo visto Yves había hecho un comentario displicente sobre la incompetencia musical del público americano. Los lugares comunes soliviantaban a Valentina.

—No soporto a los extranjeros que apenas pisan suelo americano empiezan a hacer comparaciones inútiles. No tienen ni idea de nada, y aunque tuvieran razón, ¿de qué sirve eso? Nadie va a Florencia a criticar el Renacimiento o a París a burlarse de los impresionistas.

—Nadie se burla de los impresionistas. Yo sólo decía que el público americano no está educado musicalmente.

Valentina titubeaba. Sus conocimientos musicales eran débiles y si se adentraba en ese terreno acabaría metiendo la pata. Me miró de soslayo y se rehízo en un instante.

—Culto o inculto, el público americano mantiene en funcionamiento los auditorios, paga las orquestas y da de comer a los músicos. Sus opiniones son tan válidas como las de cualquiera. Uno va a la playa y nada o bucea si sabe y si quiere, y si no quiere o no sabe, chapotea en la orilla o toma el sol. A nadie se le piden cuentas. ¿Hay que ser un experto para comprar una entrada a una sala de conciertos?

—Yo no he dicho tal cosa. Yo sólo me opongo a la noción de que las personas reaccionan ante el arte de un modo espontáneo. Es un lugar común. Dicen: yo no entiendo de música, no sé leer una partitura; a mí la música me gusta o no me gusta. Allá ellos si piensan así, pero es mentira. Las canciones de cuna que oyeron de bebés los introdujeron en un sistema armónico distinto del que habrían adquirido si hubieran sido chinos o africanos. A partir de ahí, con este condicionante, cada cual fue ampliando su horizonte musical. El problema es que la mayoría no se tomó en serio ese desarrollo. Por desidia se quedaron en el *Adagio* de Albinoni, *Las cuatro estaciones* de Vivaldi; como mucho, la Quinta Sinfonía de Beethoven. Ir más allá les parece un esfuerzo estéril, prefieren creer que su sensibilidad rudimentaria es la medida de todas las cosas y que el resto es pedantería, en el mejor de los casos y, en el peor, una estafa. Lo mismo ocurre con las artes plásticas y con la literatura, aunque de esto prefiero no hablar porque no entiendo nada. Pero nunca se me ocurriría decir que Mondrian o Mallarmé son unos estafadores.

No era mala la argumentación. Hubo una pausa y Valentina volvió a la carga.

—Tu actitud me parece muy bien, pero ésa no es la cuestión. La cuestión es que nadie puede hacerte ningún reproche si no te gusta el arte de vanguardia o si en literatura tus gustos no pasan de Astérix y Obélix. Los que van a los conciertos van porque quieren, pagan el precio de la entrada sin protestar y escuchan en silencio. Muchos de ellos no saben casi nada de música, pero son médicos, ingenieros, contables o electricistas, todos dignos del máximo respeto. Lo único que les diferencia de los que están en el escenario es que ellos no son artistas, y por una ley nunca promulgada, un artista es importante y el resto, chusma.

Yves movió la cabeza y levantó los ojos para dar a entender cuánta beligerancia estaba concediendo a su interlocutora.

—No se trata de que un artista sea más o menos importante que un médico o cualquier otro profesional, incluido el último peón. Todos son imprescindibles. Quizá, de todos, el artista es el único prescindible. Pero ahora el concepto de necesidad o importancia es irrelevante. No se trata de determinar la finalidad práctica de un artista. La cuestión es ésta: que el profesional, el buen profesional, competente y honrado, se adapta a las normas de su actividad y trata de ponerlas en práctica con la máxima exactitud. A lo mejor introduce alguna mejora en el funcionamiento de esas normas o perfecciona el método de trabajo. Incluso puede hacer algún descubrimiento revolucionario. Pero la esencia de su personalidad como profesional es estática. Esto se aplica también al intérprete de música. No sólo la técnica sino también la sensibilidad cuentan en su trabajo, pero está atado de pies y manos por la partitura. Con el artista sucede lo contrario. Por definición, el artista reniega del método y utiliza el conocimiento recibido para destruirlo y superarlo o sustituirlo por otro distinto. Y esto lo hace transformándose a sí mismo, superándose a sí mismo, purificándose de lo que hasta ese momento significó lo mejor: el ideal. El profesional es pasividad; el artista es acción.

Allan había traído de la cocina una bandeja con una botella de vino rosado y cinco copas.

—Brindemos por los artistas. Hace un par de siglos los artistas eran parte del servicio doméstico. Un pintor no valía más que la cocinera y el músico tenía menos categoría que la nodriza. Por fortuna, esta injusticia, como tantas otras, quedó atrás y hoy consideramos al artista un ser superior.

No supe si hablaba en serio o en broma. Se expresaba con la elocuencia convincente e impersonal del abogado que trata de persuadir al jurado sin que parezca que está usando añagazas ni intimidaciones. China echaba chispas. Valentina no estaba dispuesta a dejar la partida en tablas.

—¿Quién se puede tomar en serio a una persona que fija su propia valía mirándose al espejo?

En este comentario parecía englobar a todos los hombres o, cuando menos, a todos los hombres presentes en la sala.

Allan propuso dar un paseo hasta un promontorio desde donde se podía ver la puesta de sol en el mar.

Allan había reservado una mesa en un buen restaurante de pescado. Como no sabía de la visita de Yves había hecho la reserva para cuatro comensales, pero con suerte acomodarían a uno más, dijo. El francés no dijo nada: le parecía natural sumarse al grupo. En cambio, la puesta de sol le pareció de un efectismo fácil. Pasamos por casa y dejamos a los niños al cuidado de una chica muy joven, pelirroja y pecosa, que llegó en un Volkswagen desvencijado y abollado, con una pizza y una botella familiar de Tab, todo lo cual fue recibido con grandes muestras de júbilo por parte de Chris y Cherie.

En el restaurante sólo tenían mesa para cuatro. El resto estaba reservado. En una mesa de ocho ya iban por el segundo plato; sin duda no tardarían en irse; podíamos esperar, pero no nos garantizaban el tiempo de espera. Como no teníamos alternativa, decidimos esperar.

El restaurante tenía anexa una boutique todavía abierta donde vendían bañadores, ropa de verano y abalorios. China y Valentina examinaron y comentaron cada prenda y luego se quedaron en ropa interior y se probaron varios vestidos. Como lo hacían para pasar el rato, cuando se cansaron nos fuimos sin comprar nada. El pasatiempo sirvió para distraernos y cuando nos llamaron por un altavoz estábamos hambrientos y de buen humor.

Pedimos almejas, ensalada de cangrejo y langosta. Yves comió con buen apetito sin dejar de criticarlo todo. En América el pescado y el marisco no sabían a nada y, por añadidura, no lo sabían preparar. Para comer buenos *fruits de mer* había que ir al Midi.

A menudo los efectos producen causas: Valentina lo había tratado como a un niño mimado y ahora él se comportaba como si lo fuera. No le hicimos caso y la cena transcurrió apaciblemente. Las dos mujeres cuchicheaban entre sí y Allan y yo hablábamos de tonterías procurando disimular nuestra común animadversión hacia el francés.

Animado por el vino, no me pude contener y comenté, como si fuera cosa de conocimiento general, que la vida musical de Nueva York tenía una larga e ilustre historia. El primer teatro de ópera, originalmente situado no lejos de donde yo vivía, había sido fundado por Lorenzo da Ponte, el libretista de *Don Giovanni* y *Las bodas de Fígaro*; y el concierto inaugural del Carnegie Hall lo dirigió Tchaikovski. En la actualidad, la vida musical en Nueva York era intensa y de muy alto nivel, al igual que en Chicago, Boston, Philadelphia o Los Ángeles. En Europa, sin embargo, persistía la idea contraria, basada en la ignorancia, como había dicho Valentina.

A la hora de pagar, Allan se hizo con la cuenta sin atender a mis protestas. Éramos sus invitados. Yves no puso en entredicho esta afirmación.

The best thing you can do for the poor is not to be one of them.

A la mañana siguiente Valentina entró en mi cuarto y me despertó sin miramientos.

—Corre, vístete y baja. Nos están esperando en el coche.

—¿A dónde vamos con tanta precipitación?

—¿A dónde va a ser? A misa.

Hice como me mandaban y partimos con celeridad.

Yves no formaba parte del grupo. Allan, China y los niños iban endomingados y olían a colonia fresca.

La iglesia era un edificio no muy grande puesto al bies en un cruce de calles, con columnas dóricas pintadas de blanco. Delante, en un parterre bien cuidado, había un mástil con la bandera y un cañón antiguo; junto al cañón había una pirámide de balas de plomo. En el frontón de la iglesia un rótulo decía:

JESUS LOVES YOU

A primera vista la iglesia estaba llena a rebosar, pero siguiendo a Allan por el pasillo central ocupamos un banco vacío en la primera fila, bajo la mirada de los demás feligreses. Aquella deferencia y aquel escrutinio no me parecieron casuales. En el ábside había una tarima de madera clara y un crucifijo. De un rincón invisible llegaba atenuada música de armonio. Al cabo de unos minutos de espera subió a la tarima un individuo de mediana edad, con una mata de cabello espesa y de una blancura radiante. Vestía un traje gris marengo, camisa blanca y corbata negra. En una mano llevaba un micrófono y en la otra, una biblia con una encuadernación de piel muy gastada por el uso.

Aunque mi familia nunca fue religiosa ni yo sentí jamás la menor inclinación por la religión, en mi infancia hube de asistir por fuerza a misas, primeras comuniones, bautizos, bodas, funerales, triduos, novenas, una confirmación y la extremaunción de mi abuela. Salvo esta última, que fue corta y un poco macabra, todas aquellas ceremonias sólo me produjeron aburrimiento. Estando en Londres acudí a un par de oficios protestantes para ver cómo eran. Los feligreses cantaban salmos, que yo fingía seguir moviendo los labios; esto y un sermón banal fue todo; el conjunto me pareció igualmente aburrido y además prosaico. Ahora, en cambio, la cosa era distinta.

En vez de estarse quieto, como hace la gente cuando habla en público, nuestro predicador iba de un lado al otro de la tarima, encarando a los asistentes y señalándolos con el dedo para recalcar que no se dirigía al conjunto de los allí reunidos, sino a cada uno en particular, y gesticulando todo el rato con los brazos y haciendo inflexiones de voz. De cuando en cuando abría la biblia y leía un fragmento, nunca completo, como si sólo quisiera dar una muestra del sonido de la palabra de Dios. Debía de abrir el libro al azar, porque lo que leía no venía a cuento con su discurso, aunque él lo interpretaba de cualquier manera para reforzar sus argumentos.

Yo escuchaba a aquel embaucador con el máximo respeto, porque, a diferencia de los curas de mi infancia, a los que les traía sin cuidado el público, porque estaban transmitiendo la verdad y el dogma y, por consiguiente, era obligación de cada fiel estar pendiente de sus palabras y cualquier distracción era un fallo atribuible al oyente y no a la incapacidad del orador de despertar y retener el interés del público, aquel predicador sabía que tenía que ganarse a pulso a los espectadores, como un actor de teatro, y ponía todo su empeño en conseguirlo y a todas luces lo conseguía, porque su sermón era escuchado con arrebato e interrumpido a menudo con expresiones breves, como: «amén», o «alabado sea el Señor».

Yo había oído hablar de los predicadores americanos, algunos de los cuales eran auténticas celebridades capaces de llenar estadios o de conseguir la máxima audiencia en sus emisiones de radio o televisión, como Oral Roberts, Billy Graham o el reverendo Ike, pero nunca había visto ni oído a uno en directo y, aunque aquél debía de ser un predicador de poca monta, hube de reconocer que su actuación era irreprochable y de innegable eficacia.

Con el tiempo pude comprobar que el contenido de todos los sermones era parecido, a pesar de las aparentes diferencias. Unos eran apocalípticos: el país vivía inmerso en el temor de una guerra nuclear y los predicadores aprovechaban la zozobra de la población para anunciar la inminencia del fin, precedido por la batalla decisiva entre las fuerzas del bien y del mal, el bíblico Armagedón; no era cuestión de evadirse ni de aplazar el arreglo de nuestras cuentas con el Altísimo, porque podíamos ser llamados a su presencia en cualquier momento. Otros, por el contrario, lanzaban un mensaje de optimismo: la vida era hermosa y ofrecía infinitas posibilidades a quien estuviera dispuesto a aprovecharlas: vivíamos en el mejor lugar, en el mejor de los tiempos, bastaba con abrir los ojos a esta realidad y alargar la mano para conseguir sus frutos; el desaliento y la resignación eran actitudes abominables porque suponían un desprecio de las oportunidades que el Señor ponía a nuestro alcance. Casi todos ofrecían soluciones prácticas a los problemas cotidianos de cada individuo: cómo sanar las enfermedades, cómo ganar amigos, cómo ser feliz en el matrimonio, cómo prosperar en los negocios, cómo vencer el sentimiento de inferioridad o de fracaso. Unos se dirigían a los ricos, otros a la clase media, otros a los habitantes de los guetos. Sin embargo, más allá de estas recetas, de estos principios de sentido común y de estas promesas falaces con las que captaban la adhesión de sus oyentes, todos transmitían el mensaje contrario: un llamamiento a la fe ciega, al abandono emocional, a la renuncia a toda actitud individual, racional y crítica. Todos exhortaban al patriotismo, a la convicción de que América era el país elegido por Dios para llevar a cabo los designios de la Providencia, a la bondad suprema e indiscutible de los valores que representaba el país y, por consiguiente, a defenderlos y difundirlos fuera de sus fronteras. A diferencia de la doctrina católica, basada en la correcta interpretación de la palabra divina por el ministerio de la Iglesia, aquellos predicadores ponían de manifiesto la oscuridad de los textos bíblicos, el misterio de una voz que exigía la sumisión incondicional, inmediata y sin fisuras. Esta forma de religión podía parecer exótica a un forastero. Los europeos tenían de ella una imagen infantil y ridícula. Pero si la religión era el opio de los pueblos, aquella variante era la cocaína.

Acabado el oficio fuimos a tomar un copioso desayuno con huevos, salchichas y tortitas. De vuelta en casa vimos que Yves se había ido sin dejar una nota explicativa. Pensé que no lo volvería a ver y la idea no me produjo ningún pesar.

Bajamos a la playa. Allan se quedó en casa preparando un pleito del que debía ocuparse en la mañana del lunes.

A mediodía comimos un sándwich y emprendimos el regreso para evitar los atascos. Durante el viaje descabecé un sueño. Cuando me desperté vi que circulábamos por la margen derecha del East River para cruzar por el Williamsburg Bridge. El perfil de los rascacielos se recortaba contra la puesta de sol.

Con reiteradas muestras de agradecimiento me apeé en la puerta de casa y se fueron llevándose con ellos a Valentina.

Me quedé en la acera viendo alejarse el coche y a duras penas contuve el impulso de hacer señas para que se detuvieran. Tenía pánico a quedarme solo: habían pasado muchas cosas en pocas horas, triviales pero animadas, y ahora, de vuelta a la normalidad, no estaba seguro de haberlas vivido o haberlas soñado. Me invadió una invencible sensación de vacío: mi apartamento estaba vacío, la nevera estaba vacía, y mi estancia en Nueva York, mi trabajo, mis amistades y mi vida sentimental me parecían un simple holograma proyectado en el vacío.

*

Los días que siguieron al placentero fin de semana en Long Island los dediqué a reflexionar sobre mi existencia. Todo me llevaba a hacer un balance positivo. El trabajo me ocupaba una parte de mi tiempo; el resto del día, podía hacer lo que se me antojara en una ciudad llena de posibilidades y en la que me encontraba a mis anchas. No me faltaban las diversiones y las horas de soledad en mi apartamento, dedicadas a la lectura, a la música o a perderme en divagaciones y fantasías, eran, por mi carácter retraído, las más gratas. No obstante, me corroía la sensación de estar de paso, de no sacar provecho de los años más productivos de mi vida, de no estar edificando nada.

En todo el verano no volví a saber nada de China y Allan. Deseaba vivamente ser invitado de nuevo a su casa de East Hampton, pero seguramente sus fines de semana estaban destinados a otros huéspedes.

Ernie se recuperó un poco de su depresión y algún sábado alquilé un coche y, por distraerle a él más que por otra razón, fuimos a bañarnos a Robert Moses o a alguna playa cercana de Long Island. En un par de ocasiones se nos unió Valentina y, animados por su compañía, nos llegamos hasta

Fire Island. Allí las playas eran muy extensas y, a pesar del gentío que acudía el fin de semana, se podía estar con holgura.

La horda gay había hecho suyas algunas zonas, como Cherry Grove o The Pines. Allí había bares de madera, erigidos sobre pilotes, donde se servían cócteles exóticos en medio de un jolgorio que iba subiendo de intensidad hasta que la prudencia aconsejaba emprender el regreso al asfalto.

Durante la semana las calles de Manhattan estaban casi vacías en las horas de máximo calor.

Me pasaba el día encerrado y sólo salía para ir al cine. Había descubierto un par de salas donde daban películas del repertorio clásico. Cada día cambiaban el programa. Un día se podía ver *El acorazado Potemkin* y el siguiente, *Duck Soup*.

A veces convencía a Valentina para que me acompañase.

Al salir del cine solíamos cenar en un restaurante italiano adornado con botellas de Chianti y falsos salamis colgados del techo.

Algunas noches ella me dejaba subir a su apartamento, con la condición de que al despuntar el alba me marchara sin ruegos ni ceremonias.

Aquella relación, tan poco exigente por su parte, habría sido ideal si yo hubiera tenido ansias de libertad para perseguir otros intereses, pero como no era el caso, me resultaba bastante árida.

Aquel verano, y hasta bien entrado el otoño, vimos grandes películas: *Scarface*, *Johnny Guitar*,

Flores de equinoccio, *Los viajes de Sullivan*. Las salas donde proyectaban estas películas dejaban bastante que desear en cuanto a comodidad y limpieza, pero las copias estaban en buen estado y la temperatura era glacial.

A Valentina el cine antiguo le inspiraba recelo. Lo consideraba cosa de intelectuales y ella no quería ser una intelectual. Iba a regañadientes, pero como no era tonta acababa entregada al talento de los grandes maestros. Con todo, mi afición le parecía exagerada.

—Los hombres os tomáis en serio el cine porque sois mitómanos. Las mujeres, no. Tenemos nuestros ídolos, nos volvemos locas por un cantante o por un actor, pero no coleccionamos ídolos ni los clasificamos. Las niñas tenemos un príncipe azul. Los niños tenéis a Superman, a Batman, a Spiderman..., una verdadera plantilla.

Una noche, al salir del cine, Valentina me preguntó si la quería acompañar unos días más tarde a un concierto en el Carnegie Hall. Debía de ser a mediados de septiembre, cuando ya había comenzado la temporada musical. La propuesta me hizo mucha ilusión: a Valentina seguía sin gustarle la música clásica y supuse que había comprado las entradas para darme una sorpresa.

—Claro, de mil amores. ¿Qué programa dan?

—Un recital. ¿Te acuerdas de Yves? Aquel músico que conocimos en casa de China. Tocará algunas piezas suyas.

—Valentina, no me digas que has estado saliendo con aquel fantoche.

—Yo hago lo que me da la gana. ¿Quieres venir o no?

—Bueno, sí. Estoy abierto a todas las sugerencias.

—Tú no estás abierto a nada. Eres un zoquete.

No era un zoquete: estaba celoso, pero reconocerlo habría sido contraproducente y humillante para mí. Si acepté fue porque daba por sentado que la actuación de mi rival lo dejaría en ridículo a los ojos de todo el mundo, incluida Valentina. Y entonces yo no tendría piedad de él.

I can see, Breeze said, that you know a lot about dames.

Not knowing a lot about them has helped me in my business, I said, I'm open-minded.

El recital tuvo lugar en una sala pequeña del Carnegie Hall, con el patrocinio de la Alliance Française y la fábrica de galletas LU.

En el escenario había un Yamaha de media cola. El público apenas llenaba un tercio del aforo.

Yves hizo su entrada desgreñado y sin afeitar, vestido con un pantalón y una especie de blusón negro, muy arrugado. No respondió a los tímidos aplausos de los asistentes, se sentó al piano y empezó a tocar.

La primera parte del recital, según rezaba el programa de mano, la formaban varias composiciones breves del propio Yves, tituladas *Teorema insoluble, Ejercicio para un solo dedo, Material corrosivo* y cosas parecidas. Para mi sorpresa, no eran piezas gratuitas ni banales. Al concluir la primera parte, que fue recibida con más cortesía que entusiasmo, Yves abandonó el escenario, pero reapareció casi de inmediato bebiendo una cerveza Budweiser directamente de la lata. Cuando estuvo satisfecho arrojó la lata al entarimado y allí se quedó la lata, goteando, hasta el final.

La segunda parte del recital se titulaba *Farting on Brahms* y consistió en una versión personal de la Sonata para piano número 1 en do mayor de Johannes Brahms. La ejecución del *allegro* fue impecable. Luego, tras una breve pausa, inició el *andante*. Lo tocó con la misma perfección, pero de cuando en cuando se interrumpía, se volvía al público y exclamaba: «*Ah, qu'il me fait chier, le salopard!*», o: «*Crapaud! Vieux con! Va te faire enculer!*». Sin transición atacó el *allegro molto*. Apenas sonaron unas notas, sin dejar de tocar, se puso de pie, apartó el taburete, levantó una pierna y expelió ruidosas y prolongadas ventosidades, no sé si naturales o con ayuda de un aparato muy bien sincronizado con sus gestos. En un momento dado, antes de concluir el tercer movimiento, cerró la tapa del piano y salió corriendo del escenario.

Al salir, la gente iba desfilando en un silencio tenso. La mayoría hacía un esfuerzo visible para no expresar su indignación.

Valentina insistió en esperar a Yves. Me dijo que me fuera si quería, pero yo no estaba dispuesto a perderme la escena.

—Si te pregunta qué te ha parecido, ¿qué le dirás?

Valentina se encogió de hombros. Sus conocimientos musicales eran tan rudimentarios que no distinguía entre una sonata de Brahms y *Teorema insoluble.*

En el *foyer* sólo estábamos nosotros dos y tres hombres con traje y corbata. Yves salió, nos dirigió un ademán de disculpa y habló un rato con los tres hombres. Éstos se fueron y vino a nosotros. Le dio dos besos a Valentina y otros dos a mí. Estaba muy risueño. Se le veía satisfecho.

—Os ha gustado mucho, ¿eh?

Antes de que pudiéramos responder lanzó una carcajada.

—Era broma. No tenéis que decir nada. Esos tipos con los que hablaba son mis compatriotas del consulado. Están furiosos. Tanto mejor. Dentro de un mes les pediré más pasta y si me la niegan, alegaré persecución por mis ideas. Un artista ha de ser un canalla. Un canalla o un perro faldero, no hay alternativa. ¿Vamos a comer algo? Estoy hambriento y sediento.

Yo quería seguir considerándolo un majadero, pero rezumaba energía e irradiaba una alegría infantil que lo hacía simpático.

Los tres anduvimos sin hablar hasta una cafetería de la Sexta Avenida. En la puerta Valentina dijo:

—Entrad vosotros. Yo estoy cansada y mañana tengo trabajo a primera hora. Seguro que tendréis cosas que deciros.

Paró un taxi y sin darnos tiempo a reaccionar la vimos perderse por la calle 59 en dirección al East River. Yves me miró. Estaba tan desconcertado como yo, pero se encogió de hombros.

—Los plantones de las mujeres no me quitan el apetito.

Entramos, nos sentamos y pedimos dos hamburguesas y una jarra de vino tinto, que resultó frío y áspero al paladar. Yo estaba un poco cohibido, pero no el francés.

—Me ha dicho Valentina que entiendes de música. No trates de eludir la cuestión. Si Valentina lo dice, por algo será. Ella no tiene ni idea, eso es evidente. Por eso aquella noche, en casa de aquellos ricachones despreciables la dejé hablar. Podría haberla hecho callar, pero no quise herir su orgullo delante de los demás. Las mujeres son un saco de vanidad. Si las halagas, consigues cualquier cosa de ellas. Si las humillas, nunca te lo perdonan. Y prefería conseguir algo y me salí con la mía. Las mujeres son tontas. ¿Qué te ha parecido?

—¿Tu teoría sobre las mujeres?

—No. El recital.

Me habría gustado decir *una payasada*, pero en el último momento decidí rehuir la pelea.

—La primera parte no ha estado mal. La segunda es un desperdicio. Tocas muy bien. Podrías haber hecho una versión espléndida de la sonata de Brahms. ¿Por qué convertirlo en una *performance*?

—Ah, no. Yo no hago *performances*. Eso se lo dejo a los artistas plásticos. Yo soy un músico. Y puedo tocar esa mierda tan bien como Richter. Pero lo que yo quiero es destruir al maldito farsante.

—¿El maldito farsante es Brahms?

—*Oui, le vieux con!* Un compositor mediocre, obtuso y cobarde, adulador de los bajos instintos de la burguesía, un hipócrita y un traidor. Fingía estar enamorado de Clara Schumann cuando lo que le habría gustado era darle por el culo a Robert.

—Bueno, pero dejando al margen sus preferencias personales, ¿de veras lo consideras un mal compositor?

—Pésimo. Todos los compositores románticos son malos, empezando por Beethoven. Y los de antes, también. Pero el romanticismo es lo peor.

—Entonces, ¿qué? ¿La Edad Media?

—No, no. Ni la Grecia clásica. Antes, antes. Lascaux, Chauvet, Bédeilhac. *L'âge de l'innocence, pour l'amour de Dieu!*

—Déjame hacerte una pregunta. ¿Por qué te dedicas a la música?

—Yo no me dedico a la música. No soy un compositor, no soy un intérprete. Éstos son conceptos burgueses. Yo soy un artista que se expresa a través de la música. Y al margen de las convenciones impuestas por el poder. La sociedad de consumo, *quoi*.

No hablaba en tono agresivo y, aunque parezca mentira, tampoco era petulante. Había algo de genuino en su actitud, que, por otra parte, no era una novedad en aquellos años.

—No salvas a nadie.

—Yo no salvo ni condeno. Yo no juzgo. La justicia no pinta nada en este asunto. Yo sólo quiero decapitar a Brahms.

—¿Por qué precisamente al pobre Brahms? ¿Por qué no a Chopin, por ejemplo?

—Ah, no. Chopin es un gran músico. Nada que ver con el asqueroso de Brahms. Chopin es un pianista serio. Admiraba a Thelonious Monk y a Art Tatum.

—¿Estás seguro?

—Quiero decir que pertenecía a la misma cofradía. Grandes pianistas. El aspecto cronológico no cuenta.

—¿Por qué no tocas jazz?

—¡Por favor! Detesto el jazz. Es un invento de los blancos para dejar en ridículo a los negros. Las pocas veces que he ido a una cava de jazz los músicos eran negros, pero todo el público era blanco.

—Pues dime qué te gusta.

Dio un bocado a la hamburguesa y respondió con la boca llena.

—Farinelli *il castrato*.

—Esto es una *boutade*. Farinelli vivió en el siglo XVIII, no hay registro de su voz. Nadie sabe ni sabrá nunca cómo cantaba Farinelli.

—Precisamente. Quieres oír a Farinelli y no puedes. No actúa en ninguna sala, no hay discos en ninguna tienda. El arte es esto: dolor y frustración. Lo contrario: una sonata del gordo Johannes. Tantas versiones como desees y puedas comprar, todas excelentes. Todo resuelto, todo explicado. Lo mismo que entrar en una carnicería: *l'entrecôte*, *le ris de veau*, *la viande hachée*: *allegro*, *adagio*, *andante assai*. Puedes comer hasta reventar.

Como él hablaba y yo me limitaba a escuchar, al final de la cena conocía muchos detalles de su vida.

Había nacido en Argelia, de padres franceses. Su padre había sido un empresario próspero hasta que la guerra y la independencia de la colonia lo arruinaron. Instalado con su familia en Francia, había rehecho su fortuna, aunque no su estatus, en una sociedad que miraba con desconfianza a los *pieds-noirs*. Desde niño Yves mostró aptitudes y afición por la música, con gran disgusto de su padre, que quería educarlo a su lado y, en el futuro, dejar la empresa en manos de su hijo. Aun así, no le coaccionó e incluso le pagó los estudios en los mejores centros, con los profesores más afamados. A los catorce años Yves dio su primer recital. A los dieciséis se radicalizó. Había emigrado a América dos años atrás, siguiendo los pasos de Pierre Boulez, su ídolo, a la sazón director artístico de la Filarmónica de Nueva York. Al cabo de pocos meses se desengañó del maestro, al que ahora consideraba vendido a los halagos de una sociedad reaccionaria. Le irritaba que Boulez compaginara unos programas más o menos convencionales, en los que a menudo incluía piezas contemporáneas, con la composición de una obra propia. Yves consideraba aquella actitud nadar y guardar la ropa. Él no admitía compromisos ni medias tintas. Subsistía mendigando subvenciones de entidades públicas o privadas dispuestas a apostar por los nuevos valores y, de paso, a desgravar impuestos. Había intentado sin éxito entrar en el círculo de Andy Warhol, había mariposeado por los desvencijados salones del Chelsea Hotel, había pasado hambre y en alguna ocasión había dormido en el banco de algún parque, con el consiguiente peligro que aquello entrañaba. Ahora estaba en un periodo de cierta estabilidad. Vivía con estrecheces, pero comía caliente, pasaba por una etapa creativa fecunda y de cuando en cuando conseguía ser escuchado, como aquella noche, en el Carnegie Hall. Era una fecha importante para él y el hecho de estar celebrando el acontecimiento conmigo hacía que sintiera hacia mí una profunda amistad. Esto le llevó, mediada la segunda jarra de vino, a pedirme perdón por haberse enrollado con Valentina. Lo había hecho sólo por divertirse. Valentina le traía sin cuidado. Era la clásica chica pequeñoburguesa con aires de *bas-bleu* pero, en el fondo, una *soubrette*, incapaz de resistirse a una falsa promesa o una burda adulación.

—Si te gusta, quédatela. A mí me da lo mismo. Ésta u otra, todas son iguales. Un pasatiempo agradable, nada más. Para ser sincero, no me gustan las mujeres. El cuerpo de las mujeres, sí. Pero no tienen inteligencia ni sentimientos. Ya sé que esta postura va contra el signo de los tiempos. El feminismo, *Our bodies, ourselves*, todo eso. *Je m'en fous*. Seguramente tú tampoco estás de acuerdo conmigo. A lo mejor lo que digo te parece reprobable.

—Reprobable no. Repugnante.

—No exageres. Probablemente tú piensas como yo. Además, no hago nada malo. Nunca he violado a una mujer, ni la he coaccionado, ni la he pegado. Ninguna ha hecho conmigo algo que no quisiera hacer. Y, en definitiva, mi actitud con respecto a las mujeres es la misma que la tuya con respecto a la música. Sublimes artículos de consumo.

Conforme le escuchaba me invadía la tristeza. Sus teorías eran extremadas, incluso absurdas, pero en su modo de pensar y de actuar había renovación y riesgo. En el mío, por el contrario, sólo había conformismo y sumisión a los cánones. Su aventura con Valentina me dolía, pero sobre todo me humillaba, porque comprendía que ella prefiriera a un individuo alocado como Yves a un tipo cuerdo, centrado y monótono como yo.

Nur das Neue scheint gewöhnlich wichtig, weil es ohne Zusammenhang Verwunderung erregt und unsere Einbildungskraft einen Augenblick in Bewegung setzt, unser Gefühl nur leicht berührt und unsern Verstand völlig in Ruhe läßt.

Mi afición a la música me había llevado a explorar en solitario la obra de los compositores americanos en activo, como John Cage o Philip Glass. Pero después de la conversación con Yves, en parte por interés y en parte para reafirmarme en mis propias convicciones, decidí zambullirme en el proceloso mar de arte contemporáneo en sus demás facetas.

No me faltaban guías ni instructores.

Era un hecho consumado que, de un modo progresivo, a pesar de su mala fama, Nueva York le había arrebatado a París la capitalidad del arte de vanguardia. Aprovechando el abandono de algunas zonas céntricas de Manhattan, se abrían galerías de arte en locales espaciosos, despejados, que antes habían sido fábricas o almacenes. Allí exponían sus obras artistas jóvenes para quienes Jackson Pollock, Robert Motherwell, Jasper Johns y otras figuras del expresionismo abstracto eran sus referentes y Andy Warhol su heraldo y su ideólogo.

El fenómeno había atraído a varios artistas jóvenes catalanes, deseosos de formar parte de aquella corriente. Formaban un grupo compacto, eran simpáticos, entusiastas, vanidosos y leales, pululaban por Manhattan con envoltura de papanatas. Casi todos tenían relaciones sentimentales apasionadas, conflictivas y poco duraderas; algunos eran aficionados a la bebida y no les hacían ascos a otras sustancias estimulantes; unos cuantos eran propensos a meterse en líos con la autoridad.

Muy gustoso me uní a ellos. Siguiendo sus pasos y sus consejos, visité galerías y talleres, asistí a acciones y *performances* y participé en discusiones.

En la mayoría de los casos quedé doblemente decepcionado. Todo lo que veía me parecía, como mucho, una idea, buena o mala, pero que se agotaba una vez expuesta. No había elaboración ni desarrollo. O yo no había entendido nada.

Mis amigos tachaban mi actitud de reaccionaria. Según unos, yo defendía un arte servil y patrimonial, de iglesia, de museo o de anticuario.

Yo me defendía como podía.

—¿Qué tienen de malo un museo o una iglesia?

—Lo que son y lo que ofrecen. Pinturas y esculturas hechas con mejor o peor gusto, para inspirar piedad o para dar coba al rey de turno. *Las Meninas* es un icono vil y malintencionado que debería ir a la hoguera. La habilidad técnica de Velázquez empeora las cosas. Si no ha sido destruido ya es porque una tasación ficticia le confiere un valor económico desmesurado.

—Pues si *Las Meninas* no es arte, ¿qué lo es?

—La suela de mi zapato, hurgarse la nariz. Cualquier cosa que un ricacho no compraría.

—Pues eso es precisamente lo que están comprando. Y vosotros hacéis cabriolas para que siga la fiesta.

—Poner precio a una obra de arte es la única forma de valorarla. Cuanto más alto el precio, mayor el valor. No hay otra forma de reconocimiento, al menos en esta etapa. Quizá un día desaparezca la distinción entre arte y no-arte. Cada momento del incesante discurrir del tiempo será una obra de arte, y nada lo será. Nuestra vida será una obra de arte. Yo lo seré. Y tú también.

Otros proponían ideas diferentes.

—El arte ha de tener utilidad y significación. Ha de ser la voz del silencio. Poner de manifiesto la injusticia y la mentira que prevalecen en la sociedad imperialista. El poder predica la democracia, pero en la práctica respalda la dictadura y desestabiliza cualquier conato de liberación. El arte no puede ser un adorno.

A pesar de sus posturas irreconciliables, unos y otros coincidían en hacer unas obras muy poco laboriosas y en meterse conmigo.

No obstante, las reuniones de la colonia artística catalana eran frecuentes y alegres. Predominaba el afecto mutuo, imperaba el buen humor y todos los debates se resolvían a base de garrafones de un vino infame y se inmortalizaban en unas Polaroids que merecían la aprobación general si salían borrosas y movidas.

À ce moment précis, un coup de tonnerre violent éclata dans le ciel sombre. Les ondes électriques furent interrompues.

Un huracán de categoría 3, que había causado abundantes víctimas y grandes daños materiales en las islas del Caribe y las costas de Florida, se dirigía hacia Nueva York.

Como ocurre con este tipo de fenómenos, al abandonar el océano y adentrarse en tierra, el huracán había ido perdiendo virulencia. Aun así, muchas casas de la playa habían sido evacuadas por orden gubernativa y se recomendaba a la población que no saliera a la calle.

En la oficina se debatía la forma de encarar la situación. Paco Andrade se quería ir. Si la llegada del huracán le pillaba en Manhattan, no podría volver a su casa y no tenía dónde pasar la noche. Por precaución, su mujer había puesto tiras de papel de embalaje en las ventanas y sacos de arena en las puertas.

A pesar de los pronósticos, el día había amanecido despejado.

El señor Carvajal puso fin a la discusión.

—Aquí se hace el horario normal y punto. Todo esto es un cuento. El Ayuntamiento saca las cosas de quicio para cubrirse las espaldas. Luego, si a alguien le pasa algo, puede echarle la culpa a la víctima y se ahorra pagar la indemnización.

Como a sus ojos yo seguía siendo un recién llegado, me aclaró el sentido de sus palabras.

—Aquí todo funciona así: vas por la calle pensando en las musarañas, te das un tortazo con una farola y demandas a la farola. Hay abogados especializados en este tipo de pleitos. Si pierdes, no te cobran, si ganas, se quedan la mitad. El Estado de derecho sólo sirve para proteger a los desalmados. El ciudadano honrado no necesita protección ante los tribunales, porque no hace nada malo y, en consecuencia, no recae sobre él el peso de la ley. En cambio, con las garantías constitucionales, los delincuentes van a juicio y salen fumándose un puro, y los pícaros se forran con el dinero del contribuyente.

A mediodía me llamó Valentina a la oficina, muy preocupada. Le daban miedo las tormentas.

—Quédate en casa. Ya verás cómo no pasa nada.

—A mi madre le cayó un rayo muy cerca cuando estaba embarazada de mí y nací con un trauma.

—Está bien, pero ahora estoy trabajando. Ya hablaremos luego de tus traumas infantiles.

Podía haber ido a pasar la noche con ella, o llevarla a mi apartamento, pero aún estaba dolido por el asunto de Yves y, como el señor Carvajal, no creía que fuera para tanto.

Al acabar la jornada todo seguía igual. De camino a casa iba pensando que una vez más había fallado la previsión meteorológica. Sin embargo, al asomarme a la ventana de mi apartamento vi unos nubarrones negros avanzar a gran velocidad por los intersticios de los rascacielos. Un viento repentino hizo revolotear los papelotes del suelo y empezaron a caer gruesos goterones. En un abrir y cerrar de ojos el cielo se cubrió y todo quedó sumido en una gran oscuridad. Llovía a cántaros y los transeúntes corrían a refugiarse en las bocas del metro, con la cabeza hundida en las solapas, porque la fuerza del viento rompía las varillas de los paraguas. Los depósitos de las azoteas se balanceaban y temí que se desprendieran de los soportes de hierro y reventaran en la calzada. De pronto cayó un rayo y luego otro y muchos más, sin interrupción. Caían en los pararrayos de los rascacielos con un chasquido estremecedor y retumbaba un trueno. Todo el cielo estaba iluminado por los relámpagos.

Recordé el miedo de Valentina y estuve tentado de llamarla por teléfono, pero no lo hice por prudencia. Siguiendo los consejos de Paco Andrade, había desconectado la antena de la televisión y desenchufado los electrodomésticos.

—Con los rayos, la potencia de la electricidad se puede multiplicar por mil. Con suerte te funde todos los aparatos. Con mala suerte, te quedas frito.

Ni siquiera tenía encendidas las lámparas.

Al cabo de un par de horas cesaron los rayos y la tormenta se convirtió en una lluvia constante. El agua bajaba a raudales por las calles y empezaron a sonar las sirenas y las bocinas de los bomberos.

Cuando amainó volví a enchufar los aparatos y puse la televisión. Un árbol había matado a una persona al caer y se habían inundado muchos sótanos. El tráfico había quedado totalmente interrumpido y muchos coches habían quedado atrapados en las autopistas. La velocidad del viento al llegar a las costas de Long Island era de setenta millas por hora y había levantado olas de más de dos metros. En Manhattan habían caído doscientos treinta milímetros de lluvia.

Al día siguiente llamé a Valentina. Aún estaba afectada por los nervios y una noche de insomnio y su voz sonaba llorosa.

—Te eché de menos.

—Valentina, hemos de hablar de nuestra relación.

—Éste no es el momento.

—Para mí sí.

—¡Vete al cuerno!

Colgó el teléfono y con eso di el tema por zanjado. Realmente, no había nada más que decir. Sin embargo, al día siguiente me llamó ella, por la noche, a mi casa.

—Ayer te colgué el teléfono. Lo siento.

—No pasa nada.

—Es una grosería y una falta de consideración. Estaba bastante trastornada por la tormenta. Casi no dormí y cuando dormí tuve un sueño muy angustioso.

—Casi todos los sueños lo son. Pero sólo son sueños. Y la tormenta ya pasó. Este año no volverá a haber otra.

—Soñé que estaba muerta. Es una tontería, claro: si estás muerta, ¿quién está soñando? Pero en el sueño todo era normal. Dicen que los sueños liberan el inconsciente, pero son un incordio. Por mí, podrían suprimirlos. Los chicos tenéis *wet dreams*. Al menos eso es divertido, digo yo.

—No creas, también son un incordio.

—Peor es estar muerta.

—Oye, esta conversación no es muy interesante.

—Ya lo sé. Estaba ganando tiempo para no entrar en materia. Lo que quería decirte, aparte de las disculpas, era que entiendo que estés harto de mí. Podría decirte que cambiaré, pero no te lo creerías. Ni yo tampoco. Y a estas alturas no creo que podamos reconducir las cosas y quedar simplemente como amigos. Ir al cine, y todo eso.

—Estoy de acuerdo. La amistad siempre me ha parecido un concepto sobrevalorado.

—Vale. Pues adiós. Buenas noches.

Dejé pasar unos segundos y colgué.

Inmediatamente salí de casa por si me volvía a llamar. Hacía una noche bochornosa. El verano tocaba a su fin, pero se negaba a retirar sus atributos más pegajosos. Anduve un rato por la Séptima Avenida. Aunque las terrazas de los bares estaban animadas, no me seducía sentarme solo a tomar una bebida y ver pasar coches y menos aún beber acodado en una barra; de modo que doblé por Bleecker Street, pasé por delante del dispensario donde, según decían, habían recogido a Edgar Allan Poe en mal estado, evité pasar por delante del restaurante español El Cortijo, porque a menudo rondaba por allí la tuna, y volví a casa dando un rodeo.

Ah, my friend, you do not know, you do not know
What life is, you who hold it in your hands.

Durante unos días no supe nada de Valentina. Más por mala conciencia que por nostalgia, estuve tentado de llamar a Ernie y contarle lo ocurrido. Seguramente él estaba al corriente de todo, pero mi intención no era informarle, sino saber cómo estaba Valentina. Antes, sin embargo, me llamó ella.

—¿Te molesto?

—No. ¿Qué quieres?

—El otro día te colgué el teléfono y eso está mal y quería disculparme.

—Ya lo hiciste. ¿No te acuerdas?

—No.

Hizo una pausa y cuando creí que iba a colgar volví a oír su voz.

—¿Podemos hablar? Quiero decir, cara a cara. Por teléfono se empieza bien y se acaba mal. En cambio, cara a cara se empieza bien y..., no, al revés..., se empieza... Bueno, da igual.

—¿Te encuentras bien?

—Sí, muy bien.

—¿Desde dónde me llamas?

—Desde una cabina. Justo debajo de tu casa.

—Esto es una locura. ¿Has venido hasta aquí para llamarme?

—No me iba a presentar sin avisar. ¿Subo?

Al cabo de un minuto escaso le abría la puerta. Entró y se sentó muy relajada en el sofá, como si viniera de visita.

—El portero me ha mirado como si tuviera monos en la cara. Y me conoce de sobra.

—Será porque has bebido.

—¿Se me nota? Un gin-tonic al salir de casa y otro aquí abajo, en un bar lleno de tíos. No veas cómo me miraban. De mal, quiero decir. Estoy desvariando. No estoy acostumbrada a beber. No con el estómago vacío.

—Tranquilízate y dime lo que venías a decirme.

—Ya lo sabes: lo de la tormenta.

Puse mala cara, pero ella insistía con la cabezonería de los beodos.

—Ya te conté lo de mi madre. A lo mejor es mentira. Y si es verdad, no justifica mi histeria. Yo no creo en las influencias fetales. Pero eso no quita que los rayos me provoquen pánico. Y el otro día, para colmo, iba un poco cargada de coca y me dio un mal viaje. Te lo quería contar. Normalmente no me meto nada, pero a veces, según dónde te mueves, no lo puedes evitar. O sigues la corriente o te largas, y yo me gano la vida en ese ambiente.

Me sentí un idiota. Sabía, por haberlo oído contar, que era posible convivir con un drogadicto sin enterarse, pero pensaba que eso a mí no me sucedería. Ahora comprendía los altibajos de la conducta de Valentina. Atribuí mi ignorancia a desinterés por su persona y sentí una gran ternura hacia ella.

Valentina interpretó mi silencio como una censura, porque añadió de inmediato:

—Para mí el trabajo es importante. Para las mujeres trabajar significa mucho. La independencia, la libertad. Pero no es sólo eso. Es mi afición y mi razón de ser. Como para ti la música.

—Ah, no. Acepto el rollo feminista, pero por lo de la música no paso. Es la segunda vez en poco tiempo que alguien utiliza mi afición a la música para justificarse. Y eso no. Yo no pido a nadie que se justifique, cada cual es libre de hacer lo que le plazca, pero escuchar a Beethoven no es lo mismo que esnifar ni que estar a favor de Nixon.

Con sorpresa y desconcierto por mi parte, Valentina se puso a llorar.

—Yo no quería decir eso.

—Sí. Tú querías decir que un tipo que conoce la música de Vivaldi o de Mozart o de Mahler y disfruta escuchándola, por fuerza ha de ser un antiguo y un reaccionario y no puede entender que la gente se ponga ciega de coca.

—No te enfades y no me grites. Y no hables de pie. Siéntate a mi lado. No te haré una escena. Sólo te quiero decir una cosa.

—¿Qué me quieres decir? Si es lo de la tormenta y lo de tu madre, ya lo sé.

—No es eso. Ni tampoco te voy a pedir que sigamos como antes. Tú quieres acabar con nuestra relación y yo no te voy a poner trabas. Lo entiendo y estoy de acuerdo. No nos llevamos bien. No nos peleamos, pero eso no es llevarse bien. La culpa es mía seguramente. Y también un poco tuya...

—La culpa no es de nadie, mujer.

—Bobadas. No soporto la cantinela psicoanalítica de que nadie tiene la culpa de nada. De pequeños los curas y las monjas nos metían la culpa por un embudo, sin darnos ninguna razón, y ahora, con la misma alegría, los psiquiatras nos absuelven. Pero luego la realidad es bien distinta. Todos estamos cargados de culpa. No la de las monjas, sino la de verdad. Es fácil decir: no tengo la culpa de esto o de aquello. Pero luego, a medianoche, la culpa se nos mete en la cama y no nos deja dormir. A veces te buscas a alguien para ver si así echas fuera de la cama a la culpa, al primero que pasa, da lo mismo, y al principio parece que funciona. Luego tienes la misma culpa y un poco más por la tontería que acabas de hacer.

Hizo una pausa.

—Con este discurso vengo a decir que los dos tenemos la culpa de lo que nos pasa y que eso no arregla nada. Nos hemos de separar, y ya está. Si no lo hacemos acabaremos igual, perderemos tiempo y el perjuicio será mayor. Esto he venido a decirte. Y también que lamento lo ocurrido. No te estoy pidiendo perdón. Si te he hecho daño lo siento. Me refiero a lo mío con Yves. Supongo que eso lo ha precipitado todo.

—En parte. Aunque el chico no me cae mal.

—Eso empeora las cosas. Como no te puedes enfadar con él, yo pago los platos rotos.

—Me refiero a que entiendo el atractivo de un tipo como él. Eso es quizá lo que más me fastidia.

—Te fastidia porque los hombres sois competitivos. Para vosotros las mujeres sólo somos un trofeo. No te irrita que yo me haya ido con otro, sino que otro te haya ganado la partida. Sois tal para cual. El resto es pura pose. Él finge ser un genio y tú finges ser un pobre diablo. Pero entérate de esto: no lo eres. He conocido a muchos hombres mediocres y están a varios años luz de ti. Pero te es más cómodo comportarte como si fueras un tontaina incapaz de hacerse el nudo de los zapatos. Un inútil en la vida práctica y en todo lo demás. Un trabajo sin futuro y una relación sentimental sin futuro, todo para ir tirando mientras esperas que pase algo o que algo decida por ti. Haces mal, créeme. Eres más inteligente y tienes más capacidad emocional que esta especie de niño retardado que pretendes ser para eludir responsabilidades. No lo digo para hacerte cambiar de idea con respecto a mí. Sólo digo que no encontraré a otro como tú. Y me callo, porque parezco un libro de autoayuda.

Estuvimos un rato callados. No me gusta que me describan.

—¿Has cenado?

—No.

—Yo tampoco y en la nevera sólo hay bazofia. Llamaré a un chino. Ayer me dieron un folleto de propaganda por la calle. Eso es garantía de calidad.

Mientras esperábamos puse la televisión. Merv Griffin estaba entrevistando a una escritora primeriza que acababa de obtener un gran éxito. Era una mujer joven, de rasgos irregulares pero inteligentes, ojos inquietos, cabello largo, rizado, de un extraño color gris oscuro. En vez de estar satisfecha se declaraba insegura, confusa y angustiada. El éxito unánime de público y crítica la había pillado por sorpresa y ahora temía defraudar unas expectativas tal vez infundadas.

Llamaron al interfono. Era el pedido del restaurante. Esperé en el rellano y apareció un adolescente hispano. Le pagué y me entregó unos recipientes de cartón tibios por cuyos costados se extendían lamparones y unas servilletas de papel que envolvían cubiertos de plástico. Le hablé en español y me contestó en inglés. Probablemente estaba pensando en sus cosas como yo en las mías.

Mientras distribuía la comida en dos platos, Valentina, que seguía atentamente las declaraciones de la atribulada triunfadora, comentó con un deje de tristeza en la voz:

—Nadie se hace cargo de lo suyo.

Se había recogido el pelo. Valentina tenía unas orejas muy pequeñas en comparación con el resto de sus facciones. Este rasgo inesperado le daba un aire infantil que cancelaba la habitual aspereza de su carácter.

Well, I said aloud, at last, it is to be hoped that I shall be able to do something with the inside of my head, for I shall certainly never do anything by the help of the outside.

En otoño el clima era más placentero. La temperatura se mantenía suave y hasta el azul brillante del cielo se velaba de una dulzura como de pastel. Por las mañanas no hacía falta calcular cuidadosamente el vestuario y el calzado y pronto cayó en un olvido momentáneo el calor asfixiante del verano, como antes había ocurrido con el frío estricto del invierno. Era como una tregua entre dos guerras.

La mayoría de los árboles de los parques, plazas y calles perdieron las hojas. Algunas se volvían de colores vivos antes de caer.

A veces cruzaban por la ventana de la oficina bandadas de patos en formación.

Hablando de las aves migratorias, Paco Andrade nos contó que a su hijo le habían regalado un perro, con gran enfado por parte de sus padres. Un perro imponía obligaciones constantes e ineludibles. Era como un segundo empleo.

—Habría sido mejor un reptil.

Al parecer estaba de moda tener reptiles como mascotas. Para las exiguas viviendas de Manhattan los reptiles ofrecían muchas ventajas: son silenciosos y comparativamente limpios. Al ser animales de sangre fría, se mueven poco. Si encuentran comida a su alcance y no tienen con quién aparearse, no se mueven en absoluto.

Yo no les veía ninguna gracia.

Paco Andrade, empeñado en tomar partido por los reptiles contra los perros, aseguraba que los reptiles eran más inteligentes.

—Conocen a sus dueños y, a su modo, les manifiestan cierto cariño. Una tortuga, un camaleón, una iguana, incluso una serpiente llega a establecer una comunicación con las personas. Aquí la mayoría de la gente vive sola y, poco o mucho, uno necesita la compañía de un ser vivo.

Yo me preguntaba si lo que decía eran simplezas o si encerraba una gran verdad.

La ruptura con Valentina me había producido más alivio que tristeza. Sin embargo, a menudo tenía ataques de soledad. No carecía de vida social, pero el contacto superficial con la gente me aburría. Cuando conocía a alguien nuevo experimentaba un cierto interés que pronto se desvanecía.

A los amigos fijos más bien los rehuía. Mirar por la ventana dando sorbos a un whisky con hielo ocupaba la mayor parte de mi tiempo libre.

Había abandonado momentáneamente las lecturas profundas y sistemáticas y devoraba novelas de intriga, clásicas y modernas, buenas y malas.

Chesterton, John Dickson Carr, Josephine Tey, Patrick Quentin, Margery Allingham, Dorothy L. Sayers, S. S. Van Dine, Ernest Bramah, Eric Ambler, Len Deighton, Ross Macdonald. Con todos me entusiasmaba al principio y de todos me aburría. Pero me sentía a gusto con aquel clan de escritores cultos y discretos.

Mi relación con Ernie se había resentido a raíz de la separación.

Aunque se había recuperado casi por completo de la depresión, ya no era el de antes. Ahora estaba siempre preocupado, temeroso de una recaída. Yo lamentaba haber perdido su compañía y él quizá también añoraba la mía, pero la cosa tenía mal arreglo. Como ocurre a veces con las separaciones, entre Valentina y yo no había rencor ni cuentas pendientes, pero entre nuestras relaciones comunes se había abierto una brecha insalvable. Ernie nos quería bien a los dos, pero le era imposible mantener una postura equidistante.

Alguna tarde, al ponerse el sol y como estaba a la vuelta de la esquina, me dejaba caer por los bares del Village que tiempo atrás había frecuentado en compañía de Ernie. Yo sabía que le resultaba violento llamarme y también recibir una invitación mía, pero si nos encontrábamos de un modo aparentemente casual, no había habido motivo para no reanudar nuestra antigua amistad.

Dadas las características de los establecimientos donde contaba con encontrar a Ernie, si al entrar no lo veía entre la clientela me guardaba mucho de quedarme, aun a sabiendas de que nada malo me podía pasar.

En una de estas ocasiones, apenas había cruzado el umbral de un bar llamado The Blue Horse, se me acercó un individuo de mediana edad y corta estatura. Tenía la piel fláccida y los ojos saltones, vestía con discreta sencillez y llevaba un bisoñé de mala calidad que no engañaba a nadie. Me preguntó algo que no entendí y yo seguí mi camino, sin ánimo de ofenderle con mi actitud, pero tratando de no entablar un contacto que inevitablemente había de llevarnos a un malentendido.

El individuo me sujetó del brazo.

—Le he preguntado si le gustan los pierogi.

No había forma de hacerme el desentendido. Retiré el brazo y le miré a la cara. En sus ojos había una mezcla de timidez y determinación.

—No.

—Quizá no los ha probado.

Di por sentado que hablábamos en clave.

—No tengo la intención de probarlos.

—Hace mal. Le gustarían.

—Es mi problema.

El individuo insistía sin arredrarse por mi exabrupto.

—Puede resolverlo. A mí ni me va ni me viene, pero hay una tienda en Delancey Street donde los hacen muy buenos.

—Tomo nota.

—No es suficiente. Debe ir. Créame, debe ir cuanto antes. Mañana mismo.

—Mañana trabajo.

—La tienda cierra muy tarde. Y si saben que va a ir, le esperarán. Es importante. No lo olvide: número 80 Delancey Street. Recuerde la canción: *It's very fancy on old Delancey Street...*

Sin dejar de tararear se perdió entre la clientela, aparentemente satisfecho de haberme transmitido el mensaje. Su escasa estatura me impidió dar con él en el local abarrotado.

Salí y me fui a casa. Podía tratarse de un loco. En Nueva York abundaba aquel tipo de chiflado inofensivo. O de un truco publicitario, aunque esto último me parecía menos probable.

Al día siguiente, durante el almuerzo, pregunté a mis compañeros de oficina si sabían lo que eran los pierogi.

—Sí, claro. Un plato ruso o polaco. Seguramente llegó a Nueva York con las inmigraciones de los judíos a principios de siglo. Vinieron huyendo de los pogromos, se instalaron en el East Village y allí siguen, a pesar de los pesares. ¿Por qué lo preguntas?

—Me han invitado a probarlos. Esta noche. En un local de Delancey Street.

—¿Una nueva conquista?

—No. Algo más misterioso.

Les referí lo sucedido y todos trataron de disuadirme.

—Sin duda es un timo o algo peor.

—Sí, tiene todo el aire.

—Pues no vayas.

—Tengo curiosidad. Iré con tiento. Y si mañana por la mañana no vengo al trabajo, llamad a la policía y que me busquen en el 80 de Delancey Street.

En aquel punto intervino el señor Carvajal, que hasta aquel momento había seguido la conversación con la mezcla de desgana y tolerancia habituales en él.

—No me gusta nada el giro que están tomando los hechos. Si usted cree estar en peligro, actual o potencial, debe acudir a las autoridades locales, y, si procede, al consulado español. La protección de los ciudadanos, inclusive de los nuestros, no es competencia de la Cámara de Comercio. El tejido funcionarial no está para ser utilizado al arbitrio de cada cual.

—Lo decía en broma, señor Carvajal.

—Broma o no broma, ándese con cuidado.

—El jefe lleva razón. En esta ciudad la gente desaparece y nunca más se vuelve a saber de ella.

—Ya lo sé, pero desaparecen chicas jóvenes, niños. ¿Para qué me pueden querer a mí?

—Vete a saber. Para suplantar tu identidad, por ejemplo.

No exageraban y en el fondo yo compartía su manera de pensar. Aun así, decidí no faltar a la cita.

Por naturaleza soy tan timorato como el que más, pero a veces, sin motivo alguno, la extrema cautela deja paso a una insensata temeridad.

Who's that there?
The man with the moustache?
Yes.
I've never seen him before.
I have, said Miss Warren, I have. But where?

Hacia las seis de la tarde cogí el autobús en la calle 14, bajé en la Primera Avenida y anduve hasta Delancey Street.

Anteriormente había estado allí, sin prestar atención al lugar. Delancey Street era una calle ancha, de doble dirección, que desembocaba en el Manhattan Bridge. Las estructuras metálicas del puente, elevadas y sombrías, remataban la calle y le daban un aire fúnebre, como de entrada al averno. El tráfico era caótico. Por las aceras anchas circulaba gente de aspecto muy heterogéneo. Predominaban los judíos ortodoxos, vestidos de negro, con sombreros rígidos, siempre ceñudos, todos iguales, niños, adultos y viejos. También circulaban chinos apresurados y portorriqueños tranquilos y vacilones.

Si, como decía la canción, Delancey Street había conocido días de esplendor, ahora su aspecto reflejaba decadencia y dejadez. Tal vez la letra de la canción era irónica.

Había tiendas grandes de muebles, con sofás enormes, armarios con taraceas doradas, mesas de comedor para veinte comensales, lámparas con infinidad de lágrimas. Nunca supe a quién podía ir destinada esta ostentación sin valor. Otros escaparates exhibían ropa, electrodomésticos y material fotográfico. También había restaurantes y bares, y una funeraria.

El número 80 lo ocupaba un establecimiento pequeño, con aspecto de tahona antigua. Sobre el dintel había un rótulo en alfabeto cirílico y en el cristal de la puerta un cartel colgado de una ventosa con la palabra OPEN. Dentro se veía un mostrador largo, unos estantes vacíos y unas cajas de cartón arrimadas a las paredes, pero el local parecía abandonado.

La puerta estaba abierta y al entrar sonó una campanilla. Flotaba en el aire un fino polvo aromático, como de harina tostada.

De la trastienda salió una mujer madura, enjuta, rubia y pálida, con expresión asustada, como si la visita de un posible cliente no presagiara nada bueno. Quizá no tenía los papeles en regla, probablemente no hablaba una palabra de inglés, y yo no dejaba de ser un extraño.

Yo tampoco sabía muy bien dónde me estaba metiendo.

Esbocé una sonrisa y probé con la única palabra que se me ocurrió.

—Pierogi.

—¿Pierogi?

—Pierogi.

Me pidió por señas que esperara y desapareció por donde había venido. Oí voces en la trastienda. Al cabo de poco salió un hombre alto, en mangas de camisa. Su cara me resultó vagamente conocida.

Nos miramos un rato sin decir nada. A pesar de su expresión hermética le vi ponderar algo, como si dudara acerca de lo que debía hacer conmigo. Luego, en un inglés rudimentario, con marcado acento, volvió a pedirme que esperara y se fue.

De inmediato reapareció la mujer con un plato de cartón en el que había dos empanadas pequeñas, tiernas, blanquecinas y doradas por la parte superior.

Me tendió el plato.

—Pierogi.

Tomé una empanada y mordí un trozo. Me pareció buena. Sabía a queso, entre dulce y salado. Era sin duda un plato tradicional, idóneo para despertar recuerdos en un emigrante.

Cuando me hube acabado el primer pierogi, la mujer me instó por señas a comerme el segundo. En su actitud había una impaciencia maternal, más solícita que amable. Yo me negué. En este trámite nos encontró el hombre. Se había puesto corbata y americana.

—Acompáñeme.

Entonces recordé dónde nos habíamos visto anteriormente.

En la calle paró un taxi. Entramos y dio al taxista la dirección del Waldorf Astoria.

Durante el trayecto mi acompañante no me dirigió la palabra y apenas alguna mirada furtiva. Seguramente se sentía avergonzado por haber sido visto en el desempeño de un oficio tan poco épico como el de pastelero. Yo no hice nada para evitarle aquel mal trago, contento de poder devolverle el que yo había pasado por su culpa en nuestro primer encuentro. Permanecía inmóvil, con la mirada fija en el triste paisaje. Sólo de vez en cuando echaba un vistazo al reloj. El tiempo debía de ser un factor importante para montar un simulacro que, de todos modos, yo ya no estaba dispuesto a creerme.

El taxi circulaba por la Primera Avenida dando bandazos y sacudidas, entre automóviles viejos, autobuses y camiones. Nada bonito ni placentero se nos ofrecía a la vista.

De repente me sentí cansado de vivir encerrado en aquella atmósfera de aire viciado, ruido estridente y cemento. A muy poca distancia, con sólo cruzar el Hudson, empezaba el aire puro y una sucesión de bosques tupidos, de arces, álamos y abetos, que se extendía por el valle del río, hacia Connecticut, Massachusetts, Vermont, Maine, hasta el Canadá y más allá. Nada me impedía alquilar un coche y adentrarme en el silencio de la naturaleza. Pero nunca lo hacía. Ahora, en cambio, estaba allí, traqueteando por unas calles sucias y peligrosas, camino de algo que nada me podía ofrecer, salvo mentiras.

El taxi nos depositó en Lexington Avenue. Entramos en el Waldorf Astoria por la parte trasera y por escaleras y corredores alfombrados desembocamos en el hall. A primera vista todas las mesas estaban ocupadas. En el centro un caballero maduro tocaba con sordina un piano de cola.

Desde una de las mesas el príncipe nos hizo señas. Estaba solo. En la mesa había una copa cónica con un líquido amarillento. Todo indicaba una larga y paciente espera. Admiré su aplomo.

Al acercarnos se levantó y me dio un abrazo breve. Luego se me quedó mirando con la cabeza ladeada y expresión divertida y con un gesto nos invitó, a mí y a mi acompañante, a ocupar los asientos de su mesa.

—Has cambiado. No quiero decir que hayas envejecido. *Madurado* sería la palabra. Has adquirido un aire más independiente y más europeo. Yo no puedo decir lo mismo de mí. Yo, simplemente, he envejecido. Pidamos algo. El servicio es de una exasperante lentitud. Algo les hace pensar que demorarse es signo de distinción.

Mi acompañante murmuró unas palabras en el idioma común de ambos y el príncipe hizo un ademán de aquiescencia.

—El conde Salza se retira. Habrás de disculparle. Graves asuntos le reclaman al otro extremo de Manhattan.

No pude distinguir si lo decía con sorna, refiriéndose a la confección de pierogi, o si realmente había de ocuparse de asuntos relacionados con su doble identidad.

El conde hizo una rígida inclinación, dio media vuelta y se fue por donde habíamos venido. El príncipe daba la impresión de estar pasando un buen rato, como si sus actividades clandestinas para recuperar el trono de un país inexistente y el reencuentro con el amante ocasional de su esposa fueran episodios de una estupenda correría.

Et, lorsqu'on le revoit après un peu d'absence,
On le retrouve encore plus plein d'extravagance.

Atraído por sus señas se acercó un camarero. Sin consultarme pidió el mismo cóctel que tenía mediado y otro idéntico para mí.

—Espero que te guste el gimlet de vodka. Aquí lo preparan muy bien. Queen Isabella se disculpa. Le habría encantado saludarte y charlar contigo. Los dos sabemos el afecto que te profesa, pero ambos creímos preferible que habláramos a solas tú y yo. He de pedirte un favor y quizá te habrías sentido coartado por su presencia. De este modo tienes completa libertad para aceptar o rechazar mi proposición. En cuanto a ella, ya habrá ocasiones. Después de este reencuentro, no hay motivo para no repetirlo.

Seguía utilizando aquel apelativo grotesco para designar a Monica Coover, quizá para establecer una distinción entre la persona a quien yo conocía íntimamente y la que formaba parte de su fantástico proyecto.

La sonrisa irónica que no pude reprimir le hizo ruborizar levemente.

—Lo que te voy a pedir no es ilegal y el riesgo es inapreciable. Nos vigilan continuamente, pero en Nueva York estamos a salvo. Esta ciudad es un caos y también un cosmos. El anonimato es la norma. El disfraz más estrambótico pasa inadvertido en este baile de máscaras. Perderse entre la multitud no es fácil sino inevitable. Por eso elegí Nueva York para esta etapa de mi... Iba a decir de mi conspiración, pero prefiero llamarla mi causa. Aun así, no conviene pasarse de confiado. La ocultación requiere una minuciosa regularidad. Los espías y los reyes sin corona estamos condenados a la rutina y al inmovilismo.

Se interrumpió mientras el camarero retiraba el vaso vacío del príncipe y dejaba en la mesa dos vasos iguales al anterior y una bandeja de cacahuetes salados. Luego prosiguió.

—No obstante, todos llevamos nuestro secreto a la vista para quien sabe deducirlo de los detalles nimios. Si estuviera aquí Sherlock Holmes nos revelaría las circunstancias personales de cada cliente de este bar por una arruga en el pantalón, una mancha en el zapato, un gesto involuntario. Te estarás preguntando a dónde voy a parar con tanto circunloquio.

—Sí.

—He de hacer llegar una carta a una persona y no confío en el servicio de correos de este país, por lo demás excelente. Pero es necesario que la carta sea entregada en propia mano a su destinatario y a nadie más. El contenido de la carta, que no te puedo revelar, en modo alguno puede comprometer a quien la lleve, siempre y cuando lo desconozca. Existe el riesgo de que el portador abra el sobre, bien para satisfacer su curiosidad, bien para perjudicarme, incluso para hacerme chantaje. En resumen: el buen fin de la operación depende en última instancia de la honradez del portador. Y también de su habilidad, de sus recursos y de su inteligencia. Precisamente por eso te he estado buscando por todas partes. Y ya desesperaba de dar contigo. Te fuiste de España sin avisar ni decir cómo se te podía localizar. Nos causaste un problema serio. Sin tu firma no había manera de disponer de la cuenta de la Banca Mackenzie. Hubo que dedicar tiempo y dinero para desbloquearla. No lo digo para hacerte un reproche. Siempre has tenido plena libertad de acción, tanto a la hora de colaborar como a la hora de abandonar. Una pequeña insinuación no habría estado de más, desde luego, pero eso ya es agua pasada. La prueba es que en esta nueva tesitura, tú eres la primera persona que me vino a la mente. Tengo fe ciega en tu lealtad y plena confianza en tu inteligencia. El problema era cómo dar contigo. Entonces el staretz Protasio, a quien tal vez recuerdes del hotel Formentor, oró y ayunó y entró en trance para que Dios oyera sus súplicas y te pusiera en nuestro camino. Y así ocurrió. ¿Un milagro? Yo no dudaría en llamarlo así. Nada me habría hecho pensar que frecuentabas unos locales donde tengo, por razones que no vienen al caso, no pocos contactos.

Había pasado mucho tiempo y muchas cosas desde nuestro primer encuentro en el hotel Formentor y ya no le iba a resultar tan fácil envolverme en su palabrería. Bebí unos sorbos de gimlet y lo miré fijamente.

—¿Tan importante es la carta?

—Digamos que es vital para mis planes.

—Me alegra ver que el asunto progresa.

El príncipe simuló no percibir mi sarcasmo.

—*Progresar* no es la palabra. Como sabemos, la Historia avanza, pero no progresa. Y cuando avanza, lo hace a trompicones, a menudo con violencia. Una situación no varía durante años, incluso durante siglos. Y un buen día, por una causa trivial, sobreviene el cataclismo. Luego los historiadores tratan de explicar lo sucedido: las condiciones objetivas, los antecedentes. Hablar por hablar. La realidad los ha pillado a todos por sorpresa. La única diferencia está en que cuando se produjo el cambio, algunos estaban preparados, por si acaso, y los demás, no. Yo lo estoy. A lo mejor consumo mi vida en vano, pero eso, ¿no lo hacemos todos?

—Yo sí, desde luego.

—Pues ahora te brindo la oportunidad de pasarte al bando de los chiflados. Ya lo has hecho anteriormente. En el banco... y antes aún, el día de mi boda. Algo nos juntó. Llámalo destino, llámalo casualidad. A lo mejor sólo es una predisposición por ambas partes. Unido a mí, nada puedes perder y quizá podrías ganar mucho. Imagínate que alcanzo mi objetivo, contra todo pronóstico. ¿Qué no estaría dispuesto a darte? Un título nobiliario, para empezar. Conde de Manhattan, duque de Formentor. Y un buen cargo: representante plenipotenciario ante las Naciones Unidas, ya que al parecer te gusta Nueva York. Un buen sueldo, un piso lujoso en Park Avenue, inmunidad diplomática y ninguna responsabilidad.

—No sigas, Bobby. Dame esa carta y la llevaré a donde tú me digas.

—Te lo agradezco mucho. Sin embargo, debo advertirte de que el destinatario de la carta no está en Nueva York.

—¿Dónde vive?

—En Tokio. Por supuesto, los gastos del viaje te serían sufragados.

—Menos mal. Pasaré por la tienda de pierogi cuando haya hecho la maleta.

—No te ofendas. Entiendo tu actitud. Olvidemos el asunto.

Acabamos nuestros respectivos gimlets en silencio. Era el momento de irse, pero allí se estaba bien y yo no tenía ganas de volver a un apartamento exiguo con la cama deshecha y los platos sucios apilados en la fregadera. Hablé para romper el hielo.

—¿De verdad el conde Salza amasa pierogi?

—Es una buena tapadera. Y una fuente de ingresos modesta pero no desdeñable. No nos sobra el dinero y aunque no fuera así, no podemos despertar sospechas viviendo del aire. Después de todo, incluso en esta ciudad somos una colección de excéntricos. Hace un momento mencionaba al staretz. Cuando le conociste ya era un perturbado, ¿no?, pues últimamente se ha decantado por el espiritismo. El otro día invocó a san Juan Bautista para que se materializara, con la cabeza en una bandeja. No habría estado mal si no hubiera hecho la *séance* en una hamburguesería de Brooklyn. Tuve que sacarlo de la comisaría diciendo que era mi padre y que estaba en tratamiento psiquiátrico. Una situación engorrosa y peligrosa para quien trata de no llamar la atención. De buena gana lo tiraría al río con una piedra atada al tobillo, pero no puedo prescindir de sus servicios. En mi país estos tipos son objeto de veneración. Cuanto más desequilibrados, más los veneran. Mi país es muy religioso, y más aún desde la invasión soviética. Pero allí la religión no se parece a las demás variantes del cristianismo. Los protestantes son éticos y sobrios, los católicos son laxos para la moral, pero tienen un gran sentido práctico. Mi gente participa de lo peor de ambas tendencias y a eso añade un misticismo rayano en la demencia. Si tienes tiempo, te contaré cómo se llegó a esta situación.

Desde mi ruptura con Valentina disponía del tiempo libre a mi antojo, de modo que asentí.

El príncipe pidió dos gimlets más y procedió a relatar los complicados avatares de sus remotas tierras.

Lo primero, decía, es que el pueblo esté contento, que estén todos contentos de vivir. El contentamiento de vivir es lo primero de todo. Nadie debe querer morirse hasta que Dios quiera.

El territorio de Livonia, sobre el que el príncipe aspiraba a reinar, estaba situado a las orillas del Báltico, entre el golfo de Finlandia y el golfo de Riga. Al sur limitaba con el lago Peipus y al este, con el río Narva. En aquel momento estaba repartido entre Estonia y Letonia, compuesto de varios óblasts (область) e integrado en la Unión de Repúblicas Socialistas Soviéticas. En sus orígenes era una vasta extensión de tierra baldía y una costa accidentada. Los livonios o luvonios, que dan nombre al reino, los curonios, los samogitios y los semigalianos son algunos de los pueblos que lo habitaban.

Según la opinión dominante entre los arqueólogos, los primeros asentamientos son relativamente recientes (s. II o I a. J. C.) y sus restos se limitan a unos pocos enterramientos rudimentarios. Vestigios de huesos raídos podrían haber sido amuletos o abalorios.

En sus vagas crónicas, los vikingos se refieren con evidente aprensión a unos seres de aspecto semihumano, con certeza caníbales, dotados de poderes maléficos que les permitían alterar el clima a voluntad, cambiar de forma y resucitar a los muertos. Meter miedo a los feroces vikingos parece una empresa formidable, pero en este relato prima la fantasía sobre el rigor. Las despiadadas condiciones en que vivían sin duda les daban una apariencia espectral y estas mismas circunstancias, en épocas de escasez, los obligaban a comer carne humana para sobrevivir, una práctica, dicho sea de paso, muy extendida en la Europa meridional hasta hace poco.

Por lo demás, su mala fama no impedía a los vikingos entablar relaciones comerciales con los nativos; de ellos obtenían pieles, pescado ahumado, miel y cera, porque entre sus actividades destacaba la apicultura. De sus visitas esporádicas los vikingos también se llevaban consigo esclavos y mujeres, no sabemos si mediante trueque o pillaje.

Los primeros habitantes no llegaron por mar, sino del interior, probablemente de las estepas, tal vez expulsados por otras etnias más fuertes. A juzgar por algunos restos, en su éxodo utilizaron unos caballos pequeños, gruesos y fuertes, buenos para la carga, pero inútiles para la guerra. Una vez establecidos en la región, el frío y la falta de forraje acabó con los caballos.

Su número era muy escaso, vivían dispersos, siempre al límite de la inanición. El clima hacía impracticable la agricultura. Se sustentaban de la caza y de la pesca, que habría sido abundante si hubieran dispuesto de embarcaciones adecuadas y los fuertes vientos les hubieran permitido alejarse un poco de la costa. Durante ocho meses al año el mar estaba helado, los otros cuatro, cubierto de espesa niebla. Hasta épocas modernas no conocieron la brújula. Más propicios les eran los cursos fluviales, tanto para desplazarse como para capturar salmones cuando éstos subían a desovar. Faltos de sal, ahumaban el pescado y la carne para conservarlos.

Si el mar era hostil, el interior era peor. En los cortos meses en que la nieve no los hacía inaccesibles, los campos se convertían en pantanos donde se hundían las personas y las bestias. Los bosques estaban infestados de serpientes y alimañas de todo tipo y por todas partes merodeaban los osos y los lobos. Estas mismas condiciones constituían una defensa inexpugnable, gracias a la cual los livonios vivían a salvo de sus vecinos los abodritas, los circipanos, los redarios y otros pueblos de etnia germánica o eslava. Cuando una mejora pasajera del clima propiciaba los contactos entre pueblos, se producían roces que engendraban interminables y sangrientas *vendettas*.

Como tanto los livonios como quienes tenían con ellos alguna relación carecían de historia escrita u oral, hasta fecha tardía no se sabe nada de sus creencias religiosas ni de su concepción del mundo, si la tenían. De las primeras crónicas, plagadas de prejuicios y malentendidos, se deduce que no tenían una mitología ni unos dioses en el sentido que damos a este concepto. La naturaleza estaba poblada de seres dotados de poderes misteriosos, unos buenos, otros malos y la mayoría buenos o malos según el humor y la ocasión. En todos los casos, era mejor evitar su encuentro. Aparte de algún tropiezo fortuito, estas criaturas sobrenaturales no intervenían en la vida de los humanos, ni buscaban su contacto ni les imponían unas normas de comportamiento o algo parecido a un culto. Es probable que en una etapa posterior se les hicieran actos propiciatorios en forma de ofrendas o sacrificios, pero no se les erigieron templos ni se los representó gráficamente, sea por ignorar su apariencia, sea por considerarlos invisibles, como las fuerzas de la naturaleza.

No eran del todo rudos ni carecían de sensibilidad. En la buena época recibían con agrado y remuneraban con generosidad las visitas de los bardos islandeses que iban de *tournée* por las regiones del Báltico recitando las célebres eddas de su tierra mucho antes de que fueran recopiladas y escritas.

*

El primero que intentó llevar a aquellos pueblos aislados la fe cristiana fue san Bratislav, el cual habría llegado, a finales del siglo x o principios del xi, proveniente de las islas Lofoten, en el extremo norte de la actual Noruega, a lomos de un pez gigantesco o un narval, según unos, o a pie, según otros, a través de los bosques y pantanos, milagrosamente preservado del frío, el hambre, las bestias y otros peligros. Canonizado en el siglo xii por el papa Pascual II, fue retirado del santoral en el xix por considerarlo un personaje legendario y, por consiguiente, inexistente. Lo más probable es que su figura no sea tanto una fábula como el compendio de varios personajes reales en épocas distintas, embellecido con los prodigios y exageraciones que caracterizan este tipo de relatos.

Leyenda o no, lo que nos interesa ahora es lo que este santo encontró en aquellas tierras apenas exploradas: las estrictas condiciones de su existencia, la elevada mortandad debida a la cíclica hambruna y el recurso al canibalismo, del que san Bratislav dejó constancia sin escándalo ni reprobación. Conforme avanza el invierno, dejó dicho, es habitual entre estas gentes aderezar el magro puchero con algún pedazo de sus muertos recientes, los cuales, por causa del frío, conservan todo su sabor y su sustancia.

Más severo es su juicio al referirse a la moral predominante en otros aspectos de la vida cotidiana de aquellas gentes. No conocen, dice, la santa institución del matrimonio, bien al contrario, guardan todas las mujeres en una especie de aprisco y cuando un varón lo desea, bien con fines de reproducción, bien por satisfacer sus instintos, toma una de aquellas mujeres y luego la devuelve. No se conducen, en esto, sin embargo, como animales: cada vez que un varón toma una mujer a préstamo, un edecán lo anota introduciendo un guijarro en la vasija correspondiente a dicho varón. Ignoro la razón de esta fiscalización, de la cual no se sigue ningún resultado práctico a la hora de determinar la paternidad de las criaturas resultantes de este comercio. Si alguna ventaja tiene este sistema bárbaro es ésta: que mientras el varón dispone de la mujer, se abstiene de pegarla, como es uso entre los cristianos, antes bien, la trata con el máximo cuidado, consciente de que no es suya, sino de la comunidad, y de que otro habrá de usarla cuando él la devuelva al aprisco.

Este apareamiento indiscriminado y el aislamiento casi absoluto conducían indefectiblemente a una endogamia cuyos efectos genéticos corregía un cruel sistema de selección natural. Como es natural, la mortandad se cebaba de un modo especial en las mujeres, lo que, unido a las incursiones de los vikingos y los piratas, reducía su número hasta el punto de forzar a los hombres a unirse entre sí. En tales casos, dejó dicho san Bratislav, tienen por costumbre hacerlo según sus actividades: los cazadores con los cazadores, los pescadores con los pescadores, los sahumadores con los sahumadores, y así sucesivamente.

En el transcurso de su misión san Bratislav visitó varios asentamientos, a los que él califica genéricamente de tribus. De lo que vio y refirió se deduce que vivían en comunidades de muy pocas familias, en chozas de madera y techo de paja trenzada, recubiertas de pieles, protegidas por una cerca de madera de las alimañas y otros enemigos exteriores; que eran físicamente muy resistentes y que desconocían casi todas las enfermedades, aunque entre ellos abundaban los casos de idiocia.

Pero no era la curiosidad lo que había llevado a san Bratislav a emprender su arduo y peligroso viaje, sino el intento de convertir a aquellas gentes a la fe de Cristo, y a esta labor dedicó la mayor parte de sus esfuerzos con resultados que él mismo calificó de desalentadores. Como muchos misioneros que se adentran por primera vez en civilizaciones remotas, su predicación no encontró resistencia sino desconcierto. No sabían dónde estaba Belén, ni Egipto, ni sabían lo que era una virgen ni un borriquillo. Tampoco sabían en qué consistía la crucifixión y cuando san Bratislav se lo explicó les pareció una buena idea. Y al decirles que Cristo también había muerto por ellos, le respondieron que eso no podía ser, porque de ser así, sin duda se lo habrían comido. En cuanto a los Diez Mandamientos, le dijeron que les parecían muy bien, pero que dado el estado de postración en el que habitualmente se encontraban, no estaban en condiciones de matar, robar y fornicar como les mandaba hacer el señor Moisés. San Bratislav se desesperaba ante una incomprensión que rozaba el candor. En las noches sin tregua de un invierno que parecía eterno, los oyentes de san Bratislav a menudo se dormían.

Ante la inutilidad de su empeño, san Bratislav llegó a la conclusión de que no era voluntad del Altísimo iluminar a aquellas gentes con su gracia, al menos por el momento, por lo que se despidió de ellas y con gran tristeza emprendió el regreso a Kiev, donde dio cumplido informe de su fracaso al obispo.

*

Al obispo de Kiev las conclusiones de san Bratislav le parecieron inaceptables por no decir heréticas y de inmediato convocó a consejo al príncipe de Kiev. Una vez reunidos en cónclave, el obispo le dijo al príncipe que un gobernante cristiano no podía quedarse cruzado de brazos ante la desfachatez de unos paganos contumaces, de cuya cristianización eran responsables ambos. El príncipe se sentía inclinado a darle la razón a san Bratislav. Entendía la resistencia de los hombres del norte y no tenía ningunas ganas de embarcarse en una empresa costosa y de resultado incierto. Pero tampoco se atrevía a indisponerse con el obispo.

Hoy en día, a los ojos de un seglar, un obispo es una figura poco menos que ornamental en el complejo organigrama de la Iglesia, pero en la Edad

Media un obispo era un personaje formidable, dotado de la autoridad espiritual que le confería su condición y también de un considerable poder material, porque a través de la extensa red de instituciones eclesiásticas podía movilizar unos recursos financieros ilimitados, de los que los gobernantes siempre andaban escasos, y con ellos, si las circunstancias lo hacían necesario, reclutar un ejército de mercenarios, al frente de los cuales el propio obispo no dudaba en ponerse a la hora de entrar en combate.

En el caso que ahora nos ocupa, el ascendiente del obispo sobre el príncipe tenía, por añadidura, razones históricas que estaban muy presentes en el ánimo de los dos interlocutores.

El principado de Kiev era un enclave estratégico idóneo para controlar la cuenca del Dniéper, vía fluvial de gran importancia para el comercio y las comunicaciones. Una larga experiencia había enseñado que la conquista militar de un territorio y su ocupación era un método menos práctico y menos ventajoso que la integración del territorio en el inmenso ámbito del Imperio, y esta integración sólo podía hacerse mediante la cristianización. Un obispo sometido a la autoridad del patriarca de Constantinopla era mucho más fiable y eficaz que un gobernador cuya lealtad al trono imperial era cuando menos dudosa y siempre variable.

A los reyes y príncipes de las naciones paganas el cristianismo les resultaba muy atractivo. La doctrina de que la autoridad emanaba de Dios legitimaba la suya y, en el terreno material, la religión común les abría las puertas del Imperio. Para sus súbditos, por el contrario, el cristianismo era una religión impuesta desde el exterior, contraria a sus creencias ancestrales y a su forma de vida.

Así las cosas, a mediados del siglo x el príncipe Ígor recibió el bautismo y declaró el cristianismo religión oficial del principado de Kiev. A su muerte le sucedió su hijo, Sviatoslav, el cual, ante la insistente presión popular, rechazó el cristianismo y volvió a la antigua religión. La reacción imperial fue tan contundente que su hijo, el príncipe Vladímir, volvió sobre los pasos de su padre, fue bautizado en Kiev, restableció el cristianismo en sus dominios y se casó con la princesa Ana, hija del emperador. Desde entonces Kiev era un firme baluarte de la religión en la frontera septentrional del Imperio y foco de evangelización de las tribus paganas que se extendían hasta las orillas del Báltico y más allá.

El príncipe de Kiev convino, pues, en enviar una expedición punitiva contra las tribus que habían desoído las enseñanzas de san Bratislav y persistían en sus diabólicas creencias. Sin embargo, como se avecinaba el invierno, decidió aplazar la operación hasta la primavera.

La decisión llegó a oídos del san Bratislav y éste se presentó ante el príncipe y le rogó que desistiera de sus planes. Estaba convencido de que era la voluntad de Dios mantener por el momento a los paganos en la ignorancia de la Verdad y ningún poder terrenal podía contravenir Sus designios. Ante esta admonición, proveniente de una persona tan venerable y que, por añadidura, había estado entre los paganos, el príncipe titubeaba.

El obispo montó en cólera, en parte por las vacilaciones del príncipe y en parte por la insolencia de su subordinado, que se había dirigido al príncipe sin pedirle permiso. Como era hombre expeditivo, dispuso la reclusión de san Bratislav en un convento situado a prudencial distancia de la capital. San Bratislav aceptó sumisamente la orden del obispo y durante los largos meses del invierno no se volvió a tener noticia de él.

Al comenzar el deshielo, la fuerza expedicionaria se puso en marcha. La formaban siete misioneros, veinte soldados de infantería y diez catafractos. El príncipe despidió a los expedicionarios y volvió a sus ocupaciones, todavía abrumado por dudas y temores.

Transcurridos dos días, sin previo aviso, san Bratislav pidió audiencia al príncipe. Éste, que sabía de la reclusión impuesta por el obispo, se quedó confuso, pero recibió con la debida deferencia al santo, el cual le rogó encarecidamente que hiciera volver a los misioneros y a los soldados que había enviado a convertir a los paganos. De lo contrario, dijo, sucederá algo malo, para ellos, para el principado y para todo el Imperio.

Al oír aquel vaticinio tan exagerado el príncipe pensó que el aislamiento había trastornado las facultades del santo y lo despidió con evasivas. Ya en la puerta, san Bratislav se volvió hacia el príncipe.

—Ya veo que Su Alteza no me cree. Pero yo le digo que durante el día de hoy recibirá una noticia que le hará cambiar de opinión.

Con estas palabras se fue. Durante todo el día el príncipe estuvo a la espera de alguna noticia relacionada con la fuerza expedicionaria, pero no le llegó ninguna. Al ponerse el sol, el príncipe sintió un gran alivio y envió un emisario a buscar a san Bratislav para hacerle patente lo desacertado de sus profecías. El emisario regresó con la noticia de que san Bratislav había muerto hacía seis días y había sido enterrado en el camposanto anexo al convento. Al oír esto, el príncipe comprendió que había recibido un aviso del más allá y ordenó que al romper el alba salieran emisarios en busca de los expedicionarios y los hicieran volver. Pero la expedición ya se había adentrado en la inmensidad del territorio, los aguazales provocados por el deshielo habían borrado las huellas de los caballos y los emisarios regresaron a Kiev hambrientos y extenuados sin haber podido cumplir con la misión que se les había encomendado.

Ajenos a la profecía, los expedicionarios llegaron a un ameno prado de hierba y flores que se extendía hasta el horizonte. Aquello les pareció un buen augurio. Pero cuando se adentraron en el prado advirtieron que la belleza era engañosa. La vegetación flotaba sobre un terreno pantanoso donde se hundían los hombres y las bestias. Los catafractos iban cubiertos de una pesada armadura de hierro, tanto los jinetes como los caballos. En campo abierto eran una fuerza de ataque irresistible. Pero ahora el limo les impedía avanzar. Tuvieron que arrojar las armaduras y, a medida que avanzaban, desmontar y agarrarse a las crines de los caballos para no sumergirse en el limo. Varios misioneros y soldados de a pie murieron de esta manera. Cuando decidieron retroceder vieron que la distancia recorrida era tanta como la que les faltaba por recorrer y siguieron adelante. El agotamiento los obligó a desprenderse de cuanto llevaban encima. Primero abandonaron las armas, luego las Sagradas Escrituras y los catecismos, y finalmente las provisiones. Al salir de la ciénaga estaban exhaustos y hambrientos. Comieron raíces y bayas. En los ríos torrenciales perdieron varios caballos, porque los juncos de las riberas y las hierbas que crecían en el lecho se enredaban en los cascos. Al caer se rompían las patas y había que sacrificarlos. Los pocos que sobrevivieron fueron sacrificados igualmente para aprovechar la carne. En los remansos de los ríos había sanguijuelas; en los bosques, alacranes, avispas, garrapatas y serpientes.

De los treinta y siete hombres que habían salido de Kiev, sólo cinco alcanzaron su objetivo. Entre ellos había un misionero, los otros cuatro eran soldados. Todos los catafractos, acostumbrados a ir a caballo a todas partes, no resistieron las caminatas y fueron abandonados a su suerte cuando ya no podían andar. Los livonios recogieron a los supervivientes cuando vagaban perdidos por el laberinto que forman en aquella zona las marismas.

Al verse en manos de los paganos, los expedicionarios creyeron llegado su fin. Venían imbuidos de las pavorosas historias relativas a la intrínseca maldad de aquellas gentes poseídas por los demonios. En la práctica, sin embargo, los paganos los llevaron a sus míseras chozas, les dieron de comer, les curaron las heridas con emplastos de hierbas medicinales, les dieron a beber un jarabe hecho de hígado de bacalao, desagradable al paladar, pero muy reconstituyente del vigor, y cuando estuvieron en condiciones les indicaron cómo regresar a su hogar, aprovechando que el breve verano secaba la tierra y hacía transitables los caminos.

Cuando el resto de la expedición de conquista hizo su entrada en Kiev, el príncipe sintió un profundo abatimiento. La primera parte de la profecía de san Bratislav se había cumplido y sólo era cuestión de esperar el cumplimiento de las restantes calamidades.

Rechazó de plano la propuesta de organizar una segunda expedición que aprovechase la experiencia de la primera. De nada sirvieron las exhortaciones del obispo ni los mensajes perentorios de su pariente el emperador. El príncipe había sido presa de la melancolía que con mucha frecuencia agobia a las testas coronadas.

*

Mientras tanto, la noticia de la expedición al norte y su fracaso corrió por Kiev, se divulgó por la región y acabó llegando a oídos del margrave de Brandeburgo, el cual, sin pérdida de tiempo, se reunió con el margrave de Meissen, el obispo de Moravia y los príncipes de Silesia y de Sajonia para determinar el curso de acción e informaron sobre lo acordado al rey de Dinamarca.

Desde hacía más de un siglo, también el Sacro Imperio Romano Germánico trataba de ampliar sus fronteras hacia el norte, no sólo para llevar la fe cristiana a las tribus paganas del Báltico, sino con fines comerciales y estratégicos. Por sus condiciones especiales, el mar Báltico, en primavera, se convertía en un hervidero de arenques y caballas y, de resultas de ello, abundaban las focas y no faltaban algunas ballenas. Además de la pesca, a los comerciantes germanos y neerlandeses también les interesaban las pieles, el ámbar y otros productos. Por último, el control de la costa báltica facilitaba la lucha contra los piratas y el control de las rutas marítimas.

Por todas estas razones, los pueblos paganos al este del Óder habían sido bautizados y los templos de sus dioses arrasados y sustituidos por iglesias.

Conforme proseguía el avance hacia el norte, los misioneros de los países recién convertidos, imbuidos de santo celo, eran los primeros en atacar los templos de las nuevas naciones con hachas y antorchas.

Pronto se establecieron vínculos con Dinamarca, recientemente convertida al cristianismo, y algunos príncipes de los nuevos territorios cristianos contrajeron matrimonio con princesas danesas.

Ahora se hacía imperioso dominar la costa báltica antes de que ésta cayera bajo el dominio del principado de Kiev y, a través suyo, del Imperio bizantino. No sólo por razones políticas y económicas, sino porque los gobernantes cristianos del Sacro Imperio no podían permitir que aquellos paganos se convirtieran al cristianismo ortodoxo, que se había separado del cristianismo romano a raíz del Cisma de 1054 provocado por lo que se conoce como la controversia *Filioque*. Desde entonces, las dos Iglesias, pese a compartir las mismas creencias, eran irreconciliables.

Apenas habían transcurrido dos años desde la desastrosa expedición de Kiev cuando partió del puerto de Lübeck una nueva expedición, organizada y financiada por el rey Olaf III el Tranquilo, el mismo que, siendo aún heredero de la corona, había luchado con su padre en la batalla de Stamford Bridge durante la conquista de Inglaterra.

La expedición constaba de unas quinientas personas. Partió en tres grandes navíos de los llamados *cocas* (derivado del nombre germánico *Cog* o *Kogge*), unos barcos de madera de roble, de más de veinte metros de eslora y ocho de manga, con una vela cuadrada y timón de popa.

Después de varios días de navegación fondearon en una bahía donde actualmente se alza la ciudad de Tallin. A diferencia de la expedición anterior, ésta no se proponía la ocupación del territorio, sino la creación de un monasterio.

Este método se había utilizado con anterioridad con resultados satisfactorios. Los monasterios fundados *in partibus infidelium* estaban rodeados de muralla y foso y en su interior contaban con huertos y establos. Como obtenían el agua de pozos, eran relativamente autónomos. Con la población local mantenían una relación cordial. Les ayudaban en sus necesidades y les mostraban las ventajas de la vida cristiana en comparación con la miseria en que vivían los paganos. De este modo, con paciencia y prodigalidad, habían acabado convirtiendo a pueblos enteros. Además de su labor de proselitismo y de procurarse su propia supervivencia, los monjes eran duchos en el manejo de las armas y los propios monasterios, construidos como verdaderas fortalezas, les garantizaban la seguridad ante posibles ataques de los nativos o de incursiones exteriores, especialmente de los piratas. Naturalmente, las condiciones de vida eran de una extrema dureza, pero en fin de cuentas los monjes habían hecho voto de pobreza y aceptaban los sufrimientos como parte de la vida monacal. También el celibato jugaba un papel importante. Aunque en algunas ocasiones los nativos, bien por agradecimiento a algún favor prestado, bien porque tal era la costumbre local, les ofrecían sus mujeres y los monjes se veían obligados a aceptarlas para no ofender a sus vecinos, en la mayor parte de los casos el estricto cumplimiento del voto de castidad evitó roces y malentendidos.

La presencia continuada del monasterio de Tallin, compuesto por doce monjes de la orden premostratense, no tardó en ejercer un poderoso influjo en la vida de unas tribus que no habían conocido ningún cambio desde la noche de los tiempos. Bajo la tutela de los monjes, adiestrados para todo tipo de trabajos, tierras baldías fueron cultivadas con un porcentaje aceptable de éxitos y fracasos mediante el sistema de quema o tala de bosques, aradas y sembradas con espelta. Algunas chozas y empalizadas de madera fueron sustituidas por otras de adobe o ladrillo. Se introdujo el uso de la rueda y otros adelantos técnicos. En el terreno cultural se enseñó el alfabeto latino y cirílico a los más aptos. Pero el efecto más importante de este gran cambio fue el adoctrinamiento religioso y moral y el bautismo masivo de un gran sector de la población. Donde antes se veneraba una roca o un árbol, ahora se alzaba un modesto templo de madera en cuyo interior podían verse toscas tallas de Jesús, María y algunos santos. Con paciencia y comprensión, pero con firmeza, los monjes fueron cambiando las costumbres bárbaras de aquellos hombres primitivos. Las mujeres dejaron de ser un bien comunitario y se estableció un tribunal para juzgar las conductas delictivas o deshonestas.

El eco de este acontecimiento venturoso llegó hasta los últimos confines de Europa. Todo el mundo cristiano se regocijó, menos el príncipe de Kiev, a quien se le había arrebatado la gloria y, de paso, el control del territorio. Muchas noches, en sueños, se le aparecía san Bratislav y le decía: Mira la que has armado.

*

En este punto interrumpí la narración del príncipe y me puse de pie. Tenía la imperiosa necesidad de ir al baño y, con este pretexto, tratar de poner orden en mis ideas. El príncipe accedió con gentileza.

—No tardes. Lo mejor aún está por venir.

Atravesé el salón con paso vacilante. La distribución irregular de las mesas me permitía hacer eses sin llamar la atención.

Lo servicios estaban en la planta baja. Eran espaciosos, limpios, tranquilos y olían a loción. Mientras me lavaba las manos y me echaba agua fría a la cara, un empleado con chaqueta negra y botones de latón esperaba discretamente con una toalla en la mano. Le di un dólar de propina y salí.

Mi intención era dejar plantado al príncipe. Desde donde estaba no podía verme y nada me impedía salir del hotel por la puerta de Park Avenue, parar un taxi, volver a mi apartamento y olvidarme de aquel encuentro inopinado y sus posibles consecuencias. Pero no lo hice.

En el ínterin el príncipe había pedido dos gimlets. Me senté y prosiguió su relato.

*

El éxito de la cristianización tuvo, sin embargo, un alto precio. Para los esforzados monjes, las consecuencias del invierno se hacían sentir igual que para el resto de los habitantes de la región, con el agravante de no estar habituados a sus despiadados embates. Escaseaban los alimentos y la desnutrición y el frío se cobraron las primeras víctimas. La mitad de la comunidad había muerto al finalizar el primer año de la fundación del monasterio. El resto, físicamente debilitado y espiritualmente deprimido por una noche que no parecía tener fin, habría pedido ayuda si hubiera tenido algún modo de comunicarse con sus superiores. Pero el aislamiento era absoluto.

Finalmente, con el deshielo, pudieron enviar una misiva por medio de un barco danés que tocó tierra para adquirir pieles a cambio de sal y otros productos. Al cabo de unos meses el obispo de Lübeck contestó diciendo que un barco iría a recoger a los misioneros supervivientes y les encomendaba instruir a algunos nativos bautizados cuya capacidad personal y firmeza en la fe garantizaran su conducta a fin de que pudieran sustituirlos, ora impartiendo las enseñanzas recibidas, ora administrando los santos sacramentos, para lo cual se les autorizaba a consagrarlos sacerdotes *in pectore*.

Los monjes hicieron lo que se les había indicado y cuando llegó el barco de Lübeck partieron contentos de la labor realizada y los resultados obtenidos, y más contentos aún de regresar a la civilización.

Durante varios años nada se supo de los livonios, hasta que un barco fletado por mercaderes hanseáticos, que había partido del puerto de Rostock, fondeó en la bahía de Tallin. Los mercaderes fueron recibidos por los nativos con su habitual cordialidad y se realizó el intercambio de pescado ahumado por manufacturas a plena satisfacción de ambas partes. Antes de regresar al barco, los nativos invitaron a los mercaderes a ver cómo seguían funcionando los cambios introducidos por los monjes, ya que se sentían muy orgullosos de los progresos realizados.

Los comerciantes aceptaron encantados y los nativos los llevaron en primer lugar al templo, porque, según les dijeron, habían aprendido de los monjes la importancia de honrar a la divinidad. No obstante, añadieron, después de la marcha de los monjes no habían visto la necesidad de mantener unas creencias que no habían acabado de entender y cuya moral iba en contra de sus costumbres, por lo que habían vuelto a su religión original, que ellos consideraban la única y verdadera. De las enseñanzas de los monjes, sin embargo, habían comprendido la necesidad de dar una mayor entidad a lo que hasta entonces habían sido meras presencias invisibles.

Con gran estupor, los mercaderes vieron que el templo edificado en honor de Jesucristo, la Virgen y los santos había sido transformado en un templo pagano y las estatuas sagradas, en ídolos horrorosos. A la Virgen le habían pintado la cara de rojo y añadido unos cuernos de reno y a san José lo habían convertido en un demonio con dientes de oso.

También les dijeron que, dadas las condiciones climáticas, la agricultura iniciada por los monjes sólo se podía mantener con el empleo de esclavos, para lo cual se habían visto obligados a entrar en guerra con otros pueblos y hacer un número considerable de prisioneros de ambos sexos. A los hombres los ponían a trabajar la tierra y las mujeres se las cambiaban a los piratas por armas para poder seguir guerreando ventajosamente.

Este grado de civilización, dijeron a modo de conclusión, se lo debían a los monjes, en cuya memoria se hacían sacrificios propiciatorios cada plenilunio.

Por prudencia, los mercaderes no mostraron su desaprobación, pero tan pronto el barco regresó a Rostock dieron cuenta a las autoridades eclesiásticas e imperiales de lo que habían visto.

El escándalo llegó pronto a oídos del Viejo Canuto, o Canuto el Grande, rey de Dinamarca, de Noruega y de Inglaterra, el cual dispuso de inmediato una expedición punitiva contra los paganos. El paganismo debía ser combatido con bondad, paciencia y tolerancia, como habían hecho los monjes premostratenses a costa de sacrificios que en algunos casos habían llegado al martirio. Pero la impía desacralización de un templo cristiano y la profanación de las imágenes divinas exigía un castigo ejemplar.

Un barco con cincuenta soldados, diez de ellos de caballería, partió de Lund, a la sazón parte del reino de Dinamarca. A bordo iban también seis monjes benedictinos con la misión de exorcizar a los demonios y volver a consagrar los santos lugares. La expedición, en su modestia, revestía caracteres de auténtica cruzada, similar a la que por aquellos años pugnaba por arrebatar Tierra Santa a los infieles. Así lo entendió el Sumo Pontífice, que concedió indulgencias a las fuerzas expedicionarias.

*

Lo que prometía ser una sencilla operación de castigo resultó una sangrienta derrota. Las variadas enseñanzas de los monjes habían permitido a los nativos construir muros de piedra en sustitución de las antiguas empalizadas, poco resistentes al empuje de un ariete improvisado y, sobre todo, muy vulnerables al fuego. Desde estas pequeñas pero eficaces fortalezas, bien provistos de alimentos y adiestrados en el manejo de las armas, poco les costó rechazar los ataques de los soldados. Cuando éstos optaron por el asedio, los nativos comprendieron que habían ganado la partida. El frío, la escasez de alimentos y las alimañas se encargaron de diezmar a los sitiadores. No les cupo otro remedio que levantar el campo. Entonces los nativos hicieron una salida y los pasaron a cuchillo a todos, salvo a los monjes, como muestra de gratitud por haberles enseñado cosas tan útiles. Les dieron provisiones y agua, los metieron en el barco en el que habían llegado y los echaron a la mar.

Ignorantes del arte de marear e incapaces de orientarse por las estrellas, los monjes fueron a la deriva un número indeterminado de días. Cuando se les acabaron los víveres celebraron un conciliábulo para debatir si debían recurrir o no al canibalismo y rechazaron este impío recurso por unanimidad.

Finalmente fueron rescatados por un barco de piratas prusianos. De los seis monjes sólo quedaban dos en un lamentable estado de desnutrición, deshidratación y congelación. Normalmente, los piratas se habrían adueñado del barco y habrían arrojado a los supervivientes al mar, pero aquellos piratas resultaron ser cristianos, y aunque esto no les impedía cometer las mayores tropelías, no se atrevieron a cometer el sacrilegio de matar a dos religiosos. Les dieron agua y comida y los desembarcaron en una pequeña población costera. Allí fallecieron ambos a los pocos días de tocar tierra, no sin antes haber referido lo ocurrido y mencionar el nombre del caudillo livonio artífice de la derrota: Ulf.

Nada estimula tanto a un guerrero como la posibilidad de individualizar al enemigo. Canuto el Grande, a quien llegó prontamente noticia de la catástrofe, intuyó que se enfrentaba a un rival de su nivel y decidió organizar una nueva expedición, no de castigo, sino de exterminio, tan pronto como acabara al invierno y los barcos pudieran hacerse a la mar.

Empleó el intervalo en preparar la guerra minuciosamente. Sus enviados pintaron en Roma al caudillo Ulf, del que lo ignoraban todo salvo el nombre susurrado por los labios de un moribundo enajenado, como la encarnación misma de Satanás y de este modo consiguieron la promulgación de una nueva bula papal, *Non posum animus noster*, en virtud de la cual todo aquel que participase en la lucha contra Ulf obtendría la remisión de sus pecados, siempre y cuando en su ánimo mediare una sincera contrición. Reclutar a la soldadesca y aparejar los navíos ocuparon el resto del tiempo y buena parte de los recursos económicos del reino.

Al frente de la expedición iba el príncipe Erik, segundo hijo del rey y presunto heredero de la corona, preterido el primogénito, el príncipe Christian, apodado Pancha de Boeuf, por su vida disoluta y su temperamento cruel, violento y arbitrario. El príncipe Erik contaba veintiséis años de edad. Apuesto, piadoso, valiente y de trato afable y carácter magnánimo, era muy querido del pueblo danés. El que el rey lo enviara a luchar en una cruzada que ya había costado muchas vidas da testimonio de la importancia que le atribuía. Para Canuto el Grande no sólo estaba en juego la fe en Cristo Nuestro Señor, sino su propia dignidad.

La expedición con el príncipe Erik a la cabeza partió de Roskilde, a la sazón capital del reino de Dinamarca. La formaban diez barcos, cinco de ellos grandes cocas, que transportaban en conjunto a más de tres mil hombres.

Cuando hacía escala en el puerto de Høven, en la isla de Brokholm, una nave rápida le dio alcance. El capitán pidió hablar a solas con el príncipe Erik y, obtenida audiencia, le transmitió noticias inquietantes. Aprovechando la ausencia del heredero del trono danés, había estallado una revuelta, posiblemente encabezada por el príncipe Christian Pancha de Boeuf. El rey Canuto había sido asesinado. Advertidos de la situación, los países vasallos de Noruega e Inglaterra y los condados de Pomerania y Holstein se habían declarado independientes. Tras un primer momento de estupor el príncipe Erik dio orden de regresar a Roskilde para restablecer el orden, pero para entonces la noticia se había propagado entre las fuerzas expedicionarias y la mayoría había decidido abandonar al príncipe, regresar a sus bases y ponerse al servicio de los nuevos gobernantes, quienesquiera que éstos fuesen.

Abandonado de los suyos, convencido de cuál sería su suerte si regresaba a Dinamarca o si ponía rumbo hacia alguno de los territorios recientemente escindidos de la corona que ahora él representaba legítimamente y, sin otra opción razonable, el príncipe Erik decidió proseguir la marcha hacia el territorio de Livonia con el resto de las fuerzas que habían permanecido fieles a su persona.

*

Como la infausta expedición anterior, los restos de la que mandaba el príncipe Erik desembarcaron en la bahía de Tallin. Con la experiencia adquirida en la derrota, daban por sentado que el enemigo los aguardaría encerrado en su fortaleza y pertrechado para resistir un prolongado ataque. Sin embargo, y para su sorpresa, un fuerte contingente armado los esperaba en la playa, a cierta distancia del agua.

Viendo que no les lanzaban flechas, el príncipe Erik dio orden de desembarcar y formar. Cuando los dos ejércitos estuvieron enfrentados, tres hombres se destacaron del bando livonio y avanzaron hacia los recién llegados. Como su actitud era en apariencia pacífica, los dejaron avanzar. El pequeño grupo se detuvo a unas cincuenta varas y uno de ellos, alzando la voz, dijo ser Ulf y querer parlamentar con el príncipe Erik si éste lo tenía a bien.

Contra toda previsión, el que decía ser Ulf era un hombre de mediana edad, no muy alto, corpulento, de rasgos toscos, espesa barba negra y cejas pobladas. El príncipe Erik, acompañado de una escolta de cinco soldados, acudió a la cita.

Una vez frente a frente, Ulf saludó al príncipe con mucha civilidad y le dijo que por unos navegantes, quizá mercaderes, quizá piratas, había sabido de sus desgracias. Ni él ni su pueblo, añadió, tenían nada contra el príncipe y sus acompañantes y en modo alguno deseaban iniciar unas hostilidades de las que sólo podían seguirse daños y penurias para ambas partes. Si su pueblo se había enfrentado a la expedición anterior, no lo había hecho por animadversión, sino para repeler una agresión cuya causa nadie les había explicado. Si en algo se habían desviado de las enseñanzas de los buenos monjes, a los que tanto debían, estaban dispuestos a enmendarse, pues el error, si lo había, era debido a la ignorancia y no a la mala fe. Él estaba convencido de que personas malintencionadas habían tergiversado las cosas para fomentar una rivalidad entre dos países que nada justificaba y nunca debería haber existido. Las guerras perjudican a los contendientes y benefician a terceros, por lo que no es de extrañar que algunos las fomenten. Personas inteligentes como el príncipe Erik y él mismo, el propio Ulf, que así hablaba, no debían caer en una añagaza tan burda, de la que sólo podían esperar sufrimientos indecibles para sí mismos y para las personas cuya salvaguarda Dios les había encomendado. Ambos, el príncipe Erik y el propio Ulf, debían dejarse guiar por los principios inspirados en la doctrina de Nuestro Señor Jesucristo, al que ambos adoraban por igual.

Esto era algo que el príncipe Erik no esperaba oír. Primero se quedó mudo y luego afirmó estar en todo de acuerdo con las palabras del caudillo livonio.

Éste, por su parte, no hablaba en vano. Desde hacía unos años los pueblos situados al oeste del caudaloso río Narva estaban amenazados por las tribus tártaras.

En aquella época los tártaros eran una turbamulta de bizarros jinetes nómadas que vagaban por la estepa dedicados a la caza y al pillaje. No se apeaban del caballo ni para dormir ni para comer. Su alimento principal era un amasijo de carne cruda picada y macerada en la silla de montar. Eran muy hábiles con el arco y la flecha, atacaban en masa y por sorpresa, arrasaban cuanto encontraban a su paso y no tenían piedad con los vencidos.

No obstante, a diferencia de los cristianos, su ardor guerrero no venía motivado por razones espirituales. Si se les infligía una derrota o encontraban una resistencia enconada, abandonaban el campo de batalla y se iban en busca de una presa más fácil.

En estas circunstancias, la llegada del príncipe Erik, lejos de constituir un peligro para los livonios, era una bendición. Aunque mermada, la tropa danesa estaba compuesta de soldados experimentados y bien armados y, por añadidura, disponía de barcos y de tripulación con los que podía impedir a los invasores el cruce del río Narva y defender el lago Peipus, donde casi un siglo más tarde Aleksandr Nevski, el santo príncipe de Kiev, había de derrotar a los Caballeros Teutones en la batalla del hielo.

Por el momento, sin embargo, los livonios no podían contar con la ayuda del príncipe de Kiev, sino todo lo contrario.

Al príncipe Sviatoslav, el que había sufrido una amarga derrota por desatender los consejos de san Bratislav, le había sucedido su hijo, el príncipe Yaroslav, joven, aguerrido y temerario. Desde la infancia había sido testigo de la melancolía de su padre y había jurado vengar la humillación sufrida por éste y por su pueblo. Preparaba una expedición contra los livonios cuando le llegó la noticia de que los tártaros, ante la presencia de los daneses, habían desviado su ruta y se dirigían hacia Kiev.

¿Qué hay? ¿qué ocurre?
¿No sabe nada?
No.
Pues que han tirado una bomba.
¿De veras?
Sí.
¿Y hay desgracias?
Muchísimas.

Salí del Waldorf Astoria bastante mareado.

La crónica del príncipe se había ido esfumando y de la última parte sólo recordada un murmullo remoto. No sé cómo, atravesé el hall y me encontré en Park Avenue. El frío me hizo reaccionar y pude cruzar la avenida sin ser atropellado. A aquella hora el tráfico era escaso. Me pasó rozando un autobús nocturno. Cabeceaba como un viejo paquidermo. Por las ventanas se filtraba un resplandor azulado y fúnebre. Dentro iba un pasajero solitario, que se me quedó mirando como si pidiera ayuda. Quizá él pensaba lo mismo de mí.

Paré un taxi que venía en dirección al sur, subí y no supe decir al taxista la dirección de mi propia casa. El taxista no se inmutó. Me dijo que bajara la ventanilla mientras él seguía conduciendo. Ya verá cómo se le aclaran las ideas con el airecito, dijo en español. Me abandoné confiadamente en sus manos. En Nueva York la profesionalidad suplía a la ética. Cualquiera podía asaltarme y coserme a puñaladas, pero era impensable que un taxista alargara el trayecto para cobrar unos centavos de más.

El taxi se metió en el túnel que bordeaba Grand Central Station y reapareció en una continuación de Park Avenue lóbrega y abandonada.

Recliné la cabeza en el asiento. Estaba aturdido, pero no adormilado. Siga, siga, vamos bien, dije al taxista.

Al llegar a Union Square le dije que torciera por la calle 14 hacia el oeste.

De noche la plaza parecía más grande y más inhóspita de lo habitual. Cada primero de mayo se convocaba en aquella plaza una manifestación obrera a la que acudían cuatro gatos y a la que nadie hacía el menor caso. En aquellas anodinas ocasiones siempre se recordaba la pareja mítica de Sacco y Vanzetti, ejecutados en Massachusetts en agosto de 1927 por su filiación a un grupo anarquista. Con los años Sacco y Vanzetti se habían convertido en un referente mundial de la lucha obrera y de la brutal represión del capitalismo contra cualquiera que reivindicara los derechos básicos del ser humano. Este dudoso honor había recaído en Sacco y Vanzetti por el mero hecho de ser americanos o de haber actuado y caído en aquel bronco país. Los Estados Unidos eran capaces de venderle al mundo hasta sus injusticias. En cambio, de los anarquistas españoles, ¿quién se acordaba ya? Mateo Morral, Santiago Salvador, el Noi del Sucre...

La diferencia era que, en América, Sacco y Vanzetti pasaban por héroes o por antihéroes individuales, mientras que en Europa habrían sido dos simples representantes de la lucha colectiva por el pan y la justicia. En América las acciones colectivas carecían de importancia; allí sólo contaba el individuo y los actos que éste se animara a emprender. El triunfo y el fracaso eran individuales, la lucha de clases era una abstracción perniciosa.

Quizá por eso la Historia de los Estados Unidos me resultaba una lectura aburrida, un mero recuento de medidas prácticas traducidas a leyes o a sentencias judiciales que sentaban jurisprudencia. Lo vital quedaba fuera de la Historia: el duelo del hombre contra la naturaleza o contra sus semejantes, pistola en mano. El sheriff y el bandido, el gánster y el agente federal, el llanero solitario, el cazador de las praderas, el hombre de la Confidencial.

El ciudadano americano era aficionado a la exhibición de banderas, a los himnos, a las efemérides patrióticas. Aquellas expresiones de fervor colectivo llamaban la atención del recién llegado y le llevaban a formarse una impresión falsa. Los símbolos eran sólo símbolos y no remitían, como en Europa, a ideas, movimientos o bandos.

Comprender esta diferencia me había proporcionado una gran sensación de libertad, algo que América contagiaba inconscientemente incluso a sus más fieros detractores. Para la mentalidad americana, el grupo y la idea pesaban poco; el individuo lo era todo.

Esta percepción hacía opresiva a mis ojos la perspectiva del regreso. Sabía que cuando volviera a Barcelona, una vez agotada la alegría de los reencuentros, volvería a sentirme sometido de nuevo a una presión constante, a las exigencias de mis distintas pertenencias, a las ataduras de una implícita e inexcusable fidelidad.

El último trecho fue fácil y al cabo de un rato me encontré tendido en la cama, vestido e insomne, pensando estas cosas.

Al día siguiente, sin sopesar los pros y los contras, pregunté al señor Carvajal si podía tomarme unos días de vacaciones. El señor Carvajal asumió aires de honda preocupación. Para él la concesión de vacaciones era la faceta más ardua de su mandato. Si accedía, creía poner en entredicho su autoridad, y si no accedía, creía obrar de un modo despótico. Esta disyuntiva se planteaba siempre, porque nunca había motivos de trabajo que justificaran la denegación del correspondiente permiso.

—¿Ahora? ¿Ha de ser precisamente ahora?

—Sí, señor. Si no fuera ahora, no le plantearía la cuestión.

—Pues qué, ¿tantas ganas tiene de volver a España?

—No me voy a España, sino a Japón.

—¡A Japón! ¿Y qué se le ha perdido a usted en ese maldito lugar? Japón es horrible. Muy sucio.

Comen pescado crudo y eso les hace oler a mil demonios.

—Señor Carvajal, comparado con Manhattan cualquier pocilga es una perfumería.

Toda la mañana anduvo muy atareado. Por lo visto comentó el asunto con alguien, probablemente con Paco Andrade, y a la hora del almuerzo todo el mundo estaba al corriente de mi insólito proyecto. Hablamos de geishas y de samuráis y de las películas de Ozu y de Mizoguchi. Esta tertulia sirvió para darme cuenta de la magnitud de mi ignorancia. Al salir del trabajo entré en Scribner's y compré una historia del Japón.

Convencido de que el señor Carvajal me concedería la autorización para ausentarme, pensé que debía avisar al príncipe antes de que éste cambiara de idea o encomendara la misión a otro. En nuestro encuentro en el Waldorf Astoria no atiné a preguntarle cómo lo podía localizar. Hasta entonces siempre había sido él el que me había localizado e ingenuamente supuse que así había de ser siempre. Al día siguiente por la tarde regresé a la tienda de pierogis y, para mi consternación, la encontré cerrada, y lo mismo pasó al siguiente. Entré en la tienda de al lado, me recibió un chino y me dijo que la señora de los pierogis era muy mayor.

—Quizá enferma. Retirada. O falleció. No sé.

—¿Y un hombre que trabajaba con ella, en la misma tienda? Alto, rubio, extranjero.

—Ah, extranjero. Yo chino, tú hispano. Melting pot.

No supe qué hacer. Finalmente, un suceso inesperado resolvió la situación.

En la madrugada me despertó el teléfono. Contesté sobresaltado, era Ernie. Le pregunté si pasaba algo grave.

—Según. ¿No te has enterado?

—¿De qué?

—Han asesinado a Carrero Blanco. En Madrid. Me lo acaban de comunicar.

Al día siguiente el señor Carvajal nos reunió a todos.

—El magnicidio, pues de eso se trata, no nos incumbe en tanto que funcionarios. Bien al contrario, es en estos momentos de tribulación cuando el tejido funcionarial ha de mantenerse sereno y cumplir con su deber escrupulosamente. De nosotros pende la estabilidad de la nación. En cuanto al aspecto político del magnicidio a escala internacional, eso es algo que no corresponde a esta delegación, sino al Ministerio de Asuntos Exteriores a través de nuestra embajada en Washington. Cumpliendo con mi deber, esta misma mañana me he puesto en contacto con la embajada para reiterar el firme compromiso de los aquí presentes con el cometido que nos ha sido asignado. Ésa era, al menos, la intención de mi llamada, que hasta este momento no ha recibido respuesta. De este silencio administrativo deduzco que hasta tanto no nos sean dadas instrucciones precisas, nuestro trabajo continuará como todos los días, sin alteración alguna, salvo en lo concerniente a permisos y vacaciones, que, como es natural, quedan suspendidos *sine die*.

Alicia Pujadas me sonrió.

—Vaya, te has quedado sin comprobar lo que dicen de las geishas.

—¿Y qué dicen?

—No lo sé. Pamplinas. Que son muy sumisas.

Paco Andrade lanzó un resoplido.

—Anda, como nosotros.

Ce n'est pas possible. J'ai peur. Ce n'est pas possible.
Il s'imagine qu'il est le premier à mourir.
Tout le monde est le premier à mourir.

La muerte del Almirante fue un acto espectacular, bárbaro e inútil. La creciente debilidad física de Franco le había llevado a traspasar a Carrero Blanco la presidencia del Gobierno, que aquél había ejercido sin interrupción desde el 1 de octubre de 1936. Toma tú las riendas, Luis, yo ya no doy para más. No digas eso, Paco. Te agradezco la intención, amigo mío, pero es en balde, respondió el Caudillo con lucidez, pronto habré de rendir cuentas de mis actos, y por primera vez conozco el miedo. Paco, cuando te vean entrar en el cielo, hasta el Altísimo se pondrá de pie. El Almirante era hombre de profundos sentimientos religiosos, pero aún era mayor la fidelidad que sentía hacia el Caudillo. Lo que decía lo pensaba. Lo que no se le pasaba por la cabeza era que él estaba llamado a preceder a su amado dirigente en la temida comparecencia.

El 20 de diciembre, un comando de ETA hizo volar el Dodge que ocupaba Carrero Blanco con una carga explosiva tan grande que el coche y sus ocupantes acabaron en la cornisa de un edificio cercano al lugar de los hechos.

La noticia conmovió a la opinión pública, pero en lo sustancial, los efectos del atentado apenas si se hicieron notar. Como en la España de aquella época, tanto entre la gente de izquierdas como en la derecha más recalcitrante, el pensamiento político estaba dominado por el marxismo, todo el mundo pensaba que eliminar a una persona no bastaba para cambiar la realidad existente, sino que era preciso cambiar la realidad que propiciaba la existencia de semejantes personajes. El almirante Carrero Blanco era, a lo sumo, un símbolo y, por lo tanto, fácilmente reemplazable. Feo, obtuso, cerril e intransigente, su ceñuda efigie contaba más que sus actos. A la hora de la verdad, el asesinato sólo causó estupor. Hasta ese momento en España se creía que la clase dirigente era intocable. Se presuponían y rumoreaban golpes de palacio, intrigas de salón, quizá amenazas y desplantes, pero nada de eso trascendía de los muros del régimen y las personas ajenas a ese mundo sólo podían influir en los designios de la autoridad provocando el enfado con su comportamiento. Ahora, en cambio, nadie estaba a salvo. Vista desde el búnker, la violencia ya no actuaba únicamente de dentro afuera, sino también al revés. La sucesión de Franco se hacía difusa. Por primera vez en varias décadas, la iniciativa había cambiado de bando.

En este sentido, quizá sí que la muerte de Carrero Blanco marcó el inicio de la democracia en España, en la medida en que fue un rito iniciático, el cambio de la edad inocente a la edad culpable. Algo parecido a lo que para los que crecimos a la sombra de la Iglesia española de la posguerra significaba la primera comunión. Hijos míos, hasta ahora habéis sido niños y, por consiguiente, inocentes a los ojos de Dios. Ahora, mediante esta ceremonia, estáis a punto de ingresar en la ingente muchedumbre de los pecadores. A partir de este momento todos vuestros actos, palabras, pensamientos y omisiones serán escrupulosamente anotados en un libro imborrable e intransferible, cuyo epílogo será, con toda certeza, vuestra condenación eterna. Para escenificar y dar sanción social a este pernicioso evento se organizaba una ceremonia solemne y patética, para desconcierto de quienes la protagonizaban y de quienes participaban en ella. Durante varias semanas se adoctrinaba a los niños y a las niñas con el propósito de inculcarles una sola idea: la de que habían nacido con culpa y que toda su existencia debía ir encaminada a lamentar el hecho mismo de estar vivos y a pedir perdón con efectos retroactivos por algo oscuro y levemente sicalíptico realizado en un pasado mitológico por nuestros primeros padres. Que esta explicación, sobre la que no podía haber ninguna duda, contradijera las enseñanzas que aquellos mismos maestros nos impartían no presentaba el menor problema a ninguna de las partes: a los neófitos, porque carecíamos de elementos de juicio para rebatir semejantes disparates, y a los educadores, porque eran, pura y simplemente, malvados. Que la ceremonia propiamente dicha empezara por la mañana en la iglesia y acabara por la tarde con una fiesta en la que a menudo intervenía un payaso era lo único consecuente de aquel conjunto.

Ernie disentía.

Contraviniendo sus principios, por hacerme un favor, había accedido a dejar su entorno habitual y subir a Midtown. Yo seguía buscando al príncipe con frenesí para comunicarle mi decisión de aceptar su propuesta y viajar a Tokio, y a falta de una idea mejor, pedí a Ernie que se personase en el Waldorf Astoria y dejara en la recepción un mensaje dirigido Su Alteza Real el príncipe de Livonia. Por pura timidez me resistía a hacerlo personalmente y, por otra parte, pensaba que la figura y los modales de Ernie darían verosimilitud a la gestión. En mi imaginación, Ernie era el tipo de personaje original que un recepcionista relacionaría con el príncipe y su séquito.

Al final, la maniobra acabó en un chasco. En el hotel no se alojaba nadie con aquel nombre o que respondiera a aquellas características.

Mientras Ernie parlamentaba, yo me había instalado en una mesa del hall para seguir la escena a distancia. Cuando se reunió conmigo, apesadumbrado y con el sobre en la mano, le dije que se sentara y pedí dos gimlets. Aceptó a regañadientes. A pesar de su exhibicionismo y sus aficiones teatrales, le costaba fingir y la farsa le había puesto nervioso y de mal humor.

—Vaya sofocón me has hecho pasar. Y todo para nada.

—Lo siento. La persona que busco tiene motivos para ir borrando sus huellas.

—Sí, sí, menudo fantasma está hecho tu amigo.

Por cambiar de tema, saqué a colación el asunto de Carrero Blanco. Al fin y al cabo, él me había dado la noticia y le suponía interesado. Pero poco había que comentar. Como ya he dicho, en Nueva York no se vendían periódicos españoles y por carta o por teléfono sólo llegaban rumores y especulaciones sin fundamento.

Le expuse mi teoría, incluida la comparación con la primera comunión. Le pareció todo un disparate.

—A mí no me gustan los curas, pero de algún modo hay que refrenar los instintos naturales de las personas. Si refrenándolos con la idea del pecado y el castigo ya somos como somos, imagínate tú cómo seríamos si nos dejaran hacer a nuestro antojo.

—Normas han de existir, no lo niego, pero ¿el cumplimiento de estas normas sólo se puede conseguir apelando al miedo?

—¿Conoces alguna otra forma de manipular a la gente?

—Me resisto a creer que no existe la ética sin el temor a la represalia. Es más, creo que es precisamente el temor lo que nos hace peores. Tú mismo has dicho que la represión contra la homosexualidad os ha hecho promiscuos y maliciosos.

—No más que al resto. La diferencia entre lo que ocurre en los antros de la calle 14 y lo que ocurre en los burdeles distinguidos es un problema de decorador. Y la diferencia entre tú y yo es que yo, como todos los pervertidos, soy un moralista. No hay libertad sin culpa.

—Te veo muy recuperado de la depresión.

—Ahora estoy bien, gracias a Dios. Pero puede volver y vivo angustiado. Lo he pasado muy mal, ¿sabes? Suerte tuve de los amigos. Siempre os agradeceré lo que hicisteis por mí Valentina y tú.

Como era él quien había mencionado su nombre, le pregunté si la veía con frecuencia.

—Casi a diario. Y como soy muy cotorra, te contaré lo que quieres saber, aunque no me lo pidas.

Mientras nos tomábamos un par de gimlets cada uno, me puso al corriente de la situación con respecto a Valentina. Nuestra ruptura le había causado un gran dolor. Se consolaba a ratos con Yves, pero en opinión de Ernie, buscaba su compañía más por despecho que por atracción o afinidad. Yves era de buen natural, pero un niño mimado y un egocéntrico y ella era la primera en darse cuenta. En el fondo, no lo soportaba. Para colmo, el escarceo de Valentina con Yves había provocado el enfado de China, que consideraba al francesito un objeto de su propiedad, y ahora las dos amigas no se hablaban. Todo esto tenía a Valentina sumida en la tristeza y el arrepentimiento, y Ernie era su paño de lágrimas.

—A buen santo se encomienda. La quiero bien, pero sólo soy una loca depresiva. Y aún te diré más: mientras ella me cuenta sus penas, yo voy pensando: ay, guapita, si yo te contara las mías, te partirías de risa. Ésta es la gran diferencia entre vosotros y nosotros. Cuando nosotros caemos, nadie nos recoge.

Le di la razón, pero en mi fuero interno, el asesinato del Almirante, el futuro de mi país y los pesares de Valentina o de Ernie me resultaban algo lejano. Desde hacía unos días ya había emprendido el viaje a Japón o, al menos, hacia un Japón imaginario en el que proyectaba todas mis expectativas.

Per Nadal, tots a casa.

Nuevamente cayó el invierno sobre Nueva York. Los días se acortaban. Los árboles perdieron las hojas.

A finales de diciembre las temperaturas eran tolerables, pero en algunas esquinas ráfagas de aire helado asaltaban a los peatones.

El cielo era de un azul trasparente; en cambio las noches parecían más negras, como si el frío encogiera la luz de las farolas.

En mis horas de insomnio veía por la ventana la avenida vacía, agitada por remolinos de viento. El ruido de las sirenas se mezclaba con el lamento continuado de la ventolera.

Para compensar la desolación, las avenidas y los grandes almacenes se engalanaban para las fiestas.

Como la agitación y las especulaciones provocadas por la muerte de Carrero Blanco habían remitido, pedí unos días de vacaciones al señor Carvajal.

—¿Aún sigue con la perra de ir al Japón?

—No. Eso ya pasó. Pensaba ir a Barcelona a ver a mi familia.

—Es más razonable. Cójase una semanita y vuelva sin demora. Hay mucho trabajo pendiente.

En el fondo, lo que me impulsaba a irme era la perspectiva de pasar otra vez la Navidad mano a mano con Ernie en un restaurante de Chinatown.

Por lo avanzado de las fechas, sólo conseguí un vuelo para el 23 de diciembre con regreso el 31.

Mientras cambiaba de avión en Barajas, la madrugada del 24, después de una noche en vela, ya estaba arrepentido de mi decisión.

Había avisado a mis padres de mi llegada y me esperaban con una alegría tan alborotada como fugaz. Para mí, después de una larga ausencia, la vuelta estaba cargada de novedad y emoción. Para ellos, en cambio, sólo era una jubilosa interrupción de su implacable rutina.

Estar de paso en mi propia casa me permitía ver la vida familiar como una cosa del pasado. El belén de todos los años me inspiraba una leve ternura.

La comida de Navidad resultó un poco deslucida. Por causa del *jet lag* yo estaba aturdido e inapetente y la ausencia de mi hermano ensombrecía el ambiente y acabó de robar mi escaso protagonismo.

Agustín seguía en Alemania, desde donde había enviado un *christmas* con un garabato bajo unas letras góticas que decían: *Fröhliche Weihnachten*.

Mientras poníamos la mesa, mi madre tocó el tema con voz temblorosa.

—Podrías ir a Alemania y hablar con Agustín, a ver si lo centras un poco.

—No me da tiempo, mamá. He de volver a Nueva York. Que vaya Anamari.

—A ti te hará más caso.

—No es verdad. Anamari lo conoce mejor y tiene más mano izquierda.

—Pero es una chica.

—¡Qué atraso, por Dios!

Anamari mantenía una correspondencia irregular con Agustín. Ella me contó que Agustín había encontrado un trabajo en el teatro público de Frankfurt. Estaba, según decía, de chico para todo en el departamento de utilería y vestuario.

—Quizá tiene razón mamá y deberías ir a ver qué hace.

Mi madre se resistía a enviar a Anamari por miedo a que no volviera y dejara la casa vacía.

Anamari también había seguido viendo ocasionalmente a Claudia.

—¿Crees que debería llamarla?

—Yo creo que no, pero si me lo preguntas es porque tienes ganas de llamarla. Tú verás.

—Sólo para felicitarle el año.

—Si sólo es para eso, no la llames. Claudia puede pasarse sin tu felicitación. Ahora, si la llamas a pesar de todo, no digas idioteces.

—Es lo único que sé decir.

Ya había visto a mis amigos y pensaba que tenía que hacer algo distinto para justificar un viaje tan fatigoso y tan caro, que hasta entonces sólo me había ofrecido una tediosa repetición de nimiedades previsibles.

En casa de Fabián mis amigos se seguían reuniendo y seguían hablando de política, pero su discurso me resultaba novedoso.

Después de haber militado en el partido comunista o alguna de sus variantes, de un modo más o menos oficial y continuado, pero con mucha entrega, ahora su lealtad y sus esperanzas estaban puestas en la Asamblea de Cataluña. Aquel giro no significaba la renuncia a los antiguos principios. Sólo que, a la vista de las circunstancias objetivas, era mejor aunar esfuerzos y orientarlos hacia objetivos próximos. Y ahora el objetivo prioritario era recuperar la esencia de una Cataluña democrática y progresista, doblemente sojuzgada por el régimen dictatorial. Con este fin las fuerzas del catalanismo se habían agrupado en un frente común en el que tenían cabida todas las tendencias de carácter democrático, desde los feroces anarquistas de viejo cuño hasta los mansos católicos posconciliares.

Este nuevo enfoque no les impedía seguir metiéndose conmigo y mi claudicación ante los agasajos del imperialismo americano. De nada sirvió que yo jurase no haber participado en la matanza de My Lay ni en el derrocamiento de Salvador Allende.

—Da lo mismo. La represión de Pinochet, la matanza de My Lay, las matanzas de Indonesia, todo se hizo con el consentimiento y el apoyo de un país donde tú vives feliz y contento.

—Sí, como vosotros en la España de Franco, ¿no te jode?

Las críticas no me ofendían. A fuerza de hablar y no actuar, las ideas de aquel grupo cerrado se habían convertido en una cantinela. Como amigo y forastero, mi presencia era un estímulo para revalidar argumentos y fortalecer convicciones. Las reconvenciones no alteraban ni el afecto ni el respeto que sentían hacia mí. Yo, en cambio, me sentía cada vez más distante de sus problemas y sus aspiraciones.

Finalmente, la víspera de mi marcha llamé a Claudia. No esperaba nada de aquella llamada, pero no me quería ir con la sensación de no haber hecho algo significativo. Mi intención era colgar si no cogía el teléfono ella misma, pero lo hizo su madre y confundí la voz. Ella sí reconoció la mía al instante y no hubo más remedio que intercambiar cortesías y muestras de interés. Yo me sentía violento, pero ella parecía contenta de hablar conmigo y su tono era cariñoso.

—Le diré a Claudia que has llamado.

—No merece la pena. Me voy mañana y sólo quería felicitarles el año nuevo.

Claudia me llamó al día siguiente. También su tono era cordial. Me contó que tenía novio. Estaban ultimando los trámites para casarse. De momento vivían juntos.

—¿Y tus padres qué dicen?

—Nada. Están curados de espanto, gracias a ti.

El novio de Claudia se llamaba Ángel Serra. Se habían conocido en la Facultad de Farmacia. Él había acabado la carrera dos años antes que ella y habían dejado de verse. Luego se habían reencontrado por motivos profesionales. Ángel trabajaba en unos laboratorios farmacéuticos y era campeón de tenis *amateur*. Le pregunté si también era el amante que había precipitado nuestra separación y se echó a reír.

—Agua pasada no mueve molino. Cuéntame cómo te va a ti por Nueva York.

Le hice una crónica sucinta y un poco triste de mi vida y se volvió a reír.

—Veo que sigues felizmente insatisfecho. No será tan nefasto. ¿Por qué llaman a Nueva York la gran manzana?

—No lo sé. Venid a verlo.

—No te digo que no.

Nos despedimos amigablemente.

Con aquella conversación puse punto final a otro capítulo de mi existencia que tampoco había dejado huella. Me sentí condenado a vivir en el presente y subí al avión de Pan Am con verdadero alivio.

Los vientos siguieron soplando todos esos días. Esos vientos que habían traído las lluvias. La lluvia se había ido; pero el viento se quedó.

El vuelo de vuelta fue largo; la película, aburrida; la comida, mala.

Leí un rato, descabecé un sueño y aún me sobró tiempo para pensar. Al avistar la inhóspita península del Labrador había hecho de mi vida un balance desalentador.

Por muchas razones no podía quejarme de nada. Gozaba de buena salud, no tenía impedimentos físicos ni mentales y contaba con una inteligencia y unas cualidades suficientes para desempeñar cualquier trabajo y acometer cualquier empresa. Había nacido en una familia traumatizada por la guerra, pero no exenta de cariño y aunque mi educación había sido deficiente y autoritaria, había superado en parte ambas carencias. No había sufrido violencia física ni psicológica, no había tenido desengaños amorosos. De mis males no podía responsabilizar más que a mí mismo.

Me había esforzado por mantenerme al margen de una sociedad que, a mis ojos, se basaba en principios injustos y opresivos, y también me había alejado de las alternativas que se me ofrecían. Pero a este rechazo no había sabido contraponerle una postura acorde con mis deseos y mis aspiraciones. De resultas de ello, gracias a la suerte y a la buena voluntad de las personas con quienes me había relacionado, nada me había ido mal, pero nada me había ido bien.

Ahora llegaba a esta conclusión suspendido sobre el océano, en un cielo transparente y glacial, a mitad de camino entre dos continentes y cuando faltaban pocas horas para el inicio de un nuevo año.

Al tomar tierra el comandante deseó una feliz entrada de año a todos los pasajeros. Por la ventanilla vi el cielo encapotado y el aeropuerto cubierto de nieve.

A pesar de la fecha y el clima, no me costó encontrar taxi. En Manhattan el tráfico era denso y las calles presentaban el aspecto sucio y desolado de siempre.

Después de varios días cerrado y con la calefacción al máximo, el apartamento era un horno y olía a comida. Dejé la maleta en un rincón, abrí una ventana y me derrumbé en la butaca. No me sentía en Nueva York ni en Barcelona. Era un agradable estado de emancipación que podía convertirse en desasosiego si no lo reconducía pronto a otro más objetivo y estable.

En el buzón había encontrado varios recibos de enero y una felicitación de Allan y China Higgins. Con aquella excusa los llamé. Si me proponían un plan, fuera el que fuese, estaba dispuesto a aceptarlo a pesar del cansancio, el frío y la pereza.

Respondió China. Se estaba arreglando para ir a un *réveillon* en White Plains. Me preguntó dónde tenía pensado celebrar el fin de año.

—En casa. Acabo de volver de Barcelona. Recibiré el año nuevo en pijama.

—Eres un muermo, pero te quiero igual. Y te paso a Allan, que quiere decirte algo.

—*Hey, buddy, happy New Year!*

—Lo mismo digo, Allan.

—Oye, Rufo, hace unos días alguien me pidió tu dirección. Naturalmente, no se la di.

—¿Quién era?

—Tampoco estoy autorizado a revelártelo. Un cliente de un cliente, por llamarlo de algún modo. Si me das permiso, puedo darle tu teléfono, y así habláis y tú decides.

—Pues sí, dáselo cuanto antes. Me has dejado intrigado.

—No te hagas ilusiones. Querrán venderte algo. Un seguro de vida. Ándate con cuidado: hay mucho timo.

Prometí seguir su consejo y colgamos.

Podía haber llamado a más personas. Con toda certeza la colonia de artistas catalanes habría organizado una juerga. También podía llamar a Paco Andrade y pasar una velada familiar con los compañeros del trabajo. Pero desistí.

En Barcelona faltaba poco para las doce. En Nueva York faltaban unas horas, pero en el edificio se notaba una actividad inusual. Por la ventana vi a una pareja de mediana edad salir a la calle y entrar en una limusina. Él parecía ir de esmoquin y ella de largo bajo el abrigo de visón. Por el pasillo se oían voces y risas. En un apartamento alguien puso música. Había empezado la celebración y el mundo parecía haberse conjurado para dejarme fuera de la fiesta.